高建群 著

谨以此——
纪念赫连勃勃辞世一千六百周年(425年——2025年)
纪念统万城筑城一千六百周年(419年——2019年)
纪念鸠摩罗什辞世一千六百周年(413年——2013年)
纪念草堂寺得名一千六百周年(401年——2001年)

陕西出版集团　太白文艺出版社

图书在版编目（CIP）数据

统万城/ 高建群著. — 西安：太白文艺出版社,
2012.12

ISBN 978-7-5513-0385-9

Ⅰ.①统… Ⅱ.①高… Ⅲ.①长篇小说 – 中国 – 当代
Ⅳ.①I247 . 5

中国版本图书馆CIP数据核字（2012）第304296号

统万城

作 者	高建群	
责任编辑	韩霁虹	
整体设计	可 峰	

出版发行 陕西出版集团

太白文艺出版社

（西安北大街147号 710003）

E–mail：tbsybl @ 126.com

tbwyzbb@ 163.com

经 销 陕西新华发行集团有限责任公司

北京时代华语图书股份有限公司

印 刷 北京市通州区富达印刷厂

开 本 690毫米×980毫米 1/16开

插 页 12

印 张 16

字 数 250千字

版 次 2013年1月第1版第2次印刷

书 号 ISBN 978-7-5513-0385-9

定 价 35.00元

邮政编码 710054

匈奴这个话题，是人类历史的一根大筋，一旦抽动它，无论东方，无论西方，全人类都会因此而痉挛起来！这个来自中亚细亚高原的古老游牧民族，曾经深刻地动摇过东方农耕文明和西方基督教文明的根基，差点儿改变历史走向。尔后，华丽地转身，突然一夜间消失。只留下一座废弃了的都城，一个匈奴末代王的名字，一任后人临陈迹而兴叹，借此作那无凭的猜测。

——作者题记

目录

序歌
走失在历史迷宫中的背影

哦，可怜的不幸的面色苍白的歌者啊，你走入了一座迷宫——历史的迷宫——距离今天一千六百年的历史迷宫。你试图走出来但是走不出来。你像一匹被关在马厩里的马一样，不管往哪个方向碰，碰到的都是栏杆。

"带我走出去吧！"你在胡碰乱撞中，试图寻找把你领出这迷宫的人。

那是一个乱世，中国历史上一个被称为"魏晋南北朝五胡十六国"的乱世。那也许是中国历史上一个最为黑暗、最为动荡的岁月，那同时又是一个张扬激情、张扬个性的岁月。那是中华民族的一个南北大融合时期，正如卡尔·马克思所说："民族融合有时候是历史前行的一种动力。"那又是这个苦难的东方种族历史大链条中不可或缺的一截。

在那乱纷纷的时代里，英雄美人列队走过，各种魅力四射的人物纷纷登场。

不幸的可怜的面色苍白的歌者，他看见了一个人的背影，接着又看到了另一个人的背影。他走上前去问路。

那第一个背影回过头来，这是一个身披黄金袈裟、深目高鼻、胡貌番相的高僧。"你好呀，僧人，我认出了你，你就是那伟大的智者，被称为大智之华的鸠摩罗什。一千六百年的草绿草黄之后，一千六百年的春凌秋汛之后，

1

你的前额依旧光洁，你的目光依旧睿智。那么，你是在这路口等候我吗？"

"是的，我在等待，等待一位面色忧郁的行吟歌手，等待一个周旋于历史与现实两个空间、长袖善舞的歌者。我已经等待了一千六百年之久，终于等到了一位能够写我的人。"

"我——笔力不逮的我，能够胜任吗？"

"可怜的人，写一部《鸠摩罗什大传》吧！你会写好的！你将因为我而不朽。"

"我感到自己有些头晕，不过我应承下这件事情。高僧啊，能为我写这部书说几句祝福的话吗？"

"我送四句偈语给你，它将佑护你一路走过，直到完成这部书。这四句偈语是： 云远天高古道长，沙漠驼铃震四方。晶莹最是天山月，为尔遍照菩提光。"

"让我试一试吧！"歌者有些惶恐地说。

当歌者说完这句话，抬眼看时，那位身披黄金袈裟的僧人，已经远远遁去了，消失在迷蒙的远方。而在那迷蒙的远方，一千六百年前的另一个岔路口上，一位面色愁苦的将军在那里站着，正在向他招手。

歌者认出了那位将军。

他和鸠摩罗什高僧一样，同样是一个有着一身故事、一身传奇的人。不过鸠摩罗什被称为"大智之华"，这位将军则被称为"大恶之华"。

歌者走上前去，他说："我认出了你，王——万王之王，你就是五胡十六国时代的那位显赫人物，匈奴末代大单于赫连勃勃。你那脸上的三道刀痕告诉了我，是你！你那一身锈了的铁衣告诉了我，是你！你身后那座昔日曾辉煌无比，现在已被风沙掩埋、颓败坍塌的统万城告诉了我，是你！"

"是的，我是伟大的王者赫连勃勃，一个曾经在塞外旷野之上筑过一座匈奴城的赫连勃勃。请问，歌者啊，坊间还在流传着我的故事吗？众口滔滔，以讹传讹，还在到处传诵着我的恶名吗？"

"是的，不好意思，还在流传着，关于王，关于城，关于那个乱世纷争的时代。不独有传说，还有歌，比如，最近就流传着一首歌，人们把那歌归入流行歌曲！"

"我也能进入流行歌曲吗？我真想听听那歌是怎么唱的！"

"那歌得让大男人用女人的假嗓子来唱，我唱不好，不过我可以试一试——

　　　　把酒高歌的男儿是北方的狼族。
　　　　人说北方的狼族，
　　　　会在寒风起站在城门外，
　　　　穿着腐锈的铁衣——"

赫连勃勃听了说道："这说的是我——确实是我！他们看见了我穿着腐锈了的铁衣，像一个孤魂野鬼一样，在我的城——统万城的大门口，拍打门环，扬声叫门的情景！那些传说我不认可，不过，这首歌我认可！"

歌者说："我想我有责任，把将军的认可和不认可告诉世界——只要我能走出这个一千六百年前的迷宫！"

"你能够走出的。这历史的迷宫虽然叫人一头雾水，尽是盘陀路，但是有一个办法，可以走出。你找一个或两个人物吧，靠他们领路，你就能轻易地走出。那历史的景况虽然光怪陆离，但其实是有迹可循的，抓住一两个历史人物，让人物从历史的大事件中穿肠而过，这历史就立刻尽收眼底了，你就能轻易走出了！"

"那么，请你，尊贵的王者，为我带路吧！"

"我当然会为你带路。跟着我走吧，这一段历史我走过来了，一个真实的草原英雄——匈奴末代王的故事，也就告诉你了。加上你刚才遇见的鸠摩高僧。匈奴王的故事，高僧的故事，这个时代就基本可以概括了！"

"那么，王的意思是为赫连勃勃也写一部大传吗？"

"是的，我已经在这城外游荡了一千六百年，等待一个能写我的人，能将一位真实的草原英雄写出的人，从这儿经过。很好，我等来了你——这位行吟歌者！"

"让我尝试着写吧！我不知道能不能写好。"

"写吧！可怜的人，写成一部赫连勃勃大传，把一个真实的赫连勃勃告诉世界！把一个为匈奴民族发出天鹅最后一声绝唱的王者告诉世界！"

"歌者啊，值得写的——你将因为我而不朽！"赫连勃勃最后说。

第一歌
你看那高贵的马

"男人的事业在马背上，在酒杯里，在女人的卧榻前！"

最后的匈奴王赫连勃勃，在整整一千六百年前的那个悲惨的早晨，在统万城即将被攻破，在显赫一时的匈奴大夏国大厦将倾之时，躺在草原上一个简陋的羊圈里，躺在美人鲜卑莫愁的臂腕上，这样说。

那一刻，太阳正在草原的另一头，从大河套的深处，从黄河的右岸冉冉升起，朝霞给这座旷野上的血光之城罩上一层虚幻的玫瑰色。那一刻，在秦直道另一端的长安城，在一个名叫草堂寺的佛家寺院里，大智鸠摩罗什高僧已经圆寂，他静静地躺在一座舍利塔下，归于泥土，只有他那舌头，还在塔中间的一个神龛上，向外放射出像火苗一样形如莲花的光亮。

此一刻，在遥远的欧罗巴大陆，赫连的兄弟，那个被称作阿提拉的伟大人物，正像一座沉默的、会移动的山峰一样跨在马上，站在多瑙河的右岸注视着欧罗巴大陆。阿提拉大帝的背后，是他的三十万草原兄弟。

"让我最后一眼看看我的草原，看看我的马吧！"

就要离开人世的赫连勃勃，大口大口地喘着气，这样说。

辽阔的草原上，马儿在吃草，一群一群的，风一样地来去。每一群马都由一个头马领着。那头马时而扬起蹄子，奔上就近处的一个高丘，然后静静地伫立在那里，欣赏着它的马群的吃草和行走；一会儿又嘶鸣着，走到队伍后边，用蹄子去踢那因为吊着一个大肚子而行动迟缓，跟不上队伍的母马。

而一只鹰隼，这草原上的君王，天空的永恒的流浪者，它正驾驭着气流，平展着双翅，在草原的上空平稳地翱翔着，不时发出几声尖利的长唳。它的两只翅膀巨大的阴影，从草原上缓慢地云彩般掠过。

"那是马……"赫连勃勃说。

"是的，那是马，高贵的马！忠诚的马！给我们提供脚力的马！哦，我们高贵的朋友呀——马！"鲜卑莫愁附和着他的话说。

那是马，高贵的马，两只尖尖的耳朵像风向标一样三百六十度不停旋转的马，以走的姿势、颠的姿势、四蹄并举而奔驰的姿势，从那被时间的黑色幕幔遮掩中向我们冉冉走来的马。那是谁在说呀，"人类最高贵的征服，乃是对马的征服，是圈养马的那一刻，是以一种优雅的姿势跃上马背的那伟大一刻！"

马有三种行走方式，第一种叫走。这个走，是像竞走规则上所说的那样，四条腿打直，膝盖不许弯曲，然后四条腿风驰电掣般轮流交替。马背是如此的平展，骑手骑在马背上，不摇不动，像行驶在草丛之上的一条船。这走嘛，又分为小走和大走。小走马，它的步幅要小些，后蹄窝刚可以压住前蹄窝；而大走的马，它的步幅大极了，后蹄窝往往要超过前蹄窝一拃长，马的那四条长腿像蚂蚱的长腿一样，像带串铃的大走骡的长腿一样。

第二种姿势叫"颠"。草原上的歌儿里唱道，"翻腾的银蹄像银碗"，说的就是马儿的这种"颠"的姿势。马在颠着，撒着欢，蹄花翻飞，一路行云流水湍湍驶过，再加上串铃声声，叮当作响，草原上此一刻于是布满了音乐。这时候如果有一只鹰隼贴着骑手和他的颠马，翅膀低垂、平稳飞翔，跟在他的头顶，那一幕真是美极了。

那第三种姿势就叫奔驰了。马的两只前蹄并拢，高高扬起，向前砍下；两只后蹄则随前蹄一齐律动，也是同时扬起，同时落下。那情景像一只追赶猎物的豹子，它的腰身在这一剪一剪中不时拱起，脊梁杆儿拱成了一座山。那修长的脖子和脖子前面连接的马头琴一样的头，随着律动，一下，尽可能地向无限远的远方伸展而去；又一下，深深地窝回来，夹在了两只扬起的前蹄中间。而在这诗意的奔驰中，那尾巴像一把扫帚一样，长长地、平展展地拖在身体后面，飘浮着，像一道浮在草原绿浪上的黑瀑布、红瀑布、金瀑布。瀑布的颜色要视那马的颜色而定。

不过在牧人的口语中，那"奔驰"不叫奔驰，而叫"挖蹦子"。是的，它叫"挖蹦子"。当一群马，马蹄上钉着马蹄铁，尤其是这还拧有四颗防滑螺钉的马蹄铁，莽撞地、粗野地、雷霆万钧地砸向戈壁滩时，戈壁滩上溅起阵阵火星，马蹄急急如雨，以千钧之力砍下来，地皮为之震颤。那情景，"奔驰"两个字，好像太弱了，它得叫"挖蹦子"。

好啊，挖蹦子！那是一种怎样的景象呀，那是一生都匍匐在大地上，一生都与平庸的地形地貌为伍的农耕民族永远无法想象出来的腾挪之美，跨越之美，飞升之美。马的每一根鬃毛都藏着风，世界退避三舍，在远远的地方看着它奔驰——这是果戈理在《死魂灵》中说过的话。这话当然是说得好极了。不过叙述者在这里可以比他说得更好。

那每一根鬃毛里藏着的不仅仅是风，还有那一滴滴黑色的血液。马朝天扬起的口中喷出白沫，发疯一样地奔驰着，每一个毛孔都在向外迸出血珠来。出血最多的地方是两个丰腴的前膀子。血流出来了，同时流出来的好像还有汗，血和汗交织在一起，湿漉漉的。前膀子上的毛，拧成一团一团。骑手在奔驰中，伸手一摸，一巴掌通红的血。

当你走近一匹马，走入一匹马的感情空间以后，你会发觉，马其实和人一样，也有笨马、聪明的马以及智商极高的马之分。马的智慧，也是随着年龄的增长而增长的。一匹老马，已经老得没有一点儿防御能力了，它静静地四腿木立在那里，但是没有一匹马敢靠近它或侵犯它。如果你细心，你会发觉它的两只尖耳朵像风向标一样三百六十度旋转，屁股会悄没声息地转向侵犯者方向，一只蹄子已经轻轻翘起，那叫"弹"。

叙述者还想说，一匹走马，一匹颠马，一匹挖蹦子的马，它们的行走方式不同，但却都可以成为好马。它们的行走姿势，一半靠的是天赋，那是与生俱来的能力；一半靠的是骑手用三年的耐心所"压"出来的后天的能力。

叙述者还想说，一个人如果这一生有幸去过北方，并且有幸与一匹马为伴，那么，不管他后来到了哪里，居家何方，他的身体停止在马背上颠簸了，但他的思绪，还将一直颠簸不停。他将永生不得安宁。

——这个统万城的故事，正等待着亲爱的读者走近它。我们的主人公，那个名叫"赫连勃勃"的人，在颠簸的高车上，在迁徙的途中，早已忍耐不住，等待着呱呱降生。出于对一个生命出生的尊重，我们的饶舌，到这里是不是该结束了，从而让《第二歌》出现？

第二歌
生在高车上的男丁

赫连勃勃出生在一辆高车上。他出生的那一刻，这辆高车的两只大轮子正在辚辚滚动。出生在路途上，这是宿命——匈奴人的宿命。这个游牧民族从我们知道它的那个年代起，就是这样风一样地往来无定，云一样地漂泊为家了。

那是高车。两个奇大无比的大轱辘是用白杨木做的。吱吱呀呀的车轴，是枣木，或者槐木的，或者青冈木的。轮子之所以如此的巨大，是为了能碾出路程——道路确实是太漫长了。两根长长的辕干，里面往往塞着一匹老马，或者一头长着弯弯犄角的驮牛。然后就是车厢部分了。通常的车厢，只铺着一层薄薄的板子，用来装载物什，使役者翘着屁股坐在辕干上或者骑在马背或牛背上。但是也有另外一种高车，两只夸张的大车轱辘上面，驮起一个小小的篷屋一样的东西，那里面住着老幼妇孺，那是匈奴人移动的家呀！

> 从地平线渐次隆起者，是青海的高车；
> 从北斗星宫之侧悄然轧过者，是青海的高车；
> 而从岁月间摇撼着远去者，仍还是青海的高车呀！
> 高车的青海于我是威武的巨人，青海的高车于我是巨人之轶诗！

瘦瘦的，脸色苍白的，神经质的，留着乱蓬蓬的头发、戴着眼镜的诗人

7

昌耀[1]这样惊呼道。

从那昌耀的高车上传出一声婴儿的哭声。哭声很响亮，很尖厉。尽管有马蹄的踏踏声，有车轮的辚辚滚动声，但是这婴儿的哭声顽强地盖住了它们，从而让这个世界知道自己来了！

一个独眼的女萨满从血水中将婴儿捞出。"是个男丁！"她瞅了一眼说。女萨满那只鹰隼般的独眼闪闪发光。她说："他是逆生的，脚先出来！他首先伸出一只脚，不停地摇晃，好像是在试这世界的水深水浅似的，好像不愿意走出来似的！那脚丫子上的小拇趾头是浑圆的一块，虽然角质还没有变硬，但是那粉红色的趾甲盖，是浑圆的一块！"

女萨满继续说："需要将这孩子拽出来，慢慢地拽。逆生，不正常出生的人，按照民间的说法，会是一个不安生的人，一个不按常理出牌的人。哎呀，他露出了小鸡鸡！祝福草原人丁兴旺，百草繁茂！现在，他彻底地出生了，扁平的头颅，粗短的脖子，两颗黑豆儿一样的眼珠。哎呀，这样的体型，正适合在马上行走！"

喋喋不休的女萨满从血水中捞起这个婴儿。她把手伸出车外，看也没看，顺手接过一把业已在牛粪火上烤红消毒过的刀子，顺过刀来轻轻一割，为孩子剪掉脐带。孩子睁开眼睛，在颠簸中努力地瞅了一下这个世界，哇哇地哭起来。

"你那么弱小呀！你会长大吗？你能承受住这流离颠沛长途迁徙吗？你会成为一个男人吗？"女萨满感慨地说。

女萨满叹了一口气，仍旧用这把刀割下自己袍子的一角，熟练地将孩子包起。"告诉主公，孩子降生了，是个男丁！母子平安！"女萨满探出头来，朝窗外随马车一起行走的士兵说道。

孩子被载在了车上继续行走。他将在这大辖辘高车上长到三岁，然后跃上马背，在马背上又长到七岁，最后在一次满门三百口被杀的重大变故中，只身一人逃出，开始在大河套地面风一样奔走，开始他的事业，他的霸业。

---

[1] 昌耀（1936年6月27日-2000年3月23日）期，原名王昌耀，中国民族诗人。文中的诗摘自他的作品《高车》。

男人的事業在馬背上·
在酒杯里·在女人的臥榻前
為蒜運動勢造型

高建群筆 壬辰首夏

第三歌
赐一位英雄给匈奴草原吧

女萨满从走动着的高车上扶着辕干跳下来，她的手里捧着孩子的胎衣。她得寻找一个地方，一个有标志的地方，将这胎衣埋掉。这是她在接生以后所进行的最后一道工序。

川流不息的迁徙队伍，仍在赶着路程。女萨满来到一棵树下，这棵树叫白杨树。白杨树是北方的平凡的树木。而此一刻，偌大的河套平原，空荡荡的，唯一的标志物也许就是这一棵树了。于是女萨满在树下掘出一个坑，然后郑重地将那孩子的胎衣埋掉。

她埋得很深，防止有野物侵害。如果有野物将这胎衣叼了去，那这孩子一生的命运就时时会有不测。

白杨树立在那里，斑驳的树身，伞一样的华盖。那季节大约正是盛夏，它的树冠是如此的葱茏，勃勃向上，郁黑的白杨树叶像巴掌一样在风中拍出雨点般的巴掌声。在这一望无垠的草原上，它显得如此突兀。

女萨满鹰隼般的独眼熠熠有光。她盘腿坐在地上——是双盘而不是单盘，这样更显得郑重其事一些，然后，两手举天，面对埋葬胎衣的地面，面对大河套平原，吟唱道：

"上苍啊，赐一位英雄给匈奴草原吧，为了五花盛开，为了人丁兴旺，为了这一股潮水能够继续流淌，永日永夜，而不至于像草原上的潜流河那样从地平线上消失。我们保证，我们将拥戴他和服从他，像狗一样的忠诚，像羊一样的顺从！"

女萨满带着拖腔吟唱着，举目望天，两行热泪流了下来，打湿了她的胸前。在匈奴传说中，在草原歌谣中，这个半人半神半巫的人物，总是适时地出现，给平庸的世俗生活以某种想象力，让这个彼此孤立的世界搅和在一起。

席地而坐的女萨满，在祈祷着。当祈祷到尽情处，她霍地站起来，开始舞蹈和吟唱。在舞蹈和吟唱中，她脱下了自己脚下的鞋子。荆棘扎在脚上，鲜血淋漓，她竟然也毫无知觉。

女萨满这样吟唱道：

> 阿嘎拉！阿嘎拉！
> 你是一架神鹰，
> 飞翔在蓝天之上。
> 太阳是你的夏官，
> 月亮是你的冬官。
> 你是天降的神鹰，
> 世间一切恶魔，
> 都将被你征服。
> 神灵保佑你，
> 永远保佑你。

> 阿嘎拉！阿嘎拉！
> 你是一匹黑马，
> 奔驰在大地上。
> 蓝天是你的牙帐，
> 大地是你的床铺。
> 你是天之骄子，
> 世界上最美的女人，
> 日夜想着你。
> 神灵保佑你，
> 永远保佑你。[①]

起风了，白杨树的大叶子在热烈地拍着巴掌。黄河就应该在不远处吧，能听到那河水拍击堤岸的声音，低沉而有力。是的，那是黄河的涛声，这支迁徙的匈奴部落，他们其实一直在这块被称为"大河套"的地区游弋着。一

---

① 这首游牧古歌选自郭地红《昆仑英雄传》。

会儿走向它的左岸，一会儿走向它的右岸。

掩埋好了胎衣，迁徙的队伍已经走远了。她的小马就在她身边，于是她打一声口哨，小马腾腾地奔过来了。女萨满跨上马，一手扶住马脖子，一手扶住马的后腰，两腿一磕马肚子，小马向迁徙队伍行走的那个方向噔噔奔去。

迁徙呀，一代一代的迁徙，永远的迁徙，这大约是匈奴民族那可诅咒的宿命。这支迁徙的队伍，是留在东方亚洲高原原居住地的最大一支了，将来或许还是最后的一支。他们被称为匈奴铁弗部。所谓铁弗部，通常被认为是匈奴人与鲜卑人联姻后的后裔。而按照他们自己的说法，他们那遥远的祖先是治水的大禹王，而在大禹王之后，则是天之骄子冒顿大帝。他们还认为自己是出塞美人王昭君的直系后裔。

昭君北嫁以后，匈奴人开始"内附"。这支匈奴部落从塞外荒漠越过长城线，迁徙到山西的五台县。又从五台跨过黄河，向大河套地区的代来城迁徙。此一刻，他们正走在前往代来城的途中。

迢遥的道路，无目的地的迁徙。骑在马上的士兵。乘着大轱辘车的妇孺。健硕的、长着一对弯曲犄角的驮牛。那牛背上驮着的帐篷支架，左右分开，驮牛鱼贯而行，像一溜张开翅膀飞翔的雁阵。

这支最后一支匈奴部落的头领叫刘卫辰，也就是刚才在高车上出生的那个婴儿的父亲。他的正式称谓是"朔方王"，又叫"匈奴西单于"。

此一刻，正当我们的女萨满跨上小马追赶队伍的时候，匈奴西单于刘卫辰正骑在马上踽踽而行。络腮胡子，脸上挂满忧郁之色，宽大的袍子，动物血染成的红皮裤，底子快要磨穿的靴子。他在马上纹丝不动，像一座移动的山。象征他身份的物件，是一个挂在马脖子上的骷髅头做成的酒具，这酒具是用敌人的头颅做成的。那用来号令天下的则是插在后背上的那面独耳黑狼图案的令旗。

刘卫辰从贴着马背的那个鞍鞴部位，摸出一把牛肉干来，填在嘴里充饥。嚼了一阵后，又俯身卸下酒具，仰起脖子来饮酒，这时，一位骑兵飞马来报："王，你听到婴儿的哭声了吗？夫人生了，是个男丁！"

"哦，是个男丁，这么说我的继承者诞生了！草原上又要飞起一只雄鹰了！"刘卫辰忧郁的脸上露出一丝笑意。

刘卫辰弯过马头，从潮水般的迁徙队伍中返身来到那辆高车前，他揭起布幔，往里瞅了一眼，说："噢，是个男丁！又一个出生在路途上的匈奴人。叫他勃勃吧，生机勃勃，勃然大怒，像阳具一样突然勃起！还有，把大汉皇帝赐给我的这个'刘'姓，也赐给他吧！天下匈奴遍地刘——叫他'刘勃勃'！"

第四歌
欧亚大平原和游牧古族

雄心勃勃的作者，为那个业已消失了的伟大游牧民族的故事所蛊惑，为那业已迷失于历史黑幔中的悲壮背景所蛊惑。他意欲为那消失了的民族写一部史诗。他明白自己是在做一件不可能完成的事情。

但是他知道自己必须试图这样做。如果做不到这一点，人类——整个人类将欠下那个民族一笔债务，将欠下历史一笔债务。

是的，匈奴这个话题，是牵动全人类的一根大筋。一旦拨动它，不论东方，不论西方，全人类都会因此而痉挛起来。

他们曾深刻地动摇了东方农耕文明根基，同时动摇了西方基督教文明根基。天之骄子阿提拉大帝站在多瑙河的岸边，率领他的三十万欧亚大平原上的各游牧民族兄弟，呼啸着奔向欧罗巴大陆。他几乎占领了整个欧洲，如果不是那个妖娆的金发的罗马公主敬诺利亚的出现，世界的进程肯定就会是另外一个样子了。

同样的，居留在原居住地的这一支匈奴人，在未来的日子里，鼓行秦陇、纵横燕赵的赫连勃勃，也差点儿重新改写东方世界的文明进程。

是的，他们像商量好了一样，在一个早晨，东方和西方的这两股肆意奔流摧毁一切的洪流，突然同时消失，同时沉寂，同时退出历史舞台，同时茫茫然而不知其所终。哦，这真是戏剧性的惊人一幕。

但是呀，放胆说吧，他们不会就此消亡。那血液，相信还在生活在二十一世纪阳光下的许多人类分子的血管里澎湃着。那河流不是终结了，而是由于大地承受不起它了，转而成为沙漠中的潜流河。

唉，要说匈奴人的故事，那得从遥远的年代说起。那时候世界的东方和西方还很少沟通，像两个在各自的蛋壳里孕育和成长着的文明板块一样。彼此之间，仅仅靠一些零星的信息，远远相望着，相守着，互不往来。那时候世界的东方首都是长安城，世界的西方首都则是罗马城。而两座城池之间相隔的这个幅员辽阔的漫长地带，脑袋光光的人类学家们称它为"欧亚大平原"。

这个被称为欧亚大平原的蛮荒地带，为一望无际的戈壁滩、大沙漠、草原和干草原、险峻而凄凉的群山、原始森林、洞穴和湖泊、偶尔的城堡、一条又一条湍急的河流所充填。仅就河流而论，中国的史书以稍带几分哀婉几分惊乍的口吻所谈到的那乌浒河、药杀水，它当在中亚细亚地面；而后是穿越俄罗斯大地的四条主要河流，鄂毕河、顿河、伏尔加河、第聂伯河；而后是自喀尔巴阡山直下，进入东欧平原的多瑙河流域。

在这块地面上，风驰电掣般行走着许多的游牧民族，他们逐水草而居，今日东海，明日南山，像风一样地行踪不定。这些游牧人以八十年为一个周期，或者拥向世界的东方首都长安，或者拥向世界的西方首都罗马，向定居文明索要生存空间。每当遇到旱灾、蝗灾、战乱或者瘟疫，这块地面便像开了锅的水一样，沸腾起来，躁动起来，痉挛起来，开始它们或而向东或而向西的奔涌，那巨大的破坏力足以摧毁一切，荡涤一切。

当这些游牧人赶着云彩一样的羊群、马群和骆驼群，游移到东方那个被当地人称为"边墙"的地方时，村庄里的人们远远地望着他们，甚至爬到屋顶上扶着烟囱去看。他们不知道这些不速之客是从哪里来的，更不知道怎么称呼他们，于是乎称他们是"胡人"，那意思是说看到了一群长着长胡子的面目狰狞或面目不清的人。如此这般，"胡人"这个称谓便成为相当长的一段时间里人们对这些飘忽不定的草原来客的统称。

当然他们有名字，但是人们不知道。是的，人们还叫他们"玛扎尔人"。蚂蚱就是蝗虫，一种御风飞翔、往来无定的生物，一种一剪一剪、一跃一跃地行走的小东西。定居村庄的人们远远隔着边墙，望着那五花草原上，草浪中乘着马一起一落、一剪一跃的草原来客，他们很好奇。而那行走的姿势委实太像蚂蚱了，于是顺口叫他们"玛扎尔人"。

当然也叫他们蠕蠕人，或柔然人。那是在就近看到他们时人们所得出的印象。草原来客越过边墙，从村庄边掠过，从田野上掠过，农人们抬起脸，与他们脸碰脸地打了一个照面。这时农人们看到的是一张圆盘的大脸。由于

13

被漠风没有节制地吹拂，被中亚细亚的毒太阳无遮无拦地炙烤，那脸通红、乌黑、酱紫，活像田野里那蚯蚓的颜色。北方的老百姓把蚯蚓叫"蛐蜒"，这样他们就被叫成"柔然人"或者"蠕蠕人"了。

当然，他们有他们自己的名字，只是村庄里的人们为眼前的成方成格的田地和茂密的庄稼林所遮掩，看不到远处去，而他们那一点儿贫乏的知识也仅仅只来源于脚下的这片农耕地，所以他们只能靠自己的一点儿贫乏的知识为那些草原来客取名了。

其实在这块无遮无拦的欧亚大平原上，在这朔风四起混沌不清的广袤大地上，在那个西域古族大漂移大骚动的年代里，那有名有姓的族群总该有几百个吧，甚至更多一些。

头脑光光的人类学家们，为了叙述的方便，将横亘在中亚细亚高原，以小阿尔泰山、大阿尔泰山附近为主要活动区的这些古族，统称为"阿尔泰语系游牧民族"，而将横贯欧亚大陆桥地面的这些古族叫"雅利安游牧民族"，最后将欧罗巴大陆以多瑙河与莱茵河为依托的这些地中海古族统称为"欧罗巴游牧民族"。

而村庄里的人们，第一次准确知道的一支部族的族名，就是我们故事中的匈奴人。

第五歌
匈奴人第一个跃上马背

那第一个被人们确切知道的草原来客，名字叫匈奴人；那给人们留下最深刻印象的，也是匈奴人。匈奴人第一个跳上了马背，开始了他们在这块广袤大漠上的奔驰。是怎么的突然灵机一动，跃上马背，然后开始奔驰的？不知道！是受了那敛落在马背上的黑翅膀乌鸦的启示吗？不知道！是一辆大轱辘车突然坏在了中途，无奈的主人只能从车辕上卸下马来，试图跨上它，因为这道路实在是太漫长了？不知道！或者，是一只狗，一只牧羊犬有感于这沙砾的灼热，脚底发烫，于是一跃身跳上了马背？亦不知道！总之，这些无意的举动给了匈奴人以启示，匈奴人颤巍巍地跨上了马，于是，人类新的一页翻开了，战争的一页翻开了。靠马作为脚力，那条横贯欧亚大平原的伟大道路丝绸之路开辟了。

是匈奴人教会了赵武灵王胡服骑射。而秦始皇修筑万里长城，修筑秦直道，正是为了羁绊匈奴人的汹汹马蹄。那被称为天之骄子的冒顿大单于，率领他的草原兄弟，黑压压的一片，如狼似虎般地直抵长安城附近的萧关，眼看就要看见长安城的钟楼了，属下问他："匈奴人的疆界在哪里？脚下已经是长安城了，是不是不能再往前走了？"冒顿将马鞭一挥，扬声大笑道："匈奴人没有疆界这个概念！匈奴人的牛羊吃草到哪里，哪里就是匈奴人的疆界！"同样是这个冒顿，将刚刚唱罢《大风歌》的汉高祖刘邦合围在大同的白登山，将三万人杀得只剩下两千人了。后来刘邦受尽屈辱后才得以侥幸逃出。这就是历史上有名的"白登山之围"。

白登山之围让惊魂未定的刘邦明白了一个道理，这个道理就是"胡汉和亲"。这样，便有了后来的昭君出塞。一个女人改变了世界，昭君顺秦直道穿越子午岭山脊，过黄河，嫁到九原，成为南匈奴王呼韩邪的妻子。呼韩邪死后，再嫁呼韩邪二夫人所生的大儿子。这一任丈夫死后，再嫁二夫人所生的二儿子。这就是著名的昭君三嫁的故事。

昭君出塞以后，南匈奴成为大汉王朝的附属国，于是双方联手，合击北匈奴。北匈奴王郅支，是呼韩邪的哥哥，他也曾经到过汉未央宫来求亲，只是脚步跑得慢了点儿，只来过一次，而呼韩邪来过三次。郅支在匈奴草原上站不住脚了，于是率领部落开始缓慢地向中亚地面移动，一边移动一边唱着"失我祁连山，使我六畜不蕃息。失我焉支山，使我嫁妇无颜色"的古歌。最后，在贝加尔湖畔，落势的郅支为尾随其后的汉西域都护府副都尉陈汤所杀。

后来的曹操，站在秦直道靠近长安城的这一头——淳化的甘泉宫，以迎候当朝公主的礼节，迎候昭君的几个女儿归朝省亲。曹操说："塞外苦寒，茹毛饮血，公主殿下们年事已高，如果愿意回来，就回长安城居住养老吧！"公主们泣泪道："女儿们都已经习惯了，并不觉苦。只是，塞外地面，确实苦焦，如果朝廷能设一个'内附'政策，将那些塞外的游牧人安置在长城之内，一边农耕，一边放牧。这样，这些游牧人的生活就会有了着落，而边疆地面也会安定许多了！"曹操听了，深以为是。

这样，从曹操的年代开始，匈奴人开始大量内迁。中央政权在山西境内设河东五郡，安置匈奴。不久，被安置在山西离石境内的匈奴左贤王刘渊、刘聪开始起事，从而掀开中国历史上的"五胡十六国之乱"。

五胡说的是匈奴、鲜卑、羯、氐、羌。十六国则是指前凉、后凉、南凉、西凉、北凉、前赵、后赵、前秦、后秦、西秦、前燕、后燕、南燕、北燕、胡夏、成汉。

他们在长城内外掀起一场滔天巨浪。这就是中国历史上一段最为黑暗最为混乱最为模糊不清的岁月。用西方学者的话说，当那些被驱赶出亚细亚高原的游牧人远迁他乡之后，那些留在原居住区域的游牧人突然骚动起来，纷纷举帜，试图完成草原民族对农耕文明、定居文明那世世代代的占领梦想。

我们的赫连勃勃就是在这时候出生的，我们的统万城故事就是在这样一个大背景下展开的。

历时二百八十年的五胡十六国之乱，到我们叙述的此时，已经进入它的下半叶了。

第六歌
迁徙者

那个名叫勃勃的男孩，说话间已经三岁了。他是在高车上出生，在高车上长大的。三岁的勃勃，那时候还看不出能成为将来的为王者的预兆。他懦弱、苍白、瘦骨嶙峋，看见杀鸡也会捂着眼睛。而他那眼白过多的眼睛，胆怯得从不敢正眼看人。

这是因为他噙着一只母羊的奶头长大的缘故。他的母亲缺奶，于是人们为他牵来一只母羊放在高车上。颠簸的途中，饿了就咂一口羊奶；晚上睡梦中，呢喃作语，伸出小手摸索，然后抓住母羊的奶头，塞进嘴里，咂着奶头继续睡去。

如果他咂着的是一头母牛的奶头，那么他也许会像一头牛一样的健硕、充满蛮力。如果他咂着的是一峰骆驼的奶头，那么他也许会像一峰骆驼一样坚毅、充满耐力。但是他咂的是那驯良、懦弱、任人宰割的母羊的奶头呀！这样他的身上将终生留下挥之不去的羊膻味，他的声音在童年的这个阶段，也总有一种类似"咩咩"的羊叫声。

在匈奴传说中，伟大的冒顿大单于就是咂着一只母狼的奶头长大的，所以他把独耳黑狼作为他的猎猎狼旗，所以在他的胸膛里流淌着的是黑血，所以他在荒原上奔驰时充满耐力，那自如的情形就像在家园里散步一样。

据说还有咂着老虎的奶头长大的，这样长成的男人自然孔武有力。在另一个传说中，被老虎奶大的孩子长大成人了，骑着一头老虎回到了城里。老虎们恋恋不舍，尾随其后，黑压压一群围住了城池。城中的老百姓站在城头上看着，心惊胆战。

是的，勃勃长到三岁了，他那时候还没有显出什么王者端倪。也许吧，女萨满那虔诚的祈祷和动人的吟唱，只会是一句空话。对于匈奴人来说，希望和绝望一直伴随着他们。

入夜了，迁徙的匈奴人刘卫辰部在一条河边宿营。夜色中哨兵的枪刺一明一暗，此起彼落的口令声让人神经紧张。他们倚着一片树木歇息。大轱辘车围成了一个半圆。半圆的中间，是一堆熊熊燃烧的篝火。那篝火大约是用松树枝点燃的，因此周围地面上弥漫着一股浓烈的松香味。从大轱辘车上摇摇晃晃走下来的老人和孩子，围着篝火坐定，蜷曲着休息、打尖。士兵们在外面一层歇息。白莲花般的帐篷一个接一个搭起。驮牛们疲惫地卧着。负重被卸下来了，可以看出，牛的脊梁杆子被磨得血肉模糊，甚至白生生的脊梁骨也露了出来。牵牛的人于是在自己大碗喝酒的时候，呷一口酒，鼓起腮帮，向牛的脊梁那血肉模糊处，"噗"地一喷。

马的四蹄被施上羁绊，在就近的树林与草原接壤处吃草。这被称为"羁"的东西，大约也是这个马背民族的发明。用两根牛皮绳子，将马的四条小腿系住。牛皮绳在马的肚皮底下交错后，再用一根木棒将这交叉的皮绳子拧紧。这时候马脊梁稍稍地拱起，它还可以行走，可以低头吃草和喝水，但是已经不能无所拘束地奔驰了。这样有限制地游荡和放松一夜后，第二天早晨上路时，主人一声呼哨，它就会回来。如果有顽皮的马，或者倔强的马不愿意回来，那么，主人会骑着马赶过去，在空中挥一挥牛皮绳，一甩，一个绳圈儿刚好套住马头。

这是南匈奴的迁徙，这是南匈奴的宿营。较之南匈奴来说，他们的兄弟，北匈奴那个跨越洲际的迁徙，大约会更恢宏一些，悲壮一些，遥远一些吧。

在郅支被击杀于贝加尔湖畔的粟特城以后，这支匈奴人的踪迹便杳如黄鹤了。中国的史书对他们的记载，只是到此处为止。在接下来的二百年中，他们像潜流河一样从地面上消失，从人们的视野中消失，从世界史上消失。只有土耳其的史书，俄罗斯的史书，欧洲各国的史书，在记载他们自己文明的时候，才偶然会寥寥几笔，记录下这段擦着他们的文明板块匆匆而过的抢掠史和杀戮史，留下些许或清晰或不清晰的马蹄印和匆匆过客的身影。

他们逐水草而居，他们日复一日年复一年地攥着西地平线上的落日行走。在这二百年的混淆不清的为黑暗所遮掩的岁月中，他们是怎样度过的，这支洪流里裹胁了多少游牧人跟着他们一起行走，然后又把多少人和多少故事丢弃在了路经的地方，没有人知道，更没有笔墨记载他们。

较之西方人所津津乐道的以色列人《出埃及记》，以及罗马军团的十字军远征，这些匈奴人的迁徙史都更早，也更为悲壮和恢宏——那没有目的地的远徙真是步步惊心。

直到有一天，他们从东欧平原的喀尔巴阡山，呼啸着进入地中海地区，才令整个西方世界为之震惊。而直到有一天，当被称为上帝之鞭的阿提拉大帝以马蹄耕作，铁蹄踏遍欧罗巴大陆时，感觉到疼痛了的世界，才知道和记住了他们，并深深为之震颤。

我们的故事讲述的是南匈奴的故事，讲述的是赫连勃勃的迁徙。他们的迁徙大约都是一样的，他们那吉卜赛人式的篝火和营帐大约也都是一样的。但是还是让我们来讲赫连勃勃吧，讲一个公认的坏人的成长史，讲一个英雄诞生的全过程。讲述这一次迁徙途中的这个营帐之夜，赫连勃勃的身上将会发生什么？

第七歌
营地之夜

营地里支起了铁匠炉子。风箱拉起，炉火一明一暗。所谓的风箱，是一只牛皮袋子。将一头牛浑囵地扒了皮，那皮除去毛，再用硝碷熟了，就能缝制出这样浑全的牛皮袋子了。一个脸蛋上抹着黑的士兵，在那牛皮袋子上一踏一踏，风呼呼地从出口冒出，于是火苗随之一明一暗。

那铁砧倒是真正的铁砧；铁锤也是真正的铁锤。之前它们是被载在高车上的。举家举族迁徙的人儿，这高车就是家，这队伍就是家。此一刻，铁匠在挥舞铁锤打铁，叮当作响。一个小男孩，留着个盖盖头，在旁边静静地看着。

这是在打马蹄铁。路途劳顿，马蹄从沙砾上踏过，溅起阵阵火星。所以这马蹄铁并不经磨。几个月下来，铁就磨透了，要换新的。

通常，除了锤打出那些普通的马蹄铁以外，铁匠们还得制造出一些特殊的马蹄铁，即给那些普通马蹄铁上面打四个眼，拧上四颗防滑螺钉。这用途是使马匹在穿越冰河时，不致打滑。匈奴的部落，许多都被剿灭了，刘卫辰部所以能够残留下来，这也是一个原因。

蹄铁造好了，放在水中凉一下，现在，给马钉掌。

先立起四根柱子。四根柱子上面再横担四根，这样便有了一个简易的马架子。牵来一匹马，将马塞进这四根柱子组成的架子里。然后一个工匠从侧面过来，脸朝后，一只手伸向马的腋下。手伸进去以后，半个身子也随之跟进去，像钻进马肚子里一样肩膀一扛，马仿佛被扛起来了，这时，一只手将马腿抱起。马的后腿弯曲，蹄子悬在了空中。随后，给蹄子底下垫一个木桩，用手将蹄子按在木桩上。

工匠这时候胳肢窝里夹着一把铲子。在钉马掌前，他先得将马蹄上那残留的马掌去掉，如果有铁钉的话，将那铁钉用钳子拔光。这时只剩下光秃秃的马蹄了。那马蹄奇臭无比，上面有着许多的黑色积淀，得先把它们刮去。用铲子重重地铲，后腿蹬地，全身用力，将马蹄上那些多余的角质部分铲掉。直铲到那些角质部分露出隐隐的血丝了，这才罢手。在钉马掌前还有一道工序，那就是用一把镰刀将那马蹄削圆，削得和那半月形的马蹄铁一般大小。

现在开始钉掌了。当终于将马蹄上那些死肉削干净以后，满头大汗的工匠伸手接过马蹄铁，把马蹄铁在蹄子上比划上一阵后，放妥，这才开始挥动锤子，叮叮当当钉掌。

那钉子得顺着马蹄那半月形的角质部分，斜着向外钉出。这样有个好处，那钉子头会从角质部分的上面露出去，必须露出，这样马在行走中蹄铁才不会脱落。最后一道工序，是将那些露出来的钉子尖儿，再用锤子窝回去，形成倒钩，最后砸实。

这才算是完成了第一个马掌。一匹马有四个蹄子，而这个浩浩荡荡的队伍中，有着太多的马，有着太多的牛，因此可怜的工匠，他们几乎每一夜歇息时，都得叮叮当当做这件事情。

男孩在旁边悄悄地看着，他觉得这简直像做一件艺术品。本来他还想继续往下看，起码看着钉完那四只蹄子，但是这个时候，一阵凄厉的羊叫声传来，男孩就又被吸引到那件事情上去了。

那里燃着一堆篝火，比营地核心的那一堆篝火小一些。一群羊羔被一个临时用酸枣刺和红柳条圈起的篱笆围住，同样地也有一拨人，他们现在正在给羊羔的耳朵上打火印。

羊群，牛群，马群，骆驼群，它们随着迁徙的队伍一起流动。飘呀飘，像一团团乌云。这也就是迁徙者行进缓慢的原因，逐水草而居的原因。怀胎的母羊，吊着一个大肚子，缓慢地跟着队伍行走。它们可以跟得上的。它们随群。终于，它们该生了。这生育也是在走动中完成的。行走中某一个步履蹒跚的母羊突然停下来，它分开双腿，努力地叫了两声，一憋气，一使劲，一只羊羔便从屁股后面掉出来了。羊羔包在胎衣里，浸泡在血水中。母羊挣扎两下，脐带断了，羊羔掉在了地面上。

那羊羔湿漉漉的，绒毛已经长出，一绺一绺地贴在身上，它从胎衣中挣出。健硕一点儿的羊羔，只消在阳光下晒上五分钟，就会颤巍巍地迈着四腿，跟着母羊，跟着羊群一起行走了。体质弱一些的羊羔甚至几天的时间都不能走，这时得靠牧人来侍弄它们。

母羊在产下羔子之后，焦急地等待着羊羔站起，它"咩咩"地叫着向前走两步，然后扭过头来呼唤自己刚刚掉下来的那一块肉。它得这样反复召唤几次，羊羔才会明白，于是一个跟跄，跟着母羊去撵队伍了。

遇到那些体质弱的羊羔怎么办呢？有的母羊，在这样翻来覆去地召唤过几次以后，见羊羔还是不能站起，于是撇下羊羔去追赶已经走远的队伍。这样，这只可怜的羊羔，待迁徙的洪流过去以后，或许会成为野狼的一顿美餐。

有的母羊，似乎更负责一些，见自己的羔子无法走动了，于是哀恸地守在身边，眼见到大队伍渐渐走远，它呼天抢地地喊着。

所以，在这羊产春羔的季节，每一拨羊群后边都会跟着一个捡羊羔的人。他骑在马上，手里拿着一个用马鞭子绾成的活套儿。居高临下，看见有一只母羊停下来了，生产了，于是赶过去。

如果遇见那不能走动的羊羔，他不用下马，只用一只手扶住马鞍，让身子侧向地面，另一只手抓着马鞭子向下一伸，那活套儿便套住羊羔的脖子了，然后，羊羔被提到马上，进了这牧羊人的怀里。

就像农民秋后收割庄稼一样，这接春羔是牧人这一年最重要的收获。捡羊羔的人捡到羊羔以后，会迅速地策马奔去，把羊羔送回他的家人乘坐的高车，那车上已经有不少羊羔了，然后他再折身回来，继续跟定羊群。

当那羊群洪水漫滩一样从大河套走过后，一定会留下一些没有被发现，没有被及时捡回的羊羔。尤其是那些母羊硬着心肠离去的羊羔。这就好过了野狼。野狼成群结队地出没，以一种迁徙的形式排成长长的"一"字形竖队，年年从中亚细亚地面掠过。迁徙的匈奴人队伍后面，都有成群的野狼跟着。

那些捡回来的羊羔，在高车上短暂地将息几天以后，它们的身体强壮了，能够行走了，高车外的朔风不是那么刺骨了。于是主人把它们赶下来，重新交给羊群，交给母羊。羊群沸腾着，母羊咩咩地叫着来认自己的孩子，百般爱抚，叉开自己的双腿，将奶头亮出来，让羊羔拼命地吮吸。

归队的羊羔将随前面的羊群行走三个月。它们大了，在水草的滋润下已经成为了一只漂亮的小羊，白的雪白，黑的乌黑，紫的酱紫。但是，它们要成为一只真正的有名有姓有户口的成年羊，还得进行最后一道工序，这就是给羊的耳朵上烙上印记。

此一刻，小男孩听到的，正是在清烟升腾中那羊羔的惨叫声。

第八歌
三刀祝福

羊羔被篱笆围定，牧人腆着屁股，拖着沉重的步子，迈着罗圈腿，走进圈里猫腰抓住一个，一扬手，扔给火堆旁的另一个人。这个人，像接球一样地接住羊羔，用两腿将羊羔夹住。羊羔纹丝不动了，只有头露在外面。这人用一只手抓住羊羔的耳朵，将耳朵在他宽厚的熊掌一样的巴掌上摊开，大拇指压住羊羔的耳朵梢儿，另一只手将一把通红的火钳从火堆中抽出，牙齿一咬，向羊羔的耳朵烙去，瞬时一股清香，一声惨叫，一股腥臭的烤肉味。

烙完一个，两腿松开，羊羔没命地跑了，跑回大队伍。接下来又是下一个。

今天这户人家烙的是一个"S"。家家的印记都不同。这样羊只即便是汇群了，也能毫无争议地将它们分开。不过这还不是最重要的，那最重要的是，打上这家族的印记，是一种私有财产的标志。

懦弱的小男孩，他就站在这旁边看着。羊羔的惨叫声让他痛苦，而那腥臭的烧肉味儿叫他连打着喷嚏。他的孤独的苍白的童年快要结束了，世界已经开始出现在他的面前。他突然感到委屈，感到无所依傍，于是他哭起来。越哭越响。

突然，小男孩的哭声戛然而止。

原来，他的脸上被重重地捆了一巴掌。小男孩吓了一跳，抬起头来，他看见了父亲刘卫辰那张沧桑的脸。

"你什么时候才能长大呀？我的种——未来的王！"刘卫辰说。

匈奴西单于刘卫辰在夜间巡营时，顺便走到了这里。每天晚上迁徙的队伍歇息下来以后，刘卫辰临睡前都要带着几个亲兵，将营地齐齐地巡察一遍才会安心。巡察时，他会打马走到一个高处，长久地向夜色苍茫的四周凝望，看哪个地方会有火光。他还会以一种老狐狸的警觉来到河边，嗅一嗅河道的河水，耳朵贴着河水，向它的上游和下游倾听。他明白敌人如果要来，一定是会依托着一股水流行走的。

孩子被打，在地上软瘫成一摊泥。刘卫辰见状，火气更大了。他从马上跳下来，将这小男孩一把拎起，抡了三圈之后，两只手托着孩子。

"你闻不得血腥！你不属于这草原上的狼族！"这个朔方王说。

说完以后，他将孩子高高举起，腰上使力一掷，孩子飞出了百尺之外。只听"扑通"一声，那男孩被扔进了河里。为王者的情绪通常是喜怒无常的。虽然这事有些出格，但是对于为王者来说，好像做什么事情都是应该的。

那孩子掉进了河里，他开始呼喊起来。所有那些篝火旁忙碌的人们，包括我们前面讲到的那些钉马掌的工匠，那些给羊羔的耳朵烙印记的牧人，都撇下自己手中的活赶过来。他们来到河边，想要捞出那个孩子！

"不许救！如果他命大，他会自己爬上来的。如果他该死，那么，趁他懵懂不知的这个年纪就撒手走了，那是他的造化！"

刘卫辰趋前两步赶到了河边。他的话语里有一种不容抗拒的味道。

孩子在河中挣扎着。这是一条并不算大的河流。九曲黄河的一条支流。它的名字也许叫乌兰木伦河，也许叫秃尾河，也许根本就没有名字。这并不重要。

孩子在水中挣扎着，一起一伏，挣扎了有好一会儿，然后沉落下去，水面上平静了。带子一样弯弯曲曲的河流闪闪发光，河面上寂静如初。

刘卫辰骑在马上，站在河边的一个高丘上。他用一只手扶着马鞍，身子前倾，眼睛瞅着河水，冷漠，严峻。

正当所有的人都以为事情已经结束，这个小男孩来到世上只是这支游牧部落的一支小插曲时，突然，孩子的母亲，那个鲜卑族女人呼喊起来。

"手，一只小手，刘勃勃的手，他从水中伸出来，抓住了岸边垂向水中的一根白柳条！"她说。

岸边的一个士兵将矛子的柄杆一端伸进水里。孩子抓住了柄杆。士兵一拽，孩子被拖上了岸。

鲜卑族女人将孩子抢过去抱在怀里，然后将孩子放在一头牛的背上，牛走着，孩子头朝下往外吐水，她伸出巴掌，有节奏地在孩子的背上拍着。

"你们该干你们的事情去了。今儿晚上早点儿干完，明天一早太阳冒红时，还要赶路！"刘卫辰阴郁地说。

他们四散而去。工匠们继续去钉他的马掌，牧人们继续去烙他的印记。女萨满将那鲜卑女人扶起，从马背上接过她手中的孩子。

"笑一下！"她逗孩子说。她说，这孩子已经三岁了。我们走了多少里的路，翻越了多少座高山和多少条河流，不知道！只知道这孩子已经在高车上，哂着一只母羊的奶头，走了三年了！见了三遭这草原上的草枯草绿了！

在钉马掌的那个地方，牛皮匣子扇得火苗一明一灭。朔方王刘卫辰抱起孩子，来到这铁匠炉前。他俯身从靴子里拔出一把弯刀，在那炉火上烧红，然后向孩子的脸上划去。

他在这孩子的脸蛋上划了三道刀痕。

第一道划下去时，他说，这一道是让你勇敢！接着又划第二道，他说，这一道是让你俊美！当第三道划下去以后，他说，这一道是叫你凶恶，凶恶得让任何敌人看见你的面容都惧怕！

划完以后，刘卫辰呷了一口酒，向孩子的脸上喷去，算是止血，算是给这划伤消毒。

不久以后，那三道疤痕将会痊愈，那创伤部分将会结痂，然后痂子脱落，露出瘢痕。一张匈奴男人的脸，就这样形成了。

这脸上的三道疤痕仿佛一个匈奴男人的成丁礼。每个匈奴男孩大约都要接受这祝福性质的三刀。不过有的迟些，有的早些。

在刘卫辰做这些事的时候，那三岁的小男孩并没有反抗。他的脸上显出一种古怪的表情，忍耐的表情，麻木的表情，一种因为受难而快乐的表情。

他的白眼仁木然地瞅着这一切。那白眼仁让人害怕。

当四目相对时，正在施刑的刘卫辰，看到那白眼仁也有些害怕。他明白这个三岁的孩子，已经懂得什么叫仇恨了，而这第一次的仇恨，是从自己暴戾的父亲开始。

第九歌
在代来城

"套"是一个地理概念。

当地人把河流流经的地方，它的河滨，它的河谷，它春潮泛滥时的漫滩之处，它所形成的冲积平原，都叫"套"。甚至这河流所接纳的那些支流和流域，也属于这"套"的一部分。

黄河远上白云间，一片孤城万仞山。黄河从巴颜喀拉山出发，先顺势进入青藏高原东北边缘的峡谷地带，然后在穿越兰州城以后，东走、北折，接着穿越宁夏西海固，进入贺兰山地区。险峻的高山在它的左侧，腾格里大沙漠、巴丹吉林大沙漠在它的右侧。它像玩儿一个"几"字形的大弯一样，在尽情地走到北方之北之后，折向，再向东南奔流。这样它便进入了一片无垠的大漠之中了，地理学家把这块地域叫鄂尔多斯台地，或者叫鄂尔多斯高原。在黄河这一次威仪的行程中，它仍要穿越一片大沙漠，这沙漠叫毛乌素沙漠。

千葉行國
高達軍
壬辰歲

这激情的水流，继续奔流，直到遇见晋陕峡谷，这大河套才算结束。

继而，它从晋陕峡谷的中间活生生地劈出一条几百丈深的大峡谷来，从而完成它由高原向平原的过渡。是的，有很多的落差，最著名的落差是那个黄河壶口大瀑布。最后走到龙门，再走到三门峡时，水流放缓了下来，落差减小了下来，于是开始平静地走向东方。

但是这些地方，已经不属于大河套的范畴了。因此叙述者在这里也就免了介绍它们的必要。

在这以黄河为依托、纵横几千里的大河套地面上，有着许多杀气腾腾的城市。也许随着赫连勃勃的足迹所至，随着大夏国版图的扩张，我们会讲到它们的。

此刻，我们只讲一座小城，一座刘卫辰部落所筑的小城。这一股迁徙的潮水在行走了许多年之后，在历经了许多次劫难之后，需要停泊，需要休养生息，于是他们选择了一块地方，筑下一座城，在这里安顿下自己疲惫不堪的身子。

这座城叫代来城。

它在陕北黄土高原的北部边缘，在鄂尔多斯高原的南部边缘。这大约是陕北高原向北方大漠伸出的最后一座山了。山可以作为倚仗。黄土刨开，里面是糙石头，可以圈窑和垒墙，甚至可以用来筑成简陋的城墙。

山下有一条小河。这条小河当年叫什么名字，已经不太清楚了，人们现在把它叫"硬地梁"。硬地梁流入不远处的榆溪河，榆溪河再流入那威名赫赫的无定河，无定河则激荡一番以后，东入黄河。

匈奴人的天敌，是那些草原上的突厥人。刘卫辰部所以四处迁徙，穷于应付，就是因为有这些突厥人的存在。突厥人在黄河以北，突厥北魏在雁北草原上建都。朔方王刘卫辰选择在黄河的南岸建城，主要还是为了防范突厥。

大约用了三年的时间，一座像模像样的代来城出现在黄河"几"字形大弯的结束位置。朔方王将他的兵力顺黄河一线布防，以拒北魏。然后在四周的那些山头上，筑起烽火台，设置瞭望哨。

有一棵高大的杜梨树，长在代来城那高高的山顶，春来一树白花，秋来浆果累累。此刻，有些志得意满的朔方王坐在树下。毡子铺在地上，他喝着奶茶，就着炒米。女萨满一袭黑衣，盘腿坐在他的旁边。

朔方王说："尊敬的女萨满，上苍旨意的伟大传递者，伸出你的独眼，向杏花春雨江南遥望吧，看看在那里，那一片青天丽日下，这个世界正在发生什么。"

女萨满正襟危坐，她的独眼熠熠有光。那眼睛仁是栗色的，那眼光有一种童稚的色彩，一种狡黠的色彩，一种沉睡的色彩，一种梦幻的色彩。而她的一袭黑衣，更增添了她的神秘感。

女萨满立到山顶的最高处，凝望了很久。高原灼热的阳光，穿过杜梨树的叶子，洒在她的脸上，斑斑点点，飘忽不定。

"我看见了！我真的看见了！"女萨满用一种异样的声音说，"我看到，在那杏花春雨江南的地方，正在发生一场大杀戮。一方是长安城来的前秦皇帝苻坚，一方是从建康城来的东晋大将谢安。他们在一个名叫淝水的著名河流之上捉对厮杀。那淝水之上，血流成河，士兵们的尸体、战马的尸体塞满了河床！河水凝滞得都流动不了！"

"那么谁会是最后的得胜者呢，苻坚还是谢安？"

"破釜沉舟的谢安会胜。那骄横自负的苻坚将被打败。他在逃回长安城以后，将会被他的一个部下杀死。前秦将结束，后秦将出现。下一个登上五胡十六国舞台的人会是姚兴！"

"那么在那燕赵大地上，我们的敌人——拓跋北魏正在做什么呢？"

"他们从并州城赶走了我们，然后在雁北草原上的代州立国，现在正向洛阳进发。洛阳城将不可避免地落入他们的手中。他们还有一些人尾随在我们的后边，此一刻，正隔着黄河天堑，向我们的代来城瞭望！"

"他们是匈奴人的敌人。从先祖刘豹子的年代开始，我们就结仇了。算下来，这已经是第五六代了。待本王休养生息、养精蓄锐以后，再北渡黄河，去讨伐他们！"

手抓羊肉端上来了，是草原上的风干肉。朔方王请女萨满一起进食。他问："女萨满，在你刚才那目光如炬定睛凝望时，你还看到了什么稀罕事呢？"

女萨满抱着一个羊头，用嘴吮吸着羊的一只眼睛。她说，稀罕事很多，不过，奴婢的这只独眼，是大而化之，一掠即过，那些寻常小事，鸡零狗碎是不屑于进入奴婢的法眼的。不过——不过有一件事情，很是奇异，一位胡貌番相的西域高僧，骑一匹白马，穿越西域，正在走向长安城。他的身后，尘土飞扬，那不是军队，是尾随他而来的三万名龟兹国百姓！

"不去管那些事了！他们大约永远不会进入我的世界的！咱们还是吃肉吧。大碗喝酒，大口吃肉！"朔方王说。

第十歌
屠城

朔方王刘卫辰偏安代来城休养生息的梦，并没有能做太久。在一个月黑风高之夜，魏道武帝拓跋珪率三千轻骑，突然来袭代来城。代来城被破。

话说在那个距代来城有一千公里之遥的雁北草原，魏道武帝坐在龙椅上，他刚从占领了的洛阳城回到草原，正踌躇满志。"我们突厥人的宿敌，那些惶惶如丧家之犬、急急如漏网之鱼的匈奴人，他们现在迁徙到什么地方了？"他问。

"回主子！"一位大臣答道，"一股又一股的匈奴人，就像沙漠里的潜流河一样，都消失在路途上了，被戈壁和大漠吞没了。环顾海内，现在只剩下那最后的一支，匈奴西单于刘卫辰。他西跨黄河，进入鄂尔多斯高原，现在在那长城边墙下，筑了一座灰头土脸的小城居住。那城叫代来城。"

"那刘卫辰是谁？他有什么渊源？"

"他是被称为天之骄子的冒顿大单于的后裔。白登山之围之后，汉高祖赐宗室之女嫁于匈奴，所以这支匈奴人，从母姓姓刘。自那时一直延续至今，姓氏不改。据说他们是夏商周时期那个治水的大夏禹王的后裔。而从冒顿往下数，这个刘卫辰，当是从山西离石左国城起事，掀起五胡之乱的那个刘渊的宗室。"

"哦，倒也是一个有名有姓有来历的人！"

"他们还称铁弗部。所谓铁弗部，是指匈奴人为父、鲜卑人为母的那一支。"

"灭了它，灭了这股匈奴人，灭了这座代来城，捣毁匈奴人的这个窝。卧榻之侧，岂容他人酣睡？容我领三千铁骑，取道蒲坂，西渡黄河，灭了它！从此绝了这个后患！"

铁器撞击有声。魏道武帝的这句话，杀机重重。

他们是沿着一条古老的道路完成这一千公里奔袭的。这条道路叫"秦直道"，乃当年秦始皇所修。秦始皇周游天下，东临碣石，走的就是这条道路；昭君出塞，走的也是这条道路；汉武帝勒兵三十万，至阴山脚下，恫吓三声："谁敢与我为敌？"此语一出，四周静悄悄的，天下无人敢应，他走的也是这条道路。

这条道路可以长驱南下，它唯一不方便的地方是黄河渡口。秦直道自建成之日便设有码头。上面说的那些英雄美人，大约正是从这码头上渡船而过的。如果这码头再被北魏军队占据，渡河就不成问题了，从雁北草原到大河套地面的代来城，简直就是一马平川。

北魏强悍的三千轻骑正是这样子过来的。刘卫辰过于迷信这黄河天险了。直到有一天夜里，北魏的马蹄子直踏到了他的枕边，他才从梦中惊醒。

代来城被攻破，朔方王刘卫辰一家三百余口，几乎被全部杀戮。城中的草芥百姓，也无一幸免。

整个代来城，只逃脱一个十一岁的男孩子。这个孩子就是刘勃勃。

当敌兵攻破城池，尽情杀戮时，勃勃有些吓呆了。他先摇摇父亲，见父亲早就没有了气息，接着又去摇晃母亲，母亲的脖子上中了一刀，也断气了。孩子于是从敌人士兵的交裆里钻出，然后一溜烟地向山顶跑去。

山顶上有一棵高大的树，我们知道那叫杜梨树，一种兀立在山顶上，春天一树白花、秋天一树浆果的带几分悲壮意味的树木。树大成荫，勃勃就上到了这棵树上，挨到杀戮完毕，躲过了这一劫，从而也就给这一支匈奴人留下了一条根。

他大约在这棵杜梨树上待了三天。见敌兵迟迟不退，这样长久地待下去也不是办法。于是三天头上，眼见得夜色起了，勃勃从树上溜了下来，想逃出城去。

在就要逃出代来城的那一刻，他被敌兵发现了。十一岁的男孩，他从靴子里拔出刀子，隐在一束茇茇草丛中，见第一个骑着马的敌兵走近，于是飞身过去，将这敌兵捅死，掀下马，而后一抓鬃毛，跃上了马背，一勒马嚼子，飞马向戈壁滩奔去。

敌兵在后边追着。火把通明，喊杀声一片。

刘勃勃很幸运，他抢来的是一匹好马。他奔驰着，两手抱着马脖子，头伏在马背上，他的两只光脚片子像鸟儿的翅膀一样，不停地拍打着马肚子。

马的身影掠过芨芨草滩，掠过红柳丛、白柳丛。夜色黝黯，大戈壁张开双臂，拥抱着这朝它奔来的多灾多难的大河套的儿子。

后来他来到了黄河边上。代来城到黄河，直线距离是一百华里。这么说，亡命的刘勃勃这一番挖蹦子，已经走出了一百里地之外了。

前面是黄河高高的老崖，老崖下面是黝黑的湍急的河水，后面则是追兵。火把通明，追兵马上就要到了。

好个勃勃，只见他一提马头，两只腿肚子使劲一叩，人大叫一声，马大叫一声，只见那马纵身一跃，长鸣着跳下了黄河。

追兵赶到了黄河边。他们勒住马，向悬崖下面望去。眼前是幽暗一片，只能听到黄河那苍老而疲惫的叹息声。

追兵们摇摇头，返身回去了。

而在那幽暗的河中，马将头尽量地伸出水面，费力地游着。水流湍急，漩涡一个接着一个，不断地将马往下游冲去。在那汹涌波涛中，有一只手，一只十一岁小男孩的手，拽着马的尾巴，与马一起浮游。那是刘勃勃。

他不会游泳。浊浪滚滚，此刻的他，唯一能做的事情，是咬紧牙关，闭上眼睛，双手死死地抓住马尾巴。马伸长脖子，身子龙一样地摆动着，把孩子拖到了黄河对岸。

到了对岸，孩子昏死过去了。他被摊在河岸边的泥滩里。当他终于醒来，看见那匹马正静静地站在他的旁边。他站起来，费了很大的劲儿，才抓住马鬃，上了马背。

第十一歌
三碗酸奶子

一人一骑，在这荒凉空旷的大河套走着。天多么的高，地多么的远呀！全世界此一刻好像都静止了，或者说都死寂了。只有一人一骑，在静静地走，只有一条道路，伸向无垠的远方。

　　这人是十一岁的刘勃勃，侥幸从代来城逃出的刘勃勃。那马的身上湿淋淋的，还在往下滴滴答答滴水。勃勃趴在马背上，两手机械地抱着马头。而那马，它也只是机械地走着。他们都不知道要到哪里去，只知脚下有一条道路，于是他们习惯性地沿着道路往前走。

　　终于，道路的另一头，传来了一阵"吱吱呀呀"的声音，这声音打破了四周的死寂，给这几乎凝固了的空气中带来了一点儿生气。接着，有一辆华丽的马车出现了。马车那色彩斑烂的华盖，给这一片焦黄的天地，增加了一点亮色。

　　草原上的眼界宽，看到车了，但要走近，还得好长好长的时间。大约有一顿饭的工夫吧，那辆华丽马车终于驶到了眼前。一个小女孩的头探出帘子，她尖叫了一声："妈妈呀，你看，那个人，马背上的那个人，他好像喝醉了！"

　　车"吱呀"一声，停下来。女孩跳下车，她扶住这个骑手的马镫，抱住他的腿，使劲地摇晃着，说道："醒一醒，过路客！骑在马上睡觉，你会感冒的！"

　　马背上的人醒了。刘勃勃睁开眼睛，用手扶住马鞍，让身子直起来。他真的有点儿恍惚，用手揉着眼睛，好似刚睡醒一般。

　　小女孩摇晃着他的腿，真诚地问："你是谁？你的家在哪里？你要到什么地方去？在这空旷的大漠上，你怎么一人一骑？"

　　勃勃咽了一口唾沫，清了一下嗓子，艰难地说："不要问我是谁，也不要问我的家在哪里，更不要问我要到哪里去。每个人都有他自己的故事！好心的姑娘，漂亮的姑娘，我快要渴死了，嗓子眼冒烟。请问，你那车上有水吗？"

　　"我的车上有酸奶子，清凉清凉的，整整一牛皮囊。妈呀，借个手，你把那羊皮囊的口儿打开！"

　　姑娘从车上端下来一木碗酸奶子，踮起脚尖递给马上的勃勃。勃勃先给他的马饮了一口，然后自己捧起碗，一饮而尽。"真甜，甜到心里去了。姑娘，还有吗？我还想喝第二碗。"勃勃说。

　　姑娘听了，返回车上，又端来第二碗。

　　"这个人也许太贪了，他还想再喝第三碗。"勃勃将那第二碗喝完，他咂着嘴巴，用舌头把那碗底舔净，他有点儿不好意思地又说。

　　姑娘有些迟疑，但还是又端来了第三碗。

　　勃勃喝了第三碗酸奶子，他现在是有了精神，他抹了一把嘴巴躬身问道：

"姑娘，鼻子底下是大路。我这里想问个路，有一座城叫叱干城，它大概快到了吧？"

姑娘答道："鼻子底下是嘴，怎么能是大路呢？哦，你是说，只要肯张口问人，那就是路了。我明白了，你是在问路。那么告诉你吧，是快到了，那是叱干爷的地盘，你是去走亲戚吗？"

"是的，他是我的娘舅，母亲说过，让我去投靠他。"

刘勃勃说完，一叩马肚，马好像也比刚才有了精神，步子轻快了一些。都走出去有三丈远了，勃勃回头，见那姑娘还拎着碗，望着他发呆，于是他大声说道：

"好心的丫头，漂亮的丫头，我想知道你是谁。有一句话叫'一饭之恩，没齿难忘'。我想，等到我有一天富贵了，说不定会来寻找你，娶你的！"

姑娘咯咯地笑起来，她说："那你赶快长大吧，过路客！我会把你的话当真的！我是固远城高平公的长女，大家都叫我鲜卑女莫愁！"

"哦，是鲜卑女！我记住了！"

刘勃勃说完，骑着马继续沿着那条道路往前走。而鲜卑女，也就迅速地登上了她的车。这架华丽马车，又"吱吱呀呀"地动起来。

车厢里，姑娘的母亲轻声嗔怪道："你不该给这个陌生人喝三碗的！老百姓有一句话说，施舍一碗是恩，施舍两碗就是仇了，恩重成仇嘛！而你，竟然傻乎乎地一连端给了他三碗！"

姑娘没有回答娘的话。她揭开布幔，朝骑手远去的那个方向望了望，自言自语道："我会把你的话当真的，过路客。嘻，他该快到那叱干城了吧！"

第十二歌
叱干城下"掷羊拐"的游戏

在这个残酷的世纪里，在赫连勃勃那暴戾的一生中，在他挥动着大马靴子，肆意地践踏着路经的一切美好的东西时，是不是在那隐秘心灵的一角，还留有一份温存，这就是这三碗酸奶子的温存。那一份甘洌，那一份清爽，那一份沁人心脾的甜香，也许会有味道留下来，尤其，是在路上，是在如此狼狈的逃亡路上。

也许，在赫连勃勃最后的日子里，当他每夜每夜，仰头喝下鲜卑莫愁端来的毒酒时，他也许会有所觉察，要知道他是个如此乖巧的人，但是他认了，认命了，他决心这样来完成自己，完成一个英雄的童话，早早地结束那不可能实现的宿命。

这是叙述者的一点愚拙的想法。

说话间，这位从代来城逃出来的，拽着马尾巴泅渡过河、在那山路的转弯处得到三碗酸奶子慷慨馈赠的年轻骑手，来到了一座城前。

那城，城门洞子上面写有气象森森的"陇东城"三个大字。这是一座中等规格的城池，建在干涸的陇东高原上，黄河几字形大拐弯的前弯。有哨兵在城门洞子口上懒洋洋地站着，有零零散散的人进进出出。城门口传来嘈杂之声，原来是几个半大孩子盘腿坐在城墙边上，一边晒太阳，一个玩一种名叫"掷羊拐"的游戏。

所谓羊拐，是指羊的小腿和脚腕连接处的那个骨节。草原上的孩子，或者那些胡汉相杂、半农半牧地面的孩子，常常玩儿这种"掷羊拐"的游戏。抓肉吃完以后，一只羊的身上会收集到四枚羊拐。将这羊拐上的肉啃干净，再用动物血染成红色，就成一件玩具了。要收集到一把羊拐，并不是一件很难的事。

骑手还是个孩子，童心未泯。这游戏令他想起自己的童年，想起自己在代来城居住的日子。玩"掷羊拐"他可是一把好手。于是他骑在马上，俯下身子去看。

他大约有些发呆。

一个留着盖盖头、脑袋后剃得精光的顽童说："桓，你看，那个骑在马上的半大小子在看着我们！他的模样好怪，神情好怪！"

那被称作"桓"的孩子头上也留着个盖盖头，脑袋后面虽然剃光了，但在后脑袋的菩提窝上，滑稽地留了个小辫子，辫梢上还扎着根红头绳。

桓听见问话，停了手中的动作，抬起头来瞅了瞅，友善地说："鲜，他也想玩儿，我看得出他手痒痒，心痒痒哩！哦，脸上有着刀痕的陌生人，你也来凑个摊，耍两把吧！"

刘勃勃迟疑了一下，然后两手扶鞍，一个虎跳，离了马背，双脚落地。

"我要玩儿！但是，我已经过了玩儿这种小孩子过家家游戏的年龄了。借你一把羊拐，朋友，让我筑一座城吧！"

好一个刘勃勃，他蹲下来，伸出手拨拉那散落在黄土地上的羊拐。他那阴沉的声调与他的年龄显然不相配，还有他那不容置疑的口吻，令孩子们顺从地将手中的羊拐纷纷放在地上。那羊拐摊了一地。

"这是血，羊血、狗血或者牛血、马血、骆驼血！"勃勃用手指抓起一枚羊拐，放在舌头上舔了舔，说道。

城墙根上，大约还有一些白骨，还有一些不规则的石块。勃勃用手一揽，把它们也揽过来。

他用这些石块和白骨，堆成一个城郭的形状，然后用这一个个的羊拐，堆起城墙和城楼。

"我要造一座城，一座匈奴人的城，一座童话般的城。我要这城像咸阳城一样宏伟，像洛阳城一样壮观。"

男孩继续说：

"这是高高的城墙，这是城墙的四个角儿，四个角上要造四座角楼。这角楼要高，要厚。城墙的外面，凸出去，一个一个，一字儿排开，堆些马面。这城的中间嘛，要建一个大戏台，一年三百六十五天，天天都演草原戏。"

在这男孩喋喋不休的叙述中，在他眼里那充满谵想的光芒中，一只穿着马靴的大脚伸过来，吭哧两下，将他的城踩得粉碎。

第十三歌
将军府

一个军官模样的人，手拿铜锣，顺街吆喝："叱干城的百姓们乍起耳朵听着，拓跋魏要取道叱干城，前往西域地面收复塔里木盆地。我叱干爷已经同意借道与它。拓跋魏虎狼之师，立马就至，各位顺民百姓，苍生草芥，识相者赶快回避，当心马蹄子不长眼，一蹄子下去要了你的小命！"

敲锣开道的人后面，是一溜儿如狼似虎的兵丁。

这叱干城是陇东高原上的一座名城。官方文书中，叫它陇东城。但是老百姓习惯于叫它"叱干城"。

那守城的爷儿姓叱干，城中的百姓也多姓叱干。叱干是鲜卑人的一个大姓。鲜卑在冒顿的年代里不叫鲜卑，而叫东胡——东北地面的胡人。后来东胡为匈奴所败，东胡人一路逃逸到大兴安岭地面，后边冒顿大军穷追不舍。

最后东胡人分别被赶到了两座山上。一座叫乌桓山，一座叫鲜卑山。东胡人于是改了旗号，将手一指，以脚下的这山为族名，一支曰"乌桓"，一支曰"鲜卑"，这样才躲过一难，生存了下来。那乌桓族后来在史书上还屡屡出现，史书上就曾有过曹操北征乌桓的故事；而那鲜卑，更是泛滥开来，四散全国各地。

上面我们说过，叱干是鲜卑的一个大姓。此刻，一部分的老鲜卑，还姓叱干，而许多业已汉化了的叱干姓氏，弃了叱干，改姓"薛"氏。所以有理由相信，黄河以北的薛姓，极有可能是那鲜卑叱干的后裔，这情景，正如"天下匈奴遍地刘"一样，黄河以北的刘姓人家，大约都或多或少地会和匈奴扯上一点儿干系。

闲话不说。

"这城我把它筑好了。该给它一个什么名字呢？朋友们，你们说！"

城门口，刘勃勃还沉醉在自己的想象中，低着头端详着他的城。这时候，一只大脚踩过来了。这是一只穿着马靴的大脚。马靴将那城踩得粉碎。踩完以后，又用脚将那些羊拐之类的东西，使劲地踩了踩。

这是那位手提铜锣、沿街吆喝的军官的脚。

"小崽子们，不要命了吗？耳朵让驴毛塞住了吗？听到声音怎么还不回避！"

刘勃勃从他的白日梦中醒了过来，仰起头来狠狠地瞅了那军官一眼，那饱含仇恨的白眼仁我们曾经见过。瞅完，然后低下头来，眼泪汪汪地看着他的城。

孩子们都被吓坏了。他们一哄而散，各回各家。奔跑中，一个孩子扭过头来朝刘勃勃喊道："记住我们吧，行路客！我叫薛鲜，他叫薛桓。山不转水转，我们说不定还会遇到的！"

蹲在地上的刘勃勃，一边点头答应，一边迅速地伸出一只手，从地上摸起一个羊拐，填入嘴中。

他过去牵住自己的马，对军官爷说："军官爷，这叱干城的叱干爷，是我的娘舅，我是他的亲外甥。我娘死的时候，要我前来叱干城投奔他！"

军官爷瞅了他一眼，有些轻蔑地说："兵荒马乱年间，这世上有他妈的什么亲情。狗吃狗，人吃人哩，你没听儿歌里唱道：'舅舅锅里煮外甥，丈人锅里熬女婿。'不过，既然你远路而来，且随我入城去见叱干爷吧！"

一行人牵着马，入得城来。城门洞子不高，骑在马上就要碰头。那街道也不甚宽，是用青石板铺就，石板上洒了些水，果然是要迎客。街面上高高低低的一些店铺，黑漆门板已旧，过年时贴的春联也只剩了半边。不过简陋虽简陋，那家家铺子门楣上的匾额却十分讲究。崇礼重文，正是这陇东地面的风俗。

城不大，三脚两步就到将军府了。只见正堂中央，守城将军叱干他斗伏，正呆坐在堂上，面色凝重。

刘勃勃见了舅舅，扔了马缰，一个箭步过去，双膝跪倒，抱住叱干将军的膝盖，泪雨滂沱。

"娘舅亲，外甥亲，打断骨头连着筋！叱干将军，我是匈奴西单于刘卫辰的三儿子勃勃。那代来城为拓跋魏所破，全家三百余口，几乎尽做了刀下之鬼。满城上下，只逃出外甥一个活口！"

听到"拓跋魏"几个字，叱干将军脸上露出惊恐之色。他说："家已不家，国已不国，所以落难公子来投我叱干城，是吧？"

刘勃勃答道："是的，你的妹妹、我的母亲西单于夫人，临死前嘱咐我投奔舅舅，取个安身之处！"

叱干将军听了，脸上露出为难之色。他沉吟半晌，对侧立在旁的哥哥叱干阿利说道："巢穴被破，窝被连根端了，惶惶如丧家之犬，急急如漏网之鱼，我们外甥的处境，好是叫人可怜。这样吧，阿利哥，你先找个僻静处让勃勃住下，咱们从长计议。如今，拓跋魏大军眼看就要到了，我得先应付完那摊子事！"

旁边那个叫叱干阿利的人于是趋前，拽住勃勃的手，扶他起来。

在扶他起来的那一刻，叱干阿利很认真地看了眼前这个半大后生一眼，他有些惊异，阅人无数的他，凭一种直觉，觉得自己的这个外甥绝非池中之物，他将来说不定会在这个乱世闹成一场大事的。

统万城

第十四歌
拓跋北魏

叱干将军大开城门，领着幕僚在城门口齐齐跪下，礼仪相迎。街道上一字儿摆些茶点、干果等吃食，任过境大军食用。

金盘子中放着一把叱干城城门的钥匙。跪着的叱干将军，头低下来瞅着地面，两手将金盘子高高举起，置于头顶之上。这是一个礼仪，或者说是一个具有象征色彩的举动。表明城门向你敞开，道路任你使用。

拓跋北魏的大军黑压压的一片，从叱干城穿城而过，前往遥远的西域，去破楼兰。

那时的拓跋北魏，已经成为一个占据半个中国版图的草原大国。这个鲜卑人建立的政权俨然以中央政权自居，主动承担起管理西域的责任。

西域地面，因为五胡十六国之乱，已经有近百年的时间脱离了中央政权的管束了。三十六国纷纷拥兵自立，称王称霸，诸多古族，漂移不定。好个拓跋北魏，在中原地面的兵戈得到短暂的平息之后，遂将目光举向西方。他们完完全全地做到了。从叱干城穿城而过的这一支北魏精锐之师，穿越河西走廊，荡平塔里木河流域。即便是在后来北魏灭亡之后的许多年，塔里木盆地地面还由它的这支军队统治和管辖着。

拓跋北魏在塔里木河流域的用兵还对佛教传入东土起到了重要的作用。虽然在此之前，佛教已经零零散散地传入东土，丝绸之路上常有高僧大德姗姗而来，但是佛教排山倒海式的进入，佛教思想从天上落到人间，被中国化，变高深莫测、虚无缥缈的仙思为世俗所用，却得力于北魏，得力于这支军队的西征塔河。

佛教传入东土的三个跳板，都深深地印上了北魏的痕迹。敦煌莫高窟正是在北魏时代完成了它的主体工程，我们从那形态各异的各类造像壁画中，总能强烈地感受到那"增之一分则显肥，减之一分则显瘦"的取其适中的北魏时代审美思想。而第二个跳板云岗石窟，那简直就是北魏在自家的院子里修起的一个大佛龛了。可以说，北魏用兵到哪里，铁骑踏到哪里，佛窟就修到哪里，佛光就照到哪里。第三个跳板是洛阳龙门石窟，那石窟亦是拓跋北魏问鼎中原、占据洛阳以后，叮当修凿的。

既然说到佛教这个话题，那么我们不妨再啰唆几句。就在拓跋北魏借道叱干城，向塔里木河流域开拔的时候，一位名叫鸠摩罗什的西域高僧，率领他的龟兹国百姓，在河西走廊的凉州城羁留十七年之后，此一刻正在走近长安城。很好，他们没有与这支虎狼之师相遇，从而也就少了许多的聒噪。

叙述者如果还有一些余力的话，多么想在这部匈奴史诗里，穿插着讲一讲那鸠摩罗什的故事。那是一个传奇，一个有着一身故事的高人，汉传佛教的伟大奠基者之一。

但是现在我们还是回到叱干城，回到我们的主人公赫连勃勃身上。

因为在这个一千六百年前的故事中，我们所关心和注视的焦点人物是赫连勃勃，是他将要在北方旷野上所筑建的那个统万城。

赫连勃勃，他是最后一个匈奴王，是匈奴这个在人类历史进程中闪现过骁勇身姿并且差点儿改写历史的族群在行将灭亡时的最后一声绝唱。行吟诗人以哀婉的口吻说：天鹅一生只歌唱一次，那是在它行将辞世的时候！赫连勃勃正是完成这天鹅一唱的人。

而统万城，它是匈奴民族的纪念碑，是那一场大潮汐过后留在苍茫大地上的唯一标志物。我们用这座城来证明那一场大潮汐确实曾经发生过，那个民族确实曾经存在过，那些令人唏嘘不已的故事确实曾经发生过，而不仅仅是我们的推测或猜想。

第十五歌
山路弯弯

大军过后的叱干城，突然寂静如同一座死城。那情形，就像一场滔天洪水之后，河床重新归于沉寂，河流重新开始它平庸的流淌一样。

守城的叱干将军目送着拓跋北魏最后一骑闪过黄土山崖，没了踪影，他将那捧着的金盘子交给下人，然后双手拄地，站起来，摸了摸跪疼的膝盖，拍一拍衣服上的溏土，长长地出了一口气。

入夜，被莽苍群山包围着的叱干城一片死寂。将军府里有灯光闪烁。看不见人，只听到从那呈现角楼轮廓的府中，传来激烈的争吵声。

"我意已决。这个刘勃勃是一个灾星，他会给叱干城带来一场杀戮的！城将不保，你我以及家小的性命也难逃一劫。我要做一件恶事，我要将这刘勃勃押上囚车，送给代州城的拓跋珪！"这是叱干他斗伏的声音。

"亲爱的弟弟，你这样做万万不可！鸟雀投人，尚且济救，况勃勃家破人亡，归命于我。纵不能容，犹宜任其西奔。今执而送之，深非仁义之举！"这是叱干将军的哥哥，那个叫叱干阿利的人的声音。

叱干阿利是我们这个故事中的一个重要人物。他注定要与现在的刘勃勃、将来的赫连勃勃之间发生许多纠结，这是后话。而此刻，他听说弟弟要将刘勃勃献于北魏，心中吃惊，于是连夜从外城赶来规劝弟弟。

"哥哥，不是我心生歹意要将勃勃献予拓跋魏。"他斗伏解释道，"是那拓跋魏知道了勃勃亡命叱干城被我窝藏的消息，已经派使者前来索讨了。北魏凶恶，这你知道，我虽身为姚兴部将，可是得给自己留一条辗转腾挪之路呀！"

叱干阿利恼道："看来我的一番苦口婆心算是白费了！既然话说到这里，你我兄弟情分到此为止，从此割袂断义，两不相扰，你混你的江湖，我混我的江湖！"

他斗伏说："当断不断，反受其乱！我这是铁了心了！"

"那好吧！叱干将军，你好自珍重！"叱干阿利撂下这句话，一扭身，气势汹汹地走了。

翌日，日上三竿之后，一辆囚车在将军府门口吱吱呀呀停下。带了木枷的刘勃勃被士兵押着出了府门，就要押上囚车。叱干将军面色冷漠，背着手站在台阶上。他的旁边是北魏使者。

勃勃就要上车的那一刻，突然挣脱士兵的束缚，转回来，扑上台阶，抱住叱干将军的腿：

"天下之大，宇内之阔，难道就没有我勃勃的一个容身之处吗？"勃勃哭喊道。

　　叱干将军鼻子哼了一声，面无表情。

　　勃勃又说："娘舅，难道你就忍心让匈奴刘氏从此断了香火，让自己的亲外甥去代州城的断头台上去领那一刀吗？"

　　勃勃在说这番话的时候，抬头偷眼向叱干将军望去。十一岁孩子的眼中，有一种深深的失望，一种怨恨。

　　叱干将军依旧冷漠如初。

　　"我会忠诚于你，像狗一样地忠诚和驯良，只要需要，随时准备伸出舌头舔干你鞋面上的溏土。我的所需其实很简单，有一个屁股蛋子大小的地方，让我能圪蹴①下，有两口饭吃，讨一条活命。"

　　勃勃在说这些话的时候，真的伸出舌头，去舔叱干将军马靴上的土。在舔的过程中，他依然偷眼去看叱干的表情。

　　叱干将军笑了——一面哈哈大笑，一面与身边的北魏使者嘟囔了两句什么，而后，飞起一脚将刘勃勃踢下台阶。

　　这一重脚踢在刘勃勃的胸口上。毕竟这只是个十一岁的孩子，那轻飘飘的身子，竟因这一脚而飞了起来，继而打了两个滚，滚下台阶。

　　他被士兵们缚住胳膊，押上了车。我们看到，押解的军官爷正是那天城门口一脚踩碎勃勃玩具城的那个人。

　　"天下如此之大，天下又如此之小！"

　　被押上囚车的刘勃勃，仰天长叹道。

　　将军府前叱干将军与北魏使者拱手相别。囚车辚辚地滚动身子，眼见得出了城去。

　　事情要开始，得从现在开始。话说在陇东高原的迢遥山路上，吱吱呀呀的囚车在转过一个弯子的时候，前面的溏土路上，有两个半大孩子正盘腿坐在路中间，玩我们曾经见过的"掷羊拐"的游戏。

　　"囚车上的孩子，你还愿意下车和我们再玩儿一场游戏吗？"两个孩子笑吟吟地问。

　　囚车行到跟前，走不得了。路中间有人占道。那军官爷见了，只好跳下车，挥动鞭子，骂道：

---

　　①　圪蹴，gē jiu，方言，蹲的意思。

"好狗不挡路，挡路没好狗。哪里来的野孩子，野毛光棍飞了四十里，跑到这里撒野。识相者赶快躲开，若要不躲，铁轱辘从你当腰碾过去，叫你肠肠肚肚开花。"

那两个孩子听了，并不惧怕。他们笑吟吟地转过身。这一转身不打紧，原来我们认识他们，这是薛鲜和薛桓。

只见其中一个孩子把手指塞进嘴里，腮帮一鼓，脖子一缩，打了一声长长的口哨。

听到口哨声，从两边的黄土崖上跳下一拨人，挺着刀将囚车团团围定。

来人中为首的那个，我们却也认得，他正是守卫陇东城的叱干将军的哥哥叱干阿利。而这一拨人，是他的家丁。

叱干阿利叫道："鬼头刀过处，不留一个活口！杀！"

说着，他自己先一个虎跳，扑上去一刀捅死了随行的那个北魏使者。

众人奋勇，将那两个护卫的兵丁也都剁翻在地。

囚车里这时传出话来："那个军官先不要动他，容我亲手宰了他。他就是那天在城门口上，一脚踢翻我家城池的那个人！"

说这话的是刘勃勃。

叱干阿利用刀将囚车上的木笼撬开，刘勃勃从散了的木笼中站起，跳下囚车。

刘勃勃从叱干阿利手中接过刀，大叫一声："还我城池来！"用带枷的手执刀向军官爷捅去，捅进去以后，又用刀顺势搅了两下。眼见得那军官血流如注，小命没了。

众人忙乱一阵，把这四具尸首抬起来扔下了悬崖。

尸首的血腥味将会很快引来野狼。就在他们厮杀的这一刻，那鹰隼已经在头顶盘旋鸣啾了。相信这些丢在荒野上的尸体将为它们提供一顿美餐。

当这一切顺利结束以后，刘勃勃牵住叱干阿利的手，问道："你是谁？为什么要担这么大的干系，前来救我！"

"我是叱干将军的哥哥，名叫叱干阿利！你嘛，你是我的亲外甥。我想，我们中间，注定会有一场故事发生的！"

"天下之大，阿利舅舅，我现在该往哪里去呢？"

"咱们一起走，闯世界！加上薛鲜和薛桓。眼下只有一个去处了，投后

名字就叫統萬城。
更雄偉。
更堅固、比咸陽城的比洛陽城的
建一座城，一座都城，
這座城，

秦姚兴，求他收留。外甥你看，山下那金碧辉煌处，就是长安城了！"

薛鲜薛桓赶着牛车，叱干阿利挺着一口朴刀，坐在车后，瞅着叱干城那个方向。刘勃勃则端坐在车上。山路弯弯，一行人顺着坡势，直奔长安城而去。

第十六歌
鸠摩罗什

当刘勃勃在叱干阿利的护卫下，顺陇东高原一路车轮滚滚前往长安城的时候，长安这座伟大的城池，正在进行着一件大事，这就是后秦皇帝姚兴恭迎西域第一高僧鸠摩罗什入城。

大智之华鸠摩罗什这一次行程，先穿越塔里木盆地、敦煌，走了三年，又在河西走廊名城古凉州羁留十七年，也就是说，从前秦时代一直走到后秦时代，才走到长安城下。

传说前秦皇帝苻坚夜梦高人，第二天早晨起来，让画工给这高人画了幅肖像，贴在长安道上，征询路人。有知道的，笑着指着说，这胡貌番相的高僧，正是西域三十六国中龟兹国的国师鸠摩罗什呀！龟兹国国王在城中置狮子黄金法座，鸠摩罗什站在讲坛上，舌辩天下无敌手。他的足迹，更是游历西域三十六国，并到达父亲的故乡印度菩提伽耶。这鸠摩罗什，声名远播，是公认的佛门在世第一高僧呀。

苻坚听了，心中喜悦，于是派遣驻守在嘉峪关的大将军吕光去请这位高僧。谁知龟兹国国王不肯答应。吕光愤怒，于是乎领三万铁骑，破了龟兹城，杀了国王，而后带高僧登上路程。

鸠摩罗什被扶上一匹白马，捆绑住身子，顺着塔里木河一路走来。那龟兹城既破，城中三万余百姓，没有了依附，也就跟着高僧白马，撵那烟尘，一路跟来。

至敦煌时，白马经过穿越塔克拉玛干大沙漠的劳顿，疲惫不堪，终于倒毙在一座断崖之下。尾随的百姓中有好事者，将那白马的尸首葬了，在葬马之处建起白马塔、白马寺。既有了寺院，又在那石崖上凿洞造佛，寄托虔诚。

当地的百姓也参与进来，后世著名的敦煌莫高窟，开始叮当动工。

吕光押着鸠摩罗什，继续前行。行到河西走廊的古凉州时，传来淝水之战苻坚兵败的消息。原来年少气盛的苻坚东征东晋，结果兵败于淝水。苻坚仓皇逃回长安，第二年死后，前秦灭亡，后秦开始。

吕光见已经没有了前秦，于是乎自立为王，号凉州王。羁押鸠摩罗什高僧在凉州城中，蹉跎时光，整整一十七年。

一十七年后，吕光死，儿子即位。后秦皇帝也是个笃信佛禅的人，数次派人去讨鸠摩罗什未果，于是派兵灭了凉州城，将鸠摩罗什掳到长安。

这是一件史实，言之凿凿，不敢虚构。关于这鸠摩罗什高僧，叙述者这里只是粗说，容那后边时间充裕了，再叼个空儿，细说不迟。

鸠摩罗什抵达长安城是汉传佛教史上一次重要的事件。正是由于鸠摩罗什在长安城十三年的弘法，汉传佛教终得以在中国地面确立。而儒、释、道三教合流的准国家宗教，为古代的中华文明奠定了基础。

眼见得高僧骑马过了咸阳桥，一路走来。后面那黑压压一片的，是龟兹城为吕光所破后，尾随高僧一起来到中原的三万龟兹国百姓。

后秦皇帝姚兴出郭三十里，恭迎高僧入城，那个欢喜，自不待言。进得城来，姚兴执着高僧的手，登上长安城的城墙。

"高僧，你一路风尘，鞍马劳顿，身心受苦了！高僧从那龟兹国披星戴月，而敦煌，而凉州，最后到达长安城，真是道路漫漫，备受艰辛。掐指算来，光阴荏苒，高僧这一次东行，竟然用了二十年的光景！"

高僧经过这么些年来的历练，汉语早已熟通，眼见得姚兴如此真诚，心中亦颇有几分感动。只见他拱手答道："回皇上！佛光普照，不分西东。菩提雨露，遍洒众生。贫僧心仪东方，也是许久了。今天能亲眼目睹这东方名都，锦绣繁华长安城，也是眼福了！"

姚兴见这和尚说话中听，心中自是十分高兴，他迫不及待地问道：

"高僧呀，胡尘狼烟，世事纷争，兵戈连年，生灵涂炭。就拿朕来说吧，这一双手上亦沾满了斑斑血迹。高僧呀，你且说，佛门净地，可以容得下我这个罪人吗？"

鸠摩罗什答道："大乘佛法有一句话，叫作'放下屠刀，立地成佛'，这话是说，不论是什么人，哪怕是个屠夫，是个强盗，前一刻还在杀生，但只要心头一转念，起了善心，起了大慈悲、大悲悯之心，就可以不计前非，弃了罪孽，立地成佛了！"

"谢谢高僧！有高僧这句话安妥灵魂，今天晚上我可以安睡了！"

鸠摩罗什继续说道："佛不在远处，佛在你心里；佛不在天上，佛在人间。什么是佛呢？佛是开悟了的众生；什么是众生呢？众生是还没有开悟的佛！"

姚兴听了，感到有一种大喜悦像电流一样，从头顶贯到脚心。他脸上放着光，欣喜地说道：

"果然是天上高人。一席话如醍醐灌顶，令朕茅塞顿开。朕择日将隆重举行礼仪，封鸠摩罗什高僧为后秦国国师，并在终南山下朕的行宫逍遥园中建一草堂，请高僧讲经、译经，以此教化我后秦百姓，让我后秦国成为佛国！"

鸠摩罗什听了，说道：

"如此抬爱，贫僧这里有谢了！只是，有一件难事，还得皇帝陛下费神……"

"是什么事，但说无妨！"

"皇上，当年前秦大将吕光破龟兹城，掳我东来，龟兹国自此灭亡。城中三万百姓没有了依附，于是随我后尘一路东行。现在他们就在长安城外。皇恩浩荡，是不是应当给他们寻个安身立命之处？"

姚兴听了，刚要答话，这时宦官登上城头报告说，匈奴西单于刘卫辰被杀、代来城被拓跋北魏血洗，刘卫辰一家三百口几乎做了刀下之鬼。只有其三子侥幸逃脱。如今，这三子名叫勃勃者，辗转时日来到长安城下，投奔后秦。

姚兴正在兴头儿上，他信口答道：

"传他上来！今天我高兴，看来我后秦人气大旺。请他上来，让我看看是个什么样的人！"

> 第十七歌
> ## 长安城头风萧萧

赫连勃勃与鸠摩罗什，这两个乱世中的特殊人物，此一生注定将会有一次相遇。相遇之后，各自西东，又继续去踏上他们命定的道路。而这相遇的地点，正是此刻，正是这长安城的南门。

这长安城，四方八位，共开有十六座城门。所谓的"门开四面、风迎八方"，是对这座城池的赞誉之词。青砖砌就的城墙，围了一个大圈儿，光在这城墙上骑着马巡视一遍，就得大半天的工夫。那城墙上错错落落扎些雉堞，雉堞上插满五颜六色旗帜。十六座城门之上筑有箭楼。这些箭楼，以此一刻刘勃勃就要登上去朝拜后秦姚兴的大南门为最大。后秦平日迎宾送客、举行重大礼仪活动，都在这大南门的城楼上进行。

刘勃勃那年在叱干城中受了冷遇，差点被押解去代州成为刀下之鬼，幸亏有叱干阿利半路上的劫车，又一次侥幸逃下一条命来。自那以后，便与叱干阿利并薛鲜、薛桓一起，在陇东高原上辗转半载，来到长安城中。到了城中，要见姚兴，却也是件并不容易的事，就这样在城中，又延捱了半年之久，终于疏通关节，得那朝中贴身宦官的引荐，得以面见当朝圣上。

也是好运，瞅了这么一个机会。

刘勃勃一行已在楼下瓮城里等候多时，得到姚兴允诺，勃勃并叱干阿利、薛鲜、薛桓一行，拾级而上，叩见后秦皇帝姚兴，并向胡貌番相、深目高鼻的鸠摩罗什高僧致意。

士别三日则当刮目相看。较之当年在叱干将军府时，此刻的勃勃仿佛换成了另外一个人似的，再不是前番那副摇尾乞怜模样。此刻的他，目光坚定，步履沉着，身长八尺三寸，美仪非凡。

后秦皇帝见了，喜爱有加，赞叹道："好个一表人才，兴不如也！"

刘勃勃见姚兴脸上的喜悦之情，明白他已经有接纳自己的意思了，于是心中愈加镇定。

得了后秦皇帝的允诺，勃勃于是一番慷慨陈词，将代来城为拓跋北魏所破，一家三百余口遭灭门的事情说罢，继而又说：

"拓跋北魏破代来城，灭我匈奴刘，只是小试牛刀而已。其虎狼之师，鲸吞东都洛阳，又取道叱干城来经营西域，到时候东西夹击，长安城就该是他的囊中之物了。陛下，大敌当前，社稷有难，请给勃勃一个机会，东征西讨，为君分忧，为天下担沉！"

这话恰好触动姚兴的心病。群雄四起，强者为王，他何尝不明白这个道理。

东晋远在长江以南的建康城，暂时还不必虑它，唯独这北方草原的大国北魏是后秦的心腹大患呀！

姚兴虽然心里觉得这话中听，脸上却并不表露，只是那目光已经有赞许和欣赏的意思了。

勃勃看得明白，知道自己今天这番话，是搔到后秦皇帝的痒处了。

姚兴说道："随鸠摩罗什高僧一路东来的这三万百姓，恰好没个安身立命之所。代来城既然已为北魏所破，成了一座死城，那么就让这龟兹国的百姓，在那里安家落户、休养生息吧！"

鸠摩罗什高僧双手合十，连声称"善"。了结了自己一桩心事，他也轻松了一些。

姚兴又将脸转向刘勃勃：

"朕且封你为安远大将军，带领这三万龟兹国百姓迁徙到代来城休养生息。你务必厚待他们。这些西域来客，习俗、饮食诸多方面与我东土浑然不同，当筑一座新的龟兹城，建一个新的龟兹国，让他们抱团群居。那块地面划归固远城莫奕于将军管辖，你且以朕的安远将军之身到莫将军帐下听令！"

刘勃勃听了，心中一喜，明白今天这是来对了，大功已经告成一半了，于是俯身跪拜道：

"陛下，你的安远将军在这里听令了！"

姚兴又说："你先做安远将军，日后收拾匈奴残部，有了兵力，成了气候，朕再封你继承你父亲的——匈奴西单于——朔方王不迟。到那时，大河套朕就交给你去经营了！"

"皇恩浩荡，勃勃这里谢恩了！"

刘勃勃刚说完这句乖巧的话，冷不防城头上站起来一个人搅事。这人是姚兴的弟弟姚邕。

姚邕见哥哥今天有些迷糊，随口封官许愿，于是阻拦道："不可不可！老百姓有言说，斩草不除根，来年春又生！匈奴人为拓跋北魏所灭，是他们的命数，咱们羌族人只做个看客作壁上观就是了。如今放虎归山，只恐刘勃勃这只草原狼，日后会成为后秦的大患的！"

姚兴摇摇头，很是不以为然。

姚兴说道："我看这勃勃绝非池中之物。天下群雄纷争，飞鸟各投其林，寻其归宿发展。我若杀了登门来投的刘勃勃，日后将如何取仁于天下？这不就是断了我的人才之路嘛！"

姚邕还要说话，姚兴说道："朕如今用他，与之共平天下，有何不可？这城头上风大，兼之鸠摩大师一路风尘，鞍马劳顿。要我说，今天这公干，就到此为止了吧！"

见为王者这样说话，不敢再有人吱声了。

刘勃勃在下城的时候，瞅了姚邕一眼，面露得意之色。姚邕虽然恼怒，却也无可奈何。

长话短说。

此后，草堂大寺建起，鸠摩罗什高僧在草堂寺讲经和译经，收三千门徒，一半是汉人学习梵文，一半是天竺国人学习汉语。后秦皇帝姚兴政务之余，亦常常率领文武百官去那里听经。草堂寺成为当时中国最大的国立译经场，长安城则成为佛教东来的一个中心。

至于我们的刘勃勃，得了王令以后，领了龟兹国三万百姓一路北行，晓行夜宿，顺子午岭山脊的秦直大道，抵达当年的代来城旧址，在这里重建龟兹国。

尔后，刘勃勃从草原上收拾起刘卫辰残部，前往高平川，去投莫奕于。

第十八歌
固远城头上一棵开花的树

当赫连勃勃像个"见风就长，一日三丈"的巨人一样，小小年纪就已经长到八尺三寸身高，成为一个姚兴眼中"美仪绝伦"的男人之时，当年勃勃在逃亡的路上遇到的那个为他馈赠三碗酸奶子的女孩子也在长大，并一天天出落成一个大河套地面远近皆知的大美人。

记得在长安的城头上，在为赫连勃勃封官加爵时，姚兴以一种不经意的口吻提到固远城，提到固远城的城主莫奕于将军，提到勃勃将要到莫奕于将军手下听令时，不由得让人想起了那位姑娘，想起了一些年前那三碗酸奶子的故事。叙述者的心头不由得一颤。

不光是叙述者为之一颤，固远城头那弹琴的女子，她在那遥远的千里万里之外，也因为姚兴的这句话而打了一个激灵。

他们注定将会再次相遇，并且演绎出那爱恨情仇的故事。这是命运的安排，而命运是躲不开的。

当姚兴在长安城头上对勃勃提到固远城、高平川的时候，那一刻，在固远城用贺兰山岩石堆砌的黑黝黝的城头上，一个美丽的女子，正端坐在那里抚琴。

这女子我们认得她。她是我们的一个故人。她就是在大河套那寂寞道路上给从代来城逃命出来的勃勃三碗酸奶子的人。

我们记得那姑娘叫鲜卑莫愁。

她已经长大了。黄河大河套那往来无定的风吹拂着的这一朵山野之花开放得异常美丽和娇艳。高原灼热的阳光在催种催收的同时，也让它的女儿早熟，胸脯饱满，感情丰富而热烈。

她面白如雪，面红如酡，鸭蛋形的一张俏脸上停驻着两团红晕。那眼睛是褐色的，像秋天的湖水一样沉静、深邃和充满诱惑。那眼睫毛则乌黑浓密，像在眼睛的屋檐上添了两笔黑炭。她的头发，天然地打着卷儿，乌黑发亮，像一道黑瀑布，令人想到马那长长的、带卷的、奔驰起来藏着风的鬃毛。

固远城是塞外的一座古城，不甚大，也不甚小，位于一条川道的要冲，这条川道连接着黄河。黄河在不远处喘息着，鸣咽着，不舍昼夜地流过。有一句民谚叫"天下黄河富河套"，它富的该正是这一块地方。

看哪，在高高的城头上，倚着角楼，一个美丽的女子，高绾云鬟，一袭红色的长裙，一直顺城墙垂下来。

她正在抚琴。

那是一把古琴。琴声呜咽，饱含无限况味。她抚琴的手，手指细长、白皙，长长的指甲大约用花园里一种叫"鸡冠花"的植物染过，是曙红色，像秋天那成熟了的枸杞子果的颜色。

在琴声那充满铺张的声韵中，她在吟唱，抑扬顿挫的拖腔在城头萦回。

　　　　如何让你遇见我，

在我最美丽的时刻。
为这，我已在佛前求了五百年，
求它让我们结一段尘缘。
佛于是把我化作一棵树，
长在你必经的路旁，

阳光下慎重地开满了花，
朵朵都是我前世的盼望。
当你走近，请你细听，
那颤抖的叶是我等待的热情。
而当你终于无视地走过，
在你身后落了一地的，
朋友啊，
那不是花瓣，是我凋零的心。 ①

　　鲜卑莫愁的吟唱，为我们稍许透露出了她的心事，一个待字闺中的女儿家的心事。是的，她在等一个人，等一个人有一天骑着一匹马走到她的城头，然后跳下马半跪下来，说道："我的小女人，你好吗，你已经长大了吗？来，跳上我的马背，搂着我的后腰，让咱们一起行走大河套，一起流浪天涯！"
　　是的，多年前路途上的那一次偶然相遇，给她留下了深刻的印象。自那以后，那个孤独的骑手的形象，就始终盘踞在她的脑海里，挥之不去了。
　　这是宿命。有一天她终于明白了这一点，于是安静了下来，静静地在城头上抚琴，等待着那个孤独骑手的到来。而在这期间，在她成长的岁月中，在她等待的岁月里，她拒绝了一切的求婚者。
　　固远城的城头上，美人仍在吟唱。羌笛羯鼓，嗒嗒有声，像马蹄子的奔驰一样，为琴声打出节奏，为吟唱打出节奏。

---

　　① 这段诗作引自席慕容《一棵开花的树》。

第十九歌
女萨满

勃勃前往代来城之前，以君臣之礼去向姚兴皇帝告别。在逍遥园大殿里，他长跪不起，双目潮湿，感谢姚皇帝的知遇之恩。姚兴见了十分感动，亲手将勃勃扶起，又执着他的手，送到逍遥园大门以外，眼见得勃勃骑上马绝尘而去。姚兴站在门口，注目良久，见那马没有踪影了，方才返回。

姚兴的弟弟姚邕顿足叹息："放虎归山，后患无穷，来日灭我后秦者，一代枭雄勃勃是也！"

刘勃勃离了长安城，不敢有丝毫的停顿，直到队伍过了咸阳桥，心才放回原处。

这一行的路程，直到代来城地面，都是后秦国的地盘，所以尽可以亮出安远将军的旗帜，坦坦荡荡地行走。这样，一些日子之后，便抵达那代来城了。

代来城已经成为一座死亡之城。那血腥味时隔多年以后，仍然弥漫在这座废弃城郭的每一块石头上、每一棵青草上，弥漫在那刺鼻的空气中。

那曾经短暂的繁华安宁时光，早已恍如昨日。有几棵老榆树，孤零零地立在那里，黝黑的榆钱叶子像在滴黑血。一排小叶白杨，叶子有些枯萎，在寒风中抖动着身子。白杨树身上，有刀砍过的痕迹，斑斑驳驳。那条名叫"硬地梁"的小河旁边，长着一棵高大的、模样丑陋的柳树，树冠伞一样地向天空张开。那叫柽柳，又叫塞上柳，还叫砍头柳。

地上长着萋萋荒草。长条状的叶子上似乎还透着血丝。这叫菅草，成语中"草菅人命"的"菅"字。菅草丛中，夹杂着牛心阳草、花棒、红柳、沙枣等寻常植物。而山脚下的草滩上，那一束一束长在盐碱滩上的植物，叫芨芨草。那地方就是当年勃勃一跃而起杀了北魏士兵，骑了他的马逃命的地方。

安远将军刘勃勃领着叱干阿利、薛鲜、薛桓，带着龟兹国的三万百姓来到这里。那三万百姓，将入住这里重建龟兹国；而成命在身的刘勃勃将在这片草原上，收拢刘卫辰残部，而后溯黄河而上，前往固远城，去叩见高平公莫奕于。

那棵老树，这陕北高原魂灵一般的杜梨树，在历经了多重苦难以后还高高地矗立在这片废墟的顶端，矗立在代来山的山顶，矗立在高原的蓝天白云下。

它已经像一位老人一样，有些半枯了。当年，它是何等的郁郁葱葱呀。

突然，在废墟中行走的刘勃勃眼睛一下子亮了。他看见在那高高的代来山山顶，在那棵半枯的杜梨树下，一个一袭黑衣的女人，正在那里做什么。刘勃勃一行，向山顶走去。

在代来山那高高的山顶，那棵半枯的杜梨树下堆了许多的石头。这石头应该是这个女人搬来的，而她此刻，还在奋力地搬着。

这像山一样堆起来的石头堆，叫敖包。在匈奴人的传说中，每一位英雄离开世界的时候，后人都要为他堆一个敖包来纪念。那敖包上一块石头代表一个敌人的头颅。也就是说，墓主人生前杀死过多少敌人，他的这座敖包上就应当堆着多少块石头。这石头记载着墓主人生前的功绩，记载着一个骑手的光荣。

哦，我们认出她了。那个正在搬石头的人是女萨满，我们的老朋友。看来，自那次北魏屠城以后，这些年来她的工作就是在这里搬石头。而这块墓茔中，安放着朔方王和他的西单于夫人，安放着刘氏一家三百口，安放着这代来城遭那次劫难的城中百姓。

这位不知道年龄为何物不知道时间为何物的女萨满，她抱来一块石头，放在这敖包上，喘口气，停住，转过身。

她盘腿坐在地上，两手举向天空，开始祈祷。看来，和搬石头一样，这祈祷也是她这些年来每天都在进行的功课。

女萨满面色凝重，拖着长腔，一字一顿地祈祷道：

"慈爱的大地啊，伸出你的嘴巴，将这齐腰深的鲜血吸吮下去吧。我们虽然知道，你已经厌倦了污血，不愿再接纳它。但是，活着的人还要活，还要梦想，还要爱，我们快要被齐腰深的积血，窒息而死了。"

勃勃一行走到了她的跟前，但是她没有看见，或者说看见了但视而不见。她的目光灼热，眼神凌乱，民间把此刻的她叫"通灵者"。

女萨满继续祈祷道："吸吮下去吧，慈爱大地。张开你的大口贪婪地吸吮。这样你会惊奇地发现，接纳了那些污血以后，草原将变得异常肥沃，牧草将会茂盛地生长起来，匈奴人的白莲花般的座座牙帐，将会在大河套地面重新搭起，而匈奴健壮的男人们，将会像森林一样成长起来，像传说中的巨人一样见风就长，一日三丈！"

女萨满每日的祈祷课结束了。她回过神来，双臂落了下来，眼睛也从天上重新回到人间。

勃勃上前施礼。

刘勃勃热泪盈眶，他说："你是女萨满，亲爱的女萨满，我又一次听到了你的祈祷，我好感动。我第一次听你祈祷，是在迁徙的路上，在我降生的那个时辰！"

女萨满说："少主公，除了第一次，除了第二次，也许，你还会听到我第三次祈祷的。那是在你心目中的那座大城——匈奴城建立起来的时候！每一个匈奴人，心中都有那建城的愿望，你一定也有的！"

"我有！自从来到这世上，那个愿望就伴随着我了。女萨满，我想问，那祈祷还会有第四次吗？"

女萨满笑着说："你太贪心了。第三次是会有的，我保证。但是有没有第四次，我不知道。我的视力有限，我只有一只独眼。"

勃勃听了，不再言语。他吩咐人抬来酒罐，然后自己将酒罐启封，抱着坛子绕着敖包正三圈，倒三圈，再正三圈，一共洒了九圈酒，以祭祀这墓茔里的亡者。

下山的途中，勃勃问道：

"女萨满，草原上先知先觉的女巫，只有你能明白，我的心中现在被仇恨和杀戮的欲望填满；被建立一座匈奴人自己的城池，从而让这个居无定所、永恒漂泊的行国变成墙垣高耸、固若金汤的居国的欲望填满。可是我该怎么做呢？我太弱了，形同蝼蚁，弱小的我又能做些什么呢？"

女萨满沉吟了片刻，回答说："在草原民族代代相传的那些古老故事中，由弱小、卑微到一夜间强大的例子比比皆是，你要这样做。这样做虽然有些残忍有些下作，但是这是实现野心所必须的！问题是看你愿不愿意去做！"

第二十歌
一个男人的七昼夜

勃勃慨然说："我愿意去做任何事情！"

女萨满说："是的，你也有理由去做任何事情！在拥有了这样的童年和这样的少年时代之后，世界已经欠你太多了，所以你完全有理由成为一个坏人，完全有理由去做任何有悖常理的事情！"

勃勃说："那怎么去做呢？怎么能让一个弱小者突然强大起来呢？"

女萨满沉郁地说："你不是第一个，也不是最后一个。这样的事情，在那些弱小部落最初起事的时候，都曾经这样做过。这办法其实很简单，以你的美仪天姿是能足够地赢得人们的好感的，尤其是赢得那些怀春少女的心的，所以你下一步应该做的事情是，向那大河套地面的诸多城池走去，一个一个地去占领。这占领的办法很特别，就是先入赘为婿取得信任，而后杀掉老岳父，占领他的城池，抢下他的地界，夺取他的武装。你得这样一个一个地去做，终归会有一天，这世界就是你的了。"

女萨满说到这里时，眼睛放出光来，她说："你得有狐狸一样的警觉，狮子一样的强健，再加上一点点君王式的残暴，这世界就是你碟中的一份儿小菜了！"

女萨满继续说："少主公，你现在要做的第一件事情是去你将要赴任的固远城，从高平公和他的爱女鲜卑莫愁做起。"

听到这话，刘勃勃倒吸了一口凉气。

"世界可以这么深？"他问。

"可以这么深！"女萨满答。

"人心可以这么黑？"他再问。

"可以这么黑！"女萨满回答。

"我懂了！"刘勃勃慨然地说，"如果这世界真的要我承担起这样一个角色的话，我只好这样做了。我明白，这是宿命，匈奴末代大单于的宿命。

如果这样做尚且不能拯救这个民族的话，那也没有办法，我们尽力了！"

他们走下一个塄坎，走到那被称为柽柳或者塞上柳或者砍头柳的树下。扶着柳树，女萨满继续说：

"亲爱的少主人，拥有了这无坚不摧的思想之后，这还远远不够，你要俘虏那一个又一个女人的芳心，还得有一样更为重要的东西！"

"什么东西呢？"勃勃不解地问。

"那就是征服女人的手段。仅靠一具硕大无朋的阳具和你的美仪天姿还不够，你得谙熟闺房中的秘密，你得知道用什么手段去讨女人欢心！"

"是的，我不懂这些！这方面的知识我目前还是零！"

"尽管男欢女爱是一种与生俱来的本能，但是亲爱的主公，你还得去学习。这样吧，如果你的行程不那么紧迫，我建议你在这代来山下滞留一个礼拜。请你到我的毡房去，我把门关起来，教会你床上的各种技巧，教会你如何去俘虏一个女人的芳心。"

在女萨满那饱含蛊惑的语调中，在此情此境中，刘勃勃还能说什么呢，他只有就范的份儿了。

女萨满一阵欣喜，她一把牵起勃勃的手，拉着他向山脚下盐碱滩旁的那座毡房走去。

行走间，她在勃勃的耳边低语道："你将会记住这七天的快乐时光，一生一世都会记得。人类之所以能活下去，一直活到今天，其中一个原因就是有这别样的快乐。"

说这话时，女萨满的嘴角挂着一丝暧昧的、肉欲的微笑。

黑天昏地的七天七夜之后，这个男人走出了毡房，他步履有些蹒跚，像喝醉酒了一样。在他身后，女萨满手扶着半掩的白杨木门，目送他走远。女萨满半掩着大襟袄，大襟袄没有掩严实，半只奶头露出来，有点像母牛的奶头。

刘勃勃来到了草原上，来到那片芨芨草滩上，他疲惫万分地躺下来，面朝天，那情形，就像一个牧人挥舞了一天的大刈镰打完马草以后，疲惫地躺卧在草堆上，或者像米勒笔下那收割完庄稼的农夫一样，仰卧在地上，看天上的白云，两只穿着靴子的大脚直直地竖在那里。

他感到快乐了吗？不知道！那么，他感到痛苦了吗？亦不知道！我们所能知道的是，突然有两行热泪迸出，顺着他的鬓角流下来，打湿了这冰凉的土地。

他就这样在芨芨丛中静静地躺着。他大约躺了很久，久到天荒地老；他又大约只是躺了片刻，短得只有一顿饭的工夫，然后，刘勃勃手扶着地面，翻身起来。

他的身上突然有了一种奔驰的欲望。而在他的左边，就有一匹被施了羁绊在草原上游弋的马。于是刘勃勃走上前去，卸去羁绊，跨上了马。

这是一匹没有配鞍子的马，草原上的人们叫它"光背马"。勃勃一跃跨上去，用两手抓住马脖子上长长的鬃毛，两腿使劲一叩马肚子，于是马儿头仰了起来，"咴咴"地叫了两声，两只尖细的耳朵向前一伸。

马儿奔驰起来。

而这时在那高高的代来山的山顶，老杜梨树下，女萨满又在祈祷：

"吸吮下去吧，慈爱大地。张开你的大嘴贪婪地吸吮，将这齐腰深的积血吸干。这样你会惊奇地发现，草原将变得异常肥沃，牧草将会茂盛地生长起来，匈奴人白莲花般的座座牙帐将会在大河套重新搭起，而匈奴的健壮的男人们将会像黑森林一样成长起来，像那传说中的巨人一样见风就长，一日三丈！"

在女萨满那年复一年的祈祷声中，奇迹终于出现了。

代来山顶那棵半枯的老杜梨树突然噼噼啪啪作响，代替枯枝的是一树碎银子般的繁花。而在山下那广袤的草原上，青草开始拔节、生长，由枯黄变得青绿。那五颜六色的花朵突然开始热烈地开放。那沉睡在灼热沙丘之上的红柳丛，枝干上吐出一串串花穗。白杨树的叶子在风中飒飒作响，热烈地拍着巴掌。那条哀恸的小河，被后世称为"硬地梁"的小河，开始淙淙流淌。

第二十一歌
陕北高原上的龟兹国

三万名跟随鸠摩罗什大师一路东来的龟兹国百姓，按照姚兴皇帝所托，被安置在了代来城。那一股滔滔西来的洪水，那扬起近一万里烟尘的马蹄，终于在这里尘埃落定，积水成洼。

三万之众走了这么长时间，仍然没有走散，这个队伍中间一定有人带队。

是的，有人承头，有人带队，这个人就是龟兹国的宰相，他光荣的名字叫鸠摩炎。一提到他，读者们一定会是一阵惊喜——这真是一部令人应接不暇的小说，它不断地带给我们一些令人惊奇的人物。鸠摩炎就是其中的一个。他那不平凡的身世，他与罗什公主一起制作出的这个名垂千古的鸠摩罗什大师等等。他在国王战死之后，追随着鸠摩罗什来到东土，仅此一点，我们就知道这个宰相是多么的贤明了。

他带领他的臣民们，在这里新建了一座龟兹城，一个龟兹国。

将散落的石块捡起，重新扎起花墙，街道就这样出来了。从山上砍来些树木，解成板子或修成椽檩，搭在屋顶。屋顶可以用砖窑烧的红砖或青砖来覆盖（砖烧好后，饮过水的成为青砖，没有饮过水的成为红砖），当然也可以从那名叫硬地梁的河渠中撬起些青石板来覆盖在屋顶。不过这青石板更重要的用途是充当炕板。青石板炕烧热，炕洞里火光熊熊，人往上面一躺，烙得脊背暖融融的，刚好可以驱去那万里之遥路程上的风寒。

一部分人住在过去街道上的房子里，更多的人则是拿着从西域带来的砍土镘或陕北高原土产的老镢头，走向就近的山沟山坡。在山坡向阳的一面，先顺山洗出个窑面，再往里边挖掘。这挖出的一个一个窟窿，安上门窗以后，人们叫它"窑洞"。

当年那一场大杀戮留下的痕迹，还处处可见。

有些废弃了的窑洞，门窗已经被过往的人们卸走了，但是灶台上的锅还在，锅中间还有一团黑色的东西，那是当年锅里的饭食，现在馊干成了一个黑坨坨。窑洞门口那盘碾子，它还完好如初，似乎只要找一根棍子，塞进那"坐枷"的眼里，一推，这碾子立马就可以吱吱呀呀地滚动起来。

在从事上面所说的那些城市建筑之外，鸠摩炎没有忘记做最重要的一件事情，那就是建造一座佛塔。

鸠摩炎向敖包表示了足够的敬意，在得到刘勃勃以及女萨满的同意之后，把佛塔建在了敖包的旁边，那棵杜梨树的旁边。

佛塔的尖顶高高耸起刺向天空，敖包雄伟地矗立着。那棵高大的杜梨树上，人们挂满了红布条，使它真正地成为了一棵神树。红布条在风的吹拂下，一会儿缠向塔身，一会儿在敖包上轻吻。

佛塔建起的那一天是这座城市的诞生日，是龟兹国的重生日。三万风尘仆仆从西域而来的人们，在代来山山顶聚会，庆贺他们的百劫余生，庆贺他们有了一个新的家园。

舞蹈开始了。那是胡腾舞。之后则是胡旋舞。亲爱的朋友们，让我负责任地告诉你，西域舞蹈传入中国内地，这一次龟兹国举国举族的迁徙大约是最重要的一次传递。在此之前，中原几乎是没有舞蹈的，那些被称为舞蹈的东西，只是宫廷乐舞那弱不禁风忸怩作态的玩意儿而已。真正的舞蹈是从西域传来的，是靠这些龟兹百姓带到中原的。

叙述者此刻是多么想将那风一样旋转、手到眼到心到的胡旋舞，向亲爱的读者介绍一二。但是，野花渐乱迷人眼，后面还有许多的应接不暇，因此叙述者此刻只能一笔带过了。在后边，我们的刘勃勃将要从这些神秘的舞者中挑选出其中最优秀的二十位，去那大河套的诸多城市去显摆。到那时我们再说吧。

在舞蹈进行中，唢呐突然亢奋地吹奏起来。先是一杆引领，接着是无数杆唢呐一起吹奏。那唢呐有长有短，大号的几十杆唢呐，将杆子担在塄坎上，喇叭口朝天。较之在西域广阔地面的吹奏，唢呐那响遏行云的声音，似乎更适宜于在这高原上施展。高原有回声，那声音撒向四方，又被不远处的老崖挡回来了，从而产生了"轰隆轰隆"的回声。那回声仿佛夏日的闷雷一样掠过高原，久久不息。

龟兹人把这唢呐不叫唢呐，叫"响器"。响器，会响的器皿，一个多么有意思的名字。陕北人则把这唢呐手叫"龟兹"，字还是这两个字，只是音在后来有些念走音了，"龟"念成了乌龟的"龟"。

接着一群打腰鼓的来了。

那腰鼓手，要想打出气势来，得从山顶踢踏着往下打。脚尖踢起黄尘，人像龙摆尾一样在这弥天的黄尘中游动。活生生的是一群下山虎。腰鼓手在击打的时候，头要像拨浪鼓一样大幅度地摆动，用这摆动带动全身，那身子要"筛"，像农村妇女端着筛子筛糠一样一路大筛，那屁股也不闲着，也要像头那样摇摆。

在腰鼓踢踏出的阵阵黄尘的掩映中，各种西域戏法出现了。有在大象座

佛教的
創世紀和
匈奴民族的
的兩個決定性人物——一代高僧鳩摩羅什
退出歷史舞臺中
和匈奴
匈奴末代王赫連勃勃

·富建農王辰藏中秋

位上翻跟头的，有在骆驼背上倒立的，有将脚倒挂在马镫上伸手采摘地面上的野花的。

代来山顶，老杜梨树下，这场狂欢热烈地持续着。

直到那龟兹国的贤明宰相从头上取下一顶旧毡帽，在空中挥舞了很久以后，众人的嘈杂和喧嚣才停息下来。

"高贵的龟兹国的臣民们，让我们为已经圆满地到达天国的国王祝福。让我们把这龟兹国重建的消息，告诉给我们的西域之华——那正在长安城讲经的鸠摩罗什高僧。托他们的福，我们得以重生。而已经垂垂老矣的我，可能不会再为你们服务多长时间了，但是，我会一直陪伴你们的。我陪伴你们的，就是手中的这个毡帽。"

鸠摩炎说到这里，老泪纵横。

他说："这不是一顶普通的毡帽。这毡帽里藏着的是塔里木河胡杨林里的一把树籽。当年离开龟兹城的时候，我专门让擀毡的工匠为我制作了这顶帽子，里面擀进了一把胡杨树的树籽。这帽子跟了我二十多年了，行了一万里路了，我小心地戴着它，只有我明白这毡帽里的秘密。我不敢洗它，怕沾了水后，那胡杨树籽会突然发芽！"

"现在，"老人将毡帽捧在胸口，他用一种苍老而疲惫的声音说："现在，终于可以把它交给水，交给大地了。如果它命大，它会发芽生根，长成大树的！"

代来山山顶上所有的人，都被这个故事惊呆了，唏嘘不止。他们以无限的敬意，向这位贤者敬礼。

随后，人们簇拥着鸠摩炎下山，来到那片盐碱滩里，在一个有着蔚蓝色淖儿的地方，将这毡帽埋进土里。然后从淖儿里掬来水，将埋下毡帽的地方浇透。

接下来，雄心勃勃的刘勃勃，将要行走大河套，开始他征服世界的事业。而这位鸠摩炎老人，则静静地坐在埋着毡帽的地方，等待种子发芽，等待它们一天天变成参天大树。

是的，恰好有一点闲暇可资利用，那么，我们不羁的笔触，此一刻不妨向山的那边望去，向红日西沉的地方望去，向鸠摩炎的故乡望去。

这一望或许需要一段时间。

统万城

{ 第二十二歌

恒河传说

　　鸠摩炎的家乡，在遥远的天竺国。鸠摩家族的人们，历朝历代，都会有一个最优秀的男人走出来，担任这天竺国的宰相。或者，换句话说吧，这是一种世袭制度，鉴于这个家族昨日的光荣，宰相一职一直由这个家族来世袭。

　　那"昨日的光荣"是什么呢？这还得稍稍地再往远说一说。

　　北匈奴人像一股洪水一样向西漫卷，追逐着落日和水草，穿越欧亚大平原，从喀尔巴阡山陡峭的山崖上，冲入地中海沿岸，为后来伟大的世界征服者阿提拉大帝的出现做着准备。

　　而在这股汹涌的潮水中，有一支偏师，他们脱离了队伍，没有走向西方，而是走向了西南。他们被称为"白匈奴"，或被称为"鞑靼人""亚细亚印安人种""亚洲白种人"。白匈奴先踏上阿富汗高原，马蹄踏处，一夜间那个显赫一时的贵霜王朝①灰飞烟灭。他们继续向南迁徙，终于，有一条河流挡住了他们的马蹄。

　　这就是那条著名的圣河恒河。恒河翻卷着波涛，裹胁着两岸的泥沙，以一种雍容华贵、仪态万方的姿态从大地上滚过。两岸是陡峭凄凉的堤岸，是遮天蔽日的菩提树，是在这河滩上洗浴的男人、女人，以及僧侣们。间或，在那高高的堤岸上，露出巨石砌成的那古老神庙坚硬的一角。

　　挡住白匈奴马蹄的那座恒河边的城市叫菩提伽耶。"伽耶"是梵语中"城"的意思。所以它也叫"菩提城"。国王是谁，我们已经不知道了，历史早湮灭了他那蜻蜓点水匆匆而过的名字。我们只知道那守城的贤明宰相，正是鸠摩炎的一位曾祖。

　　这位宰相率领全城的百姓，做了殊死的抵抗，从而保住了菩提城免遭这些草原来客的占领和杀戮，从而令白匈奴人的踏踏马蹄，在原地跺着蹄子，

　　──────────

　　① 贵霜王朝，古国名。在其鼎盛时期拥有人口百万、士兵二十多万，被认为是当时欧亚四大强国之一，与汉朝、罗马、安息并列。

踏步踌躇一阵后，只好弯身折回。

诚实地讲来，挡住白匈奴人马蹄的这座恒河边上的城市，除了那位鸠摩宰相的殊死抵抗以外，更重要的原因则是由于这地方的炎热难挨。"世界上竟然有这么一块鬼地方，让人汗往肚子里流！我们要走了，让这地方的人一辈辈地承受这难挨的酷热吧！"白匈奴王挥挥手说。

在向那座恒河边上的城市告别时，白匈奴王又对站在城头上的鸠摩宰相说："城头上的人哪，留一个虚名给你吧！让后人去说，你战胜了匈奴人，你保住了这座孤城！"说罢，拍马赶回阿富汗高原。

白匈奴的马蹄践踏过的地方，后来发展成一个国家，这就是今天的巴基斯坦。而被鸠摩宰相守护住的那一片直通大海的辽阔土地，它们后来则成为了另一个国家，这就是印度国。这是后话。

鸠摩宰相自己没有思想准备，他在一夜间突然成为英雄。打败了从中亚细亚高原过来的牧羊人，创造了一个守城神话，这是恒河的光荣，这是菩提城的光荣，这是天竺国的光荣。

为了褒奖这位忠诚而勇敢的宰相，天竺国的国王颁布诏令：从此以后，这个鸠摩家族的人将世代为相。

这样，时间在经过几代人的更替以后，到了我们的"炎"的时代了。

炎出生了。鸠摩家族中的一个长子，将来要接替宰相位置的一个准宰相，恒河边上一个遍体赤红的婴儿出生了。那一刻，西边，太阳像一个通红的大车轮子一样，正哀伤地向海平面上驶去；而东方，一轮柔和的、仪态万方的圆月亮，正停驻在那当时被叫作葱岭，现在则被叫作帕米尔高原的陡峭的尖顶之上。日光和月光交替照耀着菩提城。

孩子号啕大哭起来。

"噤声！亲爱的孩子，是那西边正在以无法遏制之势而沉落的夕阳，带给你以无限感伤吗？"人们问道，并且将这孩子的脸朝向西边。但是孩子仍然哭泣不止。"那么孩子，是那搁在东山之颠积雪峰顶上的一轮圆月，带给你以某种大喜悦、大欢欣吗？"人们继续问，并将孩子的脸面向东方。

然而孩子仍然哭泣不止。

"那么，你是喜极而泣，同时又是悲极而泣！是空中这两颗发出光亮的东西，同时照耀在了你的头顶，从而令你一呱呱落地来到人间，便痛彻地感悟到这日月交替、天道轮回、盈虚有数、世事无常吗？"

无可奈何的人们这样说。

这句话说到点子上去了。听到这话，孩子止住了哭泣，继而又破涕为笑。

这样，鸠摩家族的这个孩子，便有了一个响亮的名字。

他的名字叫"炎"，由两个"火"字构成。上面的那个"火"是太阳，下边的那个"火"是月亮。这个名字记录了鸠摩炎出生的时候，天空中日月双悬、阴阳交替的情景。

第二十三歌
在菩提伽耶

太阳炽热照耀的地方的人们早熟。炎三岁的时候，被送到恒河边那座乌黑石头砌成的神庙里去培养。一群高僧大德充当他的导师。他跟一位高僧学习小乘佛教在那个时期所能达到的最高智慧。高僧的讲学和传授只讲那些最核心的东西，并且是择其大要。这样，天资聪慧的炎便能够很快地掌握，以免蹉跎岁月。炎跟着另一位高僧学习天文地理、数学计算。这样的学习是必要的，以便他将来做宰相的时候，更好地服务于国家和百姓。炎又跟着第三位高僧学习起卧举止各种礼仪，学习舌辩学，学习哲学，学习"佛观一钵水，八万四千虫"这样的见微知著的洞察力。这同样是为将来的工作做准备。

到了十三岁，该举行"成丁礼"了，炎告别了神庙和师父，回到了家中。人们这时看到的是一个脑袋剃得精光、前额光洁、眉毛像炭一样黑、两个脸颊有着两团凝重的红晕、身披袈裟的小和尚。

家族为他举行了一场隆重但又不事张扬的"成丁礼"。仪式上，皇帝也换了一身便服悄悄地来了。他的到来显示了对这位当事人的重视。成丁礼结束以后，炎便不再去神庙了，这叫"还俗"。他换了一身普通人的装束，跟着父亲，也就是当朝的宰相四处漫游，学习处理国家事务的能力。

又过了几年，炎已经成长为一个高身材的青年，有着雄狮一样卷曲的头发，皮肤也变得黝黑一些了。他的脸上时时显露出一种刚毅的表情。作为成长的标志，短短的胡须现在爬满了他的双鬓、嘴唇和下巴。几年间，他随着父亲，足迹踏遍了从葱岭到大洋的每一个地方。几经历练，一个标准的天竺国宰相就要诞生了。

前面说过，太阳炽热照耀的地方的人们早熟。

炎这时候十八岁，他已经完全成熟了。而他的父亲，那位现任宰相也已年届四十，开始衰老。交接班的时刻终于来到了。国王下了诏书，选择一个良辰吉日举行仪式，随着这个日子的临近，整个菩提城都激动起来，像在迎接一个盛大的节日。城中那些临街的铺子将门面都装饰一新，从而给城市增加了许多的喜气。姑娘们为这个节日的到来准备着新裙子，而铁匠们则在使劲地拉着风箱，敲着铁砧，把钢铁里的音乐敲打出来，为即将到来的这场盛事助兴。

就在这一切都准备停当、隆重的拜相仪式将要在第二天进行时，这个仪式的当事人炎却突然消失了。

这是一件严重的事情。如果拜相仪式上鸠摩炎不能够体面地出现，将给这个国家，尤其是给鸠摩家族带来严重的后果。所有的人都急得团团转。后来，他们决定先不给国王禀报，而是派遣家族的所有男人，再出去寻找一次。他们的足迹跑遍了菩提城的旮旮旯旯，可是，炎这么一个大活人，就像从人间蒸发了一样，还是活不见人，死不见尸。

看来只好向国王禀报了，这时候，宰相府的女主人，炎的母亲说，让她再出去寻找一次吧。也许，炎会在那个有着三棵菩提树的神庙里面。一颗母亲的心告诉她：炎在那里，并且正在哭泣。

女人换上一件普通市民的衣服，并且用黑纱罩住了自己的面庞，然后在侍女的陪伴下，走出了家门。是的，按照心的指引，她向恒河边走去，向炎当年出家的那有着三棵菩提树的神庙走去。行走间，她听到了恒河水那无限疲惫的叹息声，她嗅到了那湿漉漉的海洋风的味道，接着，她看到了神庙那黑黢黢的屋脊，以及恒河那波光粼粼、忽明忽暗的水流。

这神庙名叫那烂陀寺，那是一个有名的地方。而对于中国人来说，它之所以有名，是因为在鸠摩炎离开它整整二百年之后，有一位大唐高僧，名叫玄奘的人，逆鸠摩炎的行踪由东向西而南，从长安城出发，来到这那烂陀寺的三棵菩提树下修行六年，修成正果。

那三棵菩提树就长在神庙的靠近恒河的这一边。那树既不高大,也不茂密,青色的斑驳树干上方,枝条像佛掌一样伸向天空。拳头大的叶片点缀在这些枝条上,给人一种疏朗的感觉。三棵树成一字形站成一排,面对着愣坎下面的河水。

菩提树的花朵散发着异香。菩提树下,一位年轻的和尚正盘腿坐在那里。一袭黑衣将他的全身笼罩。从头到脚,甚至那褐色的胳膊,也被这黑布裹着。只有两只眼睛露在外面。

他大约已经在这里坐了很久很久了。菩提树那椭圆形的树叶,一片一片地落下来,打在他的头上,肩上,然后落向地面。落叶缤纷。

年轻的和尚就这样在菩提树下打坐。听不见风声,听不见雨声,听不见窸窸窣窣向他走近的衣服摩擦声,和母亲的脚步声。他多么的专注呀,用佛家的专门术语说,这叫“入定”,眼睛、耳朵、鼻子、口舌、身体肌肤、意念,这被佛家称为“六根”的东西,在这一刻全部封闭,万丈红尘在此望而却步。此一刻的情景,有八个字形容,叫“六根清净,八风不动”。

“亲爱的孩子,是你吗?在这万籁俱寂的高贵的夜晚,莫非是有一种什么不祥的念头突然闯入你的心灵,从而令你感到了一种大痛苦吗?”

树底下的年轻和尚被惊动了。他当初时形同一截槁木,无知无觉,现在受到惊动,那截槁木动了一下,继而,发出声响:

“亲爱的母亲,恰恰相反,此刻的我没有感到大痛苦,而是感到一种大喜悦,大快乐,大自在,大自由,我的身心此刻正浸泡在一种从未有过的幸福感中,形同沐浴。刚才我正在和我不知道的世界交谈,我感到自己的整个身心,正像一匹脱缰的野马,在无垠的大地和高远的天空,无拘无束地漫游!”

“亲爱的孩子,你忘了明天是个什么日子了。整个国家今夜都将处在一种激情中,彻夜难眠,为迎接明天那个日子的到来。而亲爱的孩子,作为家族明日的荣光,作为这个盛大节日的主角,我想,你现在是不是该回去准备准备了!”

“可以不要那样的命运吗?——做宰相的命运!”

“不行,这是责任!鸠摩家族的责任!”黑纱背后,是一个斩钉截铁的声音。

第二十四歌
在那烂陀寺

坐在那里的青年和尚抖落掉身上的落叶，将头上蒙着的布也掀了下来。我们看到他确实是炎。

炎对母亲说："这是责任，我明白，对天竺国的责任，对菩提城的责任，对鸠摩家族的责任。因为自从我一出生，我听到的最多的就是这两个字。但是母亲，命运为什么偏偏挑选了我去承担这件人生俗务呢？难道我不可以有另外的命运吗？我有许多的弟弟，这个家族有很多的男丁，他们比我更优秀，他们都会驾轻就熟地做好它。仅仅只是因为我是长子，这件事就不可推卸地落到我的头上了吗？求你了，母亲，放我一条生路，让我去干另外的事情吧！"

母亲揭开面纱，露出她满月一样的面庞。她有些惊讶地说："儿子啊，你知道宰相的同义词是什么吗？除了责任以外，它还是光荣和鲜花，是尊贵和尊严，是一生都享用不尽的荣华富贵。亲爱的孩子呀，为了明天那个节日，全城的女人们都穿上了自己最艳丽的衣裳，那些待字闺中的少女正心跳着等待你的出现，她们最大的人生奢望是让你多看一眼，让你的目光在她们身上多停留半秒。而多少男人又在眼红你呀！难道你就情愿轻易地抛弃这一切吗？"

炎站起来，他轻轻地扶着母亲的肩膀，继而又牵着母亲的手，走到塄坎边，然后以忧伤的目光注视着脚下的恒河。

脚下的恒河仪态万方、风情万种地奔流着。菩提城的灯光，有一部分映在了河里，于是那河面上出现了碎银子般的光亮。虽然已经是夜晚了，堤岸上仍然聚集着许多人。持家的女人，到河边来汲水，她们在河里汲满一罐子水以后，重新顶在头上，然后折身踏上那高高的石阶。那些菩提城的风情女人们正在洗濯。她们把自己脱得精光，整个身子都沉在这忘川之水中。她们试图用这河水洗涤掉自己既往的罪孽。另一处，一个麻风病人也在洗涤，想让这神奇的水流帮助他恢复健康。

"亲爱的母亲，在河心那块突出的岩石之上，正高卧着一位高僧。那是我三岁时走入神庙遇见的第一位老师。你看见他了吗？每天黄昏，他都会走出神庙，顺着那高高的石阶，来到这恒河边上，然后开始这日日必备的功课。"炎对母亲说。

顺着儿子手指所指的方向，母亲向苍茫夜色中的恒河望去。她的目光终于盯住了河心那块突出的岩石。

她看见，一位高僧正用手掌像刀子一样，向自己的胸膛砍去。胸膛劈开了。然后他从胸膛里掏出自己的肠肠肚肚，将它们漂进河里，轻轻地洗着，涮着，摆着，梳理着。那情形，就像在洗涤羊肠羊肚、牛肠牛肚一样。

"他在做什么呀？"母亲惊讶地问。

"他在洗涤自己，这是他的洗礼。他要在这日日必备的洗礼中，洗涤他前世的罪孽，洗尽他在这一日所沾染的世间尘埃。他渴望洗净自己的身子，他希望有朝一日，抵达那大俊大美、大彻大悟的大觉悟之境！"

"一位得道高人！"

"是的，一位得道高人！"

母亲沉默了，儿子也沉默了。他们全神贯注地看着那位高僧在完成着他的功课。洗涤终于结束了。高僧将肠肠肚肚重新装入胸膛，拍一拍胸脯，摩挲一番，让胸腔重新完好如初。最后，他们目睹那高僧重新踏阶而下，走回神庙，旋即被夜色中的神庙所吞没。

"亲爱的母亲，也许当我出生在那个日月交替阴阳换更的奇异时刻时，当你们将我的名字叫作'炎'的那一刻起，我的命运就被定了。我的这一生注定要四处流浪，我现在虽然是在和你说话，可是我的心已经在路上了。那是漂泊的命运，充满了坎坷，充满了不可知。这些我都知道，但是我没有办法，我唯一能做的事情就是顺应它，听从远处那梦魇般的召唤！"

"那么，世界这么大，有许多条道路，每一条道路都通往不同的地方，我亲爱的孩子呀，你是想去哪里呢？你的一颗大悲悯的心，它是如何指示你明示你的呢？"

这时，那轮又圆又大的月亮，突然跳跃了几下，出现在东北方葱岭那积雪的山巅上，霎时满世界一片光明。

炎指着月亮，回答母亲说：

"我要到东方去，我要到葱岭那边去，我要到太阳和月亮每天升起的那个地方去。那神秘的东方是如此强烈地吸引着我。我不知道那高高的积雪的山峰背后是什么，我想探个究竟。我将一直往东走，直到有一天倒毙在路旁为止！"

说完这些话，炎抿紧了嘴唇。

现在轮到母亲吃惊了。她后退了两步，以便把眼前这个男人看清。然后——然后这位母亲字斟句酌，说了一段天才的话。也许，只有宰相府的女人们，只有天竺国的那高贵的婆罗门家族的女人们，才能说出这样有教养、有见地的话。

母亲说："我为你而骄傲，亲爱的孩子！宰相会有很多个，在你之前会有，在你之后也会有，但是鸠摩炎只有一个。你是一个高人，一个负有特殊使命的人。上苍借我之腹生了你，这是对我的信赖，是我的光荣和骄傲。亲爱的孩子呀，既然你去意已决，那就远行吧！我支持你。如果这个世界上只有一个人在支持你，那就是我，母亲的祝福会伴随你的一生的。至于明天那个拜相仪式，至于未来宰相的人选，事情总会过去的，而宰相也总会有的！"

见母亲这样说，儿子受到了深深的触动。

他跪下来，跪得很深，以至脸颊都贴到了母亲的脚面上。他就这样就势吻了吻母亲的双脚。

母亲问儿子临行前还需不需要做一些旅途上的准备，比如带一些盘缠，比如带几身干净的衣服，比如至少带上一打也就是十二双的麻葛鞋，以便应付穿越葱岭时的崎岖山路。

儿子说不必了，他其实从一出生开始，便开始做翻越葱岭的远行准备了。他说，一根打狗棍，一个乞食钵，吃饭的问题就解决了。至于麻鞋，他不需要，他打赤脚就足够了。

为了强调，炎在说话的时候，跺了跺自己赤着的双脚，他说："父母给了我两只脚，为的就是有一天用它来独步天下！"

在说完这些话以后，或者说，在这些话的余音还在母亲耳畔回响时，年轻的和尚已经匆匆站起来，稍稍整理了一下自己的衣服，然后转身飞也似的消失在苍茫的黑暗中了。

母亲孤孤地站在那里，强按住内心的疼痛，没有让眼泪掉下来。出于一种骄傲和矜持，她没有撵上去，也没有使自己失态。

不过她多么地希望，作为儿子的炎能够回过头来，向她做最后一声告别。但是炎始终没有回头。

第二十五歌
鸠摩炎在路途

就这样，这位名叫鸠摩炎的年轻的行者，便离开了菩提伽耶，告别了他的祖邦，上了那迢遥的道路。

正像那些传奇和歌谣以惆怅的口吻所咏叹的那样，青年和尚穿越了九十九座高山，蹚过了九十九条大河，然后在一个红日喷薄而出的早晨，登上了葱岭那高高的垭口。

他穿着褴褛的僧衣，赤着滴血的双脚，他的胡须在行走中也疯狂地生长起来。他现在已经完全变成另外一个样子了。他走的那条时而穿越峡谷、时而攀上高山的道路，是在他之前由那些牧羊人踩出来的，由那些为了蝇头小利离乡背井的丝绸之路上的脚夫踩出来的，是白匈奴人在进军喀布尔城时留下的，是贵霜王朝的遗民们重返塔里木盆地、重返楼兰时留下的。

走在这样的路上，我们的炎有一种奇异的感觉。他觉得前面那些所有的先行者们所千辛万苦踩出的这条道路，其实只是为了一个目的，那就是为他的这次东行做准备。

那九十九座高山上每一座山向阳的一面，都会有一座类似那烂陀寺那样的神庙。这神庙或者是石砌的，或者是砖垒的，或者是用不加修饰的圆木架筑的，或者是因陋就简在陡峭的悬崖上凿出的石窟。而在那九十九条河流之上，每一个渡口都有人在洗涤，罪人们试图在这洗涤中卸下重负，获得再生，正如恒河在流经菩提伽耶时，我们所看到的情形一样。

一根打狗棍，一只乞食钵，一领袈裟，这是他的全部财产。对一位苦行僧来说，有了这几样东西，就足够了。

炎觉得自己很富足，很快乐，像一个帝王一样的富足和快乐。同时，他的身体和思想是自由的，而帝王们是做不到这一点的。他可以叩击路经的每一户人家的门扉化一口缘，而不需要任何理由。当从神庙的门口经过时，他就会去"挂单"。他从肩上的褡裢里取出自己的帖子，然后挂在门楣上，继而，便和衣躺在门洞里闭目养神，门"吱呀"一声开了，是小和尚出来打水。他们捧起这个帖子，然后将这位已经睡着了的苦行僧唤醒，领入禅室安歇，而在这神庙里将息几日之后，我们的炎又重新踏上了道路。

就这样，炎一直走到了葱岭那高高的垭口，在一个红日喷薄而出的早晨，倚着这世界最高地方的一块岩石，热泪盈眶地看着他朝思暮想的东方世界。

面对眼前为他展现的这一片绚丽世界，神秘东方，鸠摩炎从头到脚都感受到一种从未体验过的大喜悦，大欣喜，他轻轻一声抽泣，接着便是双泪迸流。

他盘腿坐在高高的岩石上痛哭了三天，哭得惊天动地。三天后重新拾起拐杖上路。他本来还想在那里多停留一会儿的，但是，这个名曰"世界屋脊"的地方实在是太寒冷了。

最后他向山的另一面走去，向东方走去。仍然是翻越了九十九座高山，蹚过了九十九条冰河，最后看见了绿洲和人烟，看见了黑松林，看见了那奔腾咆哮的叶尔羌河，看见了那被称为"一千年不死，一千年不倒，一千年不朽"的胡杨树。

第二十六歌
破戒

当炎沉重的步履快要接近绿洲和人烟时，发生了一件奇怪的事情。从他的身后，一群一群的动物越过他，疯狂地向山下奔去。它们发出尖叫，它们慌不择路，它们个个都表现出少有的亢奋。那慌乱的情形，就像一场地震将要发生，就像世界末日就要来临似的。

那最庞大的动物是骆驼。是野骆驼，公骆驼。它们发出低沉而可怕的"咝咝"声，嘴巴向天吐着白沫，硕大的驼掌好像显示力量似的，不停地践踏着脚下的小动物。人在这个时候不能奔跑，一跑，那发情的公骆驼就会追逐上来。人在这时候最好的做法是躺在地上装死，反正用不了多久，这骆驼群就会过去。

而那最小的动物，大约是蚂蚁了。数量众多的蚂蚁有秩序地排成一队，匆匆地擦着路面前行。普尔热瓦尔斯基野马不是在跑，而像是在飞，鬃毛飘舞着，尾巴长长地与飞翔的身体平行。

比普氏野马跑得更快的是那些羚羊，它们不是在跑，也不是在飞，而是在"剪"。或者用俗语来说是在跳跃，从一个山头跳到另一个山头，从路的左边跳到路的右边，倏忽间只能看见它们亮亮的白屁股一闪一闪。

表现得最亢奋、感情最为激烈的，当数那些草原狼了。它们凄厉的、如同婴儿啼哭的叫声令人胆寒，那滴着涎水的舌头露在长长的黄瓜嘴外面，扫帚把尾巴拖在身后，头佝偻着，嘴巴拱地，湍湍而来。

炎让在了一边，让他的这些动物兄弟们先行。他的知识不能够告诉他前面发生了什么，这些亢奋的动物是为什么事情而去的。他只发现这所有与他擦身而过的动物都是腰间挺着生殖器的雄性。

在转过一个山弯后，面对眼前像伞塔一样的雪松、绿绿的五花草地时，当耳畔听到那蛊惑人心的、叫人热血沸腾的歌声时，炎明白了个中原委。

一位牧羊的女子，头戴高顶尖帽，身穿黑色坎肩，脚蹬高筒靴子，一边用手甩着鞭子，一边唱着一首古歌。

> 花儿为什么这样红？为什么这样红？
> 哎——哎——，红得好像那燃烧的火，
> 它是用那青春的血液来浇灌，
> 它象征着友谊和爱情！

我们的炎看见，在那慑人魂魄的歌声中，先他而至的那些腰间挎着刀的雄性动物们，正在这五花草地上进行着自己的世纪狂欢。

野骆驼找到了家骆驼，普氏野马找到了那些驯养过的家马，狼则找到了它们的近亲——狗，羚羊呢，它也有近亲，那就是姑娘正在放牧的这一群羊。还有鸡，还有蚂蚁，还有那挺着两颗獠牙的野猪等等等等。

这些从高山顶上跑下来的动物，以它们的方式跳上那交配对象的身子。炎只看到无数条摇动着的尾巴和抖动着的屁股，只听到那震耳欲聋、响彻山谷的欢愉尖叫。

炎的脸红了起来,红到了耳根。他用双手蒙住自己的眼睛,努力地不去看这些。但是,那尖叫声不绝于耳,于是,他只得又移开双手去堵住自己的耳朵。但这样做的话,眼睛又看见了。

炎不知道,他刚刚路经的这块高原,后人称它为"生命禁区"。在这严寒、缺氧和高海拔地带,雌性动物根本无法生存,只有那些雄性动物中的身体健壮者,才勉强可以活下去。然而由于没有雌性,在那长达半年的漫长冬季封山中,它们一直忍受着性饥渴,延捱岁月,那鼓励它们活下去的唯一的动力,就是等待来年初夏,等待那从草原牧场向高山牧场转场的游牧人们为它们带来异性,从而给它们提供短暂的快乐。

那森林一般摇动的千万条尾巴,那响彻耳畔的欢愉的尖叫,还有牧羊人那女萨满一般充满撩拨的奇异歌声,终于叫我们的炎再也不能自持。他抬眼看了那牧羊姑娘一眼,他看到那姑娘眼中也充满了欲望,眼神像喷着火一样,有一种鼓励的暗示。

我们的炎再也不能自持了,生命中自他出生后就一直沉睡着的某一部分力量现在开始苏醒,他感到自己满身的血液像火苗一样燃烧起来,他感到自己青筋暴起,身上的每一块肌肉都在爆发力量。

没有什么可选择的了,没有什么力量能阻止他了。现在唯一能做的事情就是扔了手中的打狗棍和讨饭钵,不顾一切地向那个姑娘走去,向万劫不复的宿命走去,加入这场山谷间的生命大欢宴中。

姑娘笑着迎接他。

她扔下了鞭子,软软地躺下来,躺在一片五花草地上。然后撩起裙裾,将自己的脸庞盖住。

当一切结束后,我们的炎站起来,重新整理好自己的衣服。胸中那股突如其来的狂暴激情消失了,一种灰色的情绪攫住了他。他感到后悔,感到天昏地暗。他明白,刚才发生的这一切不是梦,他的金刚之身已经破了。

姑娘走过来。她还处在亢奋中。亢奋中的她伸出手来,嘴里叫着"我的公鹿",要为炎整理衣衫。

炎轻轻地挡开了姑娘的手。

他喃喃地望着天空说:"我现在明白了,我不是一个圣人,我所能做到的是永远地匍匐在大地上,与动物为伍。我是一个凡夫俗子,我的双脚将永远地被捆绑在大地上了！"

辞别姑娘，我们的炎继续前行。姑娘告诉他，山下那片绿洲，那片人烟，人们叫它龟兹国。

第二十七歌
别样的入城礼

一座金碧辉煌的沙漠都城，展现在这位行旅者的面前。

城市最高的建筑，是一座高高的佛塔。城市的街道，由各种高高低低的楼阁构成。楼阁里传出歌声和弹拨乐器的声音。一条河动情地流淌着，绕城一圈，成为这座沙漠之城的天然屏障。然后又分出一股水流，从城的中心位置穿越而过。在那羊脂般凝重流淌的河流上面，游弋着牛皮筏、独木舟和装饰华丽的画舫。城的四周，护城河以内，筑有高高的城墙用以防御。而上面所说的这一切，都被浓郁的树荫遮掩着，仅仅露出它的轮廓来。

这是名副其实的绿洲。城市的中央地带生长着高大的胡杨树，这中亚细亚地面苦难的、叫人肃然起敬的树木。胡杨那高大的树身布满了全城，甚至用它来分隔街道，成为行道树。与胡杨树相依相伴的，是另一种叫人肃然起敬的树木，它的名字叫沙枣树。我们的远行客驻足一望的这个时刻，正是初夏，每一棵沙枣树都在绽放着满树的白色花朵，香气袭人，花粉飘飘洒洒，令这座城市笼罩在一种奇异的香味中。沙枣花的花粉洒在行人的脸颊上和裸露的胳膊上时，会让皮肤瘙痒，所以城里的女人们在这个季节出门，都要蒙着头巾，披着披风。

这些树木从城内一直延伸出来，越过护城河，零散地散布在戈壁滩上，散布在那些已经开垦出条田的田埂上。而这些绿荫的边缘地带，那匍匐在大地上、僵卧在沙丘上、像火焰一样吐出赤红色花穗的，是红柳。再向远处延伸，那盖满银白色盐碱滩的，是一望无际的茇茇草滩。

而茇茇草滩的尽头，是斑驳的错落的山峰。这些山峰是红色的，那裸露的岩石，斜斜的、一层一层地劈下来，形成一长溜的斜坡。偌大的一块绿洲，被这样的红色岩石组成的低矮山岗围定。

呼吸着湿漉漉的绿洲风，嗅着久违了的炊烟味，随着已经不习惯了的喧嚣声，炎来到一条坎儿井引出的水流边。他把整个头放在水里，洗了一把脸，整理了一下自己那乱糟糟的头发和胡须，然后以杖点地，向龟兹城走去。

在距离龟兹城还有半马站路程的地方，一棵高大得叫人难以置信的胡杨树下，端端正正地坐着一位头上裹着头巾的中年人。

中年人坐在那里，不怒自威。面前一张雕花的圆桌上摆着各种精美的食品，和盆地里出产的各种水果。看见鸠摩炎向他一步一步走来时，中年人站起来开始鼓掌。他的脸上布满了笑容，布满了善意。

"高贵的行者，我的好宰相，你辛苦了！眉角上还挂着葱岭的风霜，双足上还沾着葱岭的泥淖。来吧，歇歇脚，好宰相，城中已经为你准备了隆重的拜相仪式，那仪式不迟不早，就在今晚太阳落山，月亮初升之时进行。而现在，让我以手加额，感谢上苍为我们多灾多难的龟兹国送来了一位贤明的宰相！"

赶路的炎听到这从大树底下传来的声音，大大地吃了一惊。

他停住脚步，打量了一下树底下正在讲话的那个人。当听到"宰相"这个对他来说已经淡忘了许久的名词时，他甚至有些恍惚，怀疑自己是不是又走回了菩提伽耶。

但是不是，这确实是在东方，是在葱岭的这一边，是在龟兹城。

炎深深地弯下腰来，以手加额，向树底下的这位尊者致敬。

礼毕之后，他说："'有着幸福的地方，早就有人看守，要么是贤者，要么是暴君。'树下安坐的这位尊者呀，那么，你是前者，还是后者呢？"

树下的人回答说："我是前者，宰相！"

鸠摩炎答道："那么让我在这里送上我的赞辞。你是一个有来历的人，一个主宰生杀的人，你的不容反驳的语气和你的举手投足行为举止都告诉了我这一点。可是呀，树下尊贵的朋友，你是看走神了，路上走过的这个人不是什么宰相，他只是一个罪人，一个跳出三界外不在五行中的人，一个如草芥如蝼蚁无香无臭、稍纵即逝的卑贱生命！"

树底下的人笑了起来，他说：

"你是宰相，你是上苍为我打发来的宰相。龟兹国宰相这个位置，已经虚位以待好长时间了。它是为你预备的呀！昨天晚上，我做了一个梦，梦见我的宰相要从这棵胡杨王下面经过。所以今天一大早，我就在这里等候了，等候那第一个从胡杨王树下经过的人，而那第一个到达的人就是你！"

炎听了这话，暗暗叫苦。他不明白，为什么那可诅咒的命运总是挥也挥不去，躲也躲不开，你瞧，它又落在自己头上了。

炎想分辩，但是哪容他分辩。炎想逃脱，但是已经无法逃脱。

只见那人打了一声口哨，立即，从左右两边树林里分别跳出二十个士兵，他们将炎的双手抓住，拧在后面，然后像变魔术一样，从胡杨树的后边，驶出一辆华丽的马车来。

士兵们把炎架起来，放进车里。树下的那个人，也缓缓地站起。一个士兵俯下身子来，充当脚镫。这人踩着那士兵的脊背，上了马车。

马车一路响着铃声，马儿四蹄如花，向龟兹城驶去。

到了城里，马车在王宫门口停下，只听这人说："给我们的宰相鸠摩炎洗一洗鞍马劳顿的身子，梳理一番风霜浸染的发须，然后换上那早已准备好的朝服再来见我！"说罢，他自己先下了马车，径直进了王宫。

"我是龟兹国的国王，我姓白，我的名字叫纯！"那人走了两步，又扭过头来，这样对炎说。

第二十八歌
反弹琵琶

几个时辰以后，我们的炎梳理一新。他换上了那早已为他预备好的华美服饰。服饰是如此的合身，就像量着他的身材裁剪成的一样，这叫他奇怪。而更叫他奇怪的是，这个龟兹国王竟然知道他的名字。要知道，自从离开菩提伽耶以后，这个叫"鸠摩炎"的人已经隐姓埋名，在通往东方的道路上，走了整整三年了。

炎来到了王宫的议事大厅。大厅里，大臣们分列左右坐着，而在正中央那个唯我独尊的位置上，龟兹国王端坐着。果然是炎在胡杨树底下遇到的那

天竺三國那爛陀寺的三棵菩提樹

高鋒聖壬辰冬

西安佳鎮

个人。只是，他现在换了一身国王的服饰，从而显得威严和尊贵了许多。

接受了炎的行礼，龟兹王走下来，牵住炎的手，走到靠近自己的位置，请炎在那个虚位以待的位置上坐下。王清了清嗓子，环顾左右，说道：

"我亲爱的大臣们，这就是我给你们经常提到的那个鸠摩炎，那个高贵的人，那个摒弃了权力，摒弃了荣华富贵，踏上漂泊，踏上不可知命运的人。为了迎接他的到来，我今天出郭三十里相迎。在我当政期间，这还是第一次。我亲爱的大臣们，我相信你们也会像我一样地喜欢他，尊重他，并接受他。"

大臣们听了这话，齐声喝彩，然后纷纷举起他们面前的酒杯。

国王继续说：

"拜相仪式将在今晚举行，这会是龟兹国的一个节日。一切我都安排好了！本来，这样的一个拜相仪式，应该三年前在葱岭那边一个叫菩提城的地方举行的。可惜他们没有福分，当事人在拜相仪式就要举行的前夜逃走了！很好，阴差阳错，一切都有定数，一切都是命运。这个宰相是上苍为我们龟兹城准备的呀！"

国王睿智的话语又带来一片喝彩。

国王很高兴，大约因为刚才自己那一番遣词造句而有几分自得。他握着炎的手继续说：

"亲爱的炎，我的宰相，当我们笑的时候，你为什么不能随我们一起笑呢？为什么你还是这样眉头紧锁心事重重？自从咱们见面到现在，那阴霾一样的神色就一直停驻在你的脸上。难道，我的诚意，龟兹国的诚意，还不足以打动你的心吗？"

鸠摩炎沉默了很久，说道：

"尊敬的王，尊敬的大臣们，尊敬的绿洲国家，一个以四海为家的游僧能得到你们这样的钟爱，他只有诚惶诚恐的份儿了。当宰相的事情，咱们先放在一边，以后再说。我现在只是不明白，只是迫切地想知道，为什么你们知道我的身世，并且知道得那么翔实。老实说，连我自己，都几乎忘记我是谁了！"

国王听到这话，很兴奋，他接过话头说："亲爱的炎，你不知道，三年前，你的那一次出逃，酿成了一场轩然大波，这件事旋即传到了四面八方，从而给你带来了巨大的声誉。而在这三年你的风一样的行走中，你的声名也随你的走动，传遍了帕米尔高原，传遍了西域三十六国，甚至传到遥远的波斯和巴比伦。每一个有菩提树的地方，都在传诵着你的名字！"

我们的炎摇摇头，苦笑了一下。他确实不知道在他闷着头行走的那些日子里，世界竟然还在注意他和谈论他。

炎说："还是让我走吧，高贵的龟兹王！我已经不能适应这尘世的喧嚣了，我已经习惯于把自己交给道路了。强扭的瓜不甜，我的志向在东方。有一股神秘的力量在吸引着我，这力量从我出生的时候就控制着我。或者换言之说，我把我的灵魂交给它了。我向往东方，我不敢说自己是去布道，也不敢说自己是去弘法，我只能说自己是去学习，是去满足一下自己的眼睛和那可怜的好奇心。还是让我走吧！"

国王说："这个沉重的话题，放在后面再说吧！现在让我们轻松一下，给远方的客人欣赏一下龟兹乐舞吧！世界上任何一个地方的乐舞，都很难和它比拟的！"

国王说，他相信在看了乐舞以后，炎的想法会改变的。说完这些话以后，国王把手搭在嘴唇上，打了一声口哨。

只见从宫廷的各个门扉中，像羚羊一样跳跃出一群怀抱琵琶的美女。她们先一剪一剪地跳跃到大厅正中央，单膝微屈，以手捧心，向龟兹王行了一个礼节。然后，琵琶便猛烈地弹奏起来。人群也四散而开，布满了大厅。整个王宫大厅裙裾飞舞，香气四溢。

国王和他的大臣们，在用膳的同时腾出手来，用羊骨头或牛骨头在餐桌上击打着节奏。有一个大臣在啃一条羊腿时，将那叫"羊拐"的东西抿干净，然后塞到口袋里去——他要拿回去给自己的孩子做玩具。做完这些以后，他再捡起羊腿，随着大家一样敲击着桌面。

国王说，龟兹最有名的舞蹈叫胡旋舞，他自己就是一名胡旋舞高手。那舞蹈将在晚上的拜相仪式上演出。而现在炎大人所看到的也是一个有名的舞蹈，名叫"反弹琵琶"。那个飞天形象女主角，她现在大约应该出现了。

话音未落，大厅正上方升起了一团云彩般的烟雾。烟雾缭绕处，一个绝色的西域美女，将琵琶背在背上，反弹着，缥缥缈缈自天而降。

所有的音乐此刻都噤声了，只有那一件琵琶，发出一股清音。那清音纯净、明亮，宛如天国而来。许多许多年以后，炎的儿子，伟大的僧人鸠摩罗什，即将在辽阔东方的某一处辞世的时候，曾经写过一首诗："心山育明德，流薰万由延。哀鸾孤桐上，清音彻九天！"这位高僧所说的"清音"大约就是这"清音"，一件用孤桐所做的琵琶所发出的响彻九天的声音。

音乐停止的同时，所有在场的人都停止了动作。国王的一口抓饭在嘴里停止了咀嚼，大臣们木鸡般地呆坐着，那些伴舞的美女像一件件活的雕塑一样，变成造型，凝固在大厅中。

飞天女子在空中弹拨一阵后，脚尖着地，轻盈地落在地面上。随着她的琴弦的一声拨动，所有陪舞的美女也都活过来了，她们的动作也开始激烈起来，她们的琵琶，也学着飞天女子的样子，在背后反弹。国王这时也回过神来，他终于可以将那口抓饭咽进肚子里去了。

飞天女子着一身黑色的衣服，面部也被黑纱遮住，只露出乌黑的眼睛和黑炭般的弯眉以及半片光洁的前额。她在跳跃，她在飞旋，她的裙裾掀起的香风从每一个人的脸上拂过。她的美腿是如此的修长，脚骨上的肌腱清晰可见，她高傲的隐约暴起淡蓝色青筋的脖子亦是如此修长，活像一匹骏马的脖子。

炎是大户人家子弟，在温柔富贵中长大，也可以说是见多识广了，但是，眼前的这一切还是叫他看呆了。

反弹琵琶的飞天女子在飞旋的时候，她修长的脖子会猛地扭过去，向席间的鸠摩炎惊鸿一瞥，鸠摩炎感觉到了这一点了，每当那女子的眼风飞过来时，他就赶紧别过脸去，不敢去承接那眼神。

欢宴总有结束的时候，"反弹琵琶"结束了。众多陪舞的美女列队，节目的主角走上来向国王行礼后，又转向鸠摩炎。

那女子在转向鸠摩炎的同时，腾出一只手来，取下蒙在脸上的黑纱。注视着飞天女子皓月一样的面孔，炎大大地吃了一惊。原来她就是路途上遇见的那个牧羊女。

好像为了证实他的判断似的，那飞天女子在俯下身子行礼的同时，低声地呢喃了一句："哦，我的公鹿！"

炎听到这话，脸色登时煞白，他羞愧地用手蒙住了自己的脸。

国王在一旁说："这是我的妹妹罗什公主！"

統万城

第二十九歌
好事成双

按照史书上的言之凿凿的说法，龟兹国的罗什公主是一个绝色女子，她的才学和美貌，她的深明大义和远见卓识，一直被人们作为美谈，随风传扬，视她为一个女性的典范。

在她待字闺中的那些年里，西域三十六国的王子们，因为仰慕她的才学和美貌，纷纷前来提亲。他们像仰慕那遥不可及的月亮一样仰慕她，甚至如果能亲吻一口她的鞋底所踩过的泥土，他们就心满意足了。罗什公主的名字甚至越过西域辽阔的地面，传到那遥远的巴比伦城去。据说巴比伦城空中花园门口那座雕像就是依据传说中的罗什公主的形象塑造的。

罗什公主在等待着她心仪的人儿出现。鸠摩炎出现了，三年来炎的传说每天都会由那些过路客传到她的耳畔。正是由于她的耐心等待，才有了鸠摩炎与罗什公主的天作之合，而汉传佛教的伟大奠基者之一鸠摩罗什，才得以出世。

正如龟兹王以坚定的口吻所预言的那样，当"反弹琵琶"这个舞蹈出现，当高贵的罗什公主在炎的耳畔以一种女萨满似的魔咒口吻说出"哦，我的公鹿"时，炎崩溃了。

"我接受命运！"炎对龟兹王说。

"好事成双！你不光要接受宰相这个职务，你还得要接受我的妹妹！也就是说，拜相仪式和你与罗什公主的婚礼，在同一刻举行！"

炎点点头。

正如史书上所记载的那样，天竺国的准宰相鸠摩炎，在他东行的路上误入龟兹国，被龟兹国的国王白纯拜为宰相，并与国王的妹妹罗什公主结婚。鸠摩炎的到来，为龟兹国开辟了一个全新的时代，令它一跃而成为当时西域地面最具影响力的国家。尤其后来鸠摩罗什的出现，令龟兹国一度成为世界佛教的中心。

在新婚的夜晚，我们的炎说，罗什公主，能为我再唱一曲《花儿为什么这样红》吗？听了他的话，罗什公主将她作为牧羊女为炎所唱过的这一支歌，又动情地唱了一遍。

她对炎说，这支摄人魂魄的歌儿后面，有一个凄楚的爱情故事。一位龟兹城的少年正在家门口玩耍，被叮当作响的驼铃声所蛊惑，跟着路经家门口的驼队踏上了丝绸之路。在遥远的阿富汗高原上的喀布尔城里，贵霜国王正在为他的公主招亲。驼队走到了这里，年轻的脚夫离开了驼队，弹着热瓦甫从险峻的山路上走下来，走入喀布尔城中。他说：尊贵的国王啊，我是一个一文不名的流浪者，丝绸之路上的一个牵骆驼的脚夫，我没有什么珠宝可以献给你，那么就献上一首我在路途上创作的歌曲吧，这歌曲的名字叫《花儿为什么这样红》。说完，他拨动热瓦甫，唱了起来。

"他们后来有结局吗？"

"结局是有的，但那是一个悲惨的结局！脚夫的歌声打动了公主的芳心，但是讲究实际的国王将脚夫赶了出来。公主因此在宫中忧郁而死，那脚夫则唱着这首《花儿为什么这样红》继续上路。脚夫的足迹踏遍了漫长的丝绸之路，直抵遥远的海港阿姆斯特丹。他将歌声带到所有路经的地方，最后则歌尽而亡，像一只啼血的杜鹃一样，咳着血倒毙在了路旁，倒毙在了他的骆驼旁边。同伴们掩埋了他的尸首。他的脚步停了，而他的歌声还在脚夫们的中间传唱。歌声最后一直传回龟兹城，传回那青年脚夫的家乡！"

是的，这是一个悲惨的故事，这故事足以令每一个听者为之落泪①。

两位新人庆幸自己是幸福的，他们得到了自己的真爱。他们后来大约没有再拉话，因为还有着更重要的事情在等待着他们去做。

新房里，一个新人呼唤道："嗨，我的公鹿！"

另一位新人则回应道："我的母鹿！"

罗什公主为鸠摩宰相一共生了三个孩子，都是男孩儿。

第一个孩子出世时，鸠摩炎说，这个孩子是为我亲爱的祖邦天竺国而生的。

---

① 著名的作曲家雷振邦先生曾用搜集到的这首民歌素材，稍加改造，为电影《冰山上的来客》配成插曲《花儿为什么这样红》。1998 年 10 月，作者曾随央视《中国大西北》摄制组前往新疆帕米尔地区，搜集这首民歌的原始资料，并存有录像。作者当时是该摄制组的总撰稿之一，另两位总撰稿是著名的散文家周涛先生、著名的小说家毕淑敏女士，总导演是现任央视 12 频道负责人童宁先生。

孩子长大后，让他回天竺国去吧，如果那里还需要治理国家的宰相，并且他也合适的话，就让他去承担责任吧！

第二个孩子出生时，鸠摩炎说，这个孩子是为我的第二故乡、我亲爱妻子的祖邦、我的尊贵的龟兹王的国家而生的。如果他长大以后，这个国家需要宰相，而他又是合适人选，那么就让他去承担责任吧！

那第三个孩子出生时，鸠摩炎说，将他的名字叫作鸠摩罗什吧。取你的名字的一半和我的名字的一半。这个孩子不是为世俗的社会所生，而是为我那未尽的理想而生的。我的双脚已经被牢牢地捆绑在大地上了，动弹不得，希望他不要这样。那根打狗棍、那只讨饭钵，我还一直留着，让他拿着，有一天，去踏上那通往遥远东方的道路吧！

第三十歌
行走如风

据说，当鸠摩罗什还在母亲胎腹中的时候，他的光荣的母亲罗什公主的身体，就出现了种种异象。西域地面上那些五彩缤纷的传说，和佛家那些散发着檀香味儿的典籍，都言之凿凿地记录下了这些事情。

罗什公主突然通体异香。那是一种檀香的味道，当待在房间的时候，这种异香会充溢整个房间，而当她一旦行走在野外时，那香味会遍洒一路。罗什公主光洁的前额眉心上，还出现了一粒胭脂红的大痣。尤其令人惊奇的是，从前一句天竺国语言也不会说的她，突然无师自通，在一次祈祷中，大庭广众之下开始大段大段地背诵那些经文，并且用天竺国的语言和人们交谈。而到后来分娩以后，这语言她也就全部忘光了，用经典上的话说是"遗忘无余"。

"你怀的是一个非常之人，他的光辉将照亮东方！"过路的一位托钵僧扶着宫门，这样告诉罗什公主。并且说，"孩子出生以后，你要好好地监护他。如果这个孩子在三十五岁之前不曾破戒的话，那将是一位圣人，一位佛陀，将会大兴佛法，度无数众生，人们对他怀着怎样的期待都不算过分！"

这样，鸠摩罗什出生了。"智慧子"诞生了。上苍借助炎和罗什，为这个世界打发来了一位启迪者。他注定此生将劫难连连。但是在那最初的时光，他是幸运的。他出生在居国而不是行国。出生时头顶上有一片华丽的屋檐，而不是在颠簸的高车和飞驰的马背上。他自小生活在宫廷中，在百般呵护和温柔富贵中长大。

但是见识卓著的罗什公主，却为之深深地忧虑了。她深恐这宫廷的富贵会消磨掉鸠摩罗什的意志，令他沉湎于安乐。于是她提出要带着孩子出家。她的这个想法遭到鸠摩宰相的阻拦。一天，她领着孩子来到城外的一个荒冢上，看见白骨散落，荒草萋萋。"生命呀，你之于人，是一个怎么样的故事呢？"面对着一颗旷野上的骷髅，这母子俩大放悲声。这时候罗什公主出家的念头益发坚定。回到皇宫以后，罗什公主七日滴水未进，人都气息奄奄了，没有办法，龟兹王只得同意妹妹带着孩子出家。

这样，年轻的母亲带着七岁的鸠摩罗什，开始了在西域三十六国的游走。

在那个佛法大放光华的年代里，从天竺国起源并且传向西域的小乘佛教，已经开始式微。另一种为普罗大众所接受的大乘佛教开始兴起。小乘佛教主张个人单修，认为那佛祖的境界高不可测，远不可及，一个人面壁十年，参禅悟机，临到老之将至了，才看能不能有所悟，有所得，能不能靠近一点儿那佛家的门槛。大乘佛法则是大众的信仰。人哪，佛并不遥远，你就是佛呀。你在前一刻还在杀生，手上沾满了鲜血，但是只要你放下屠刀，转念向善，就可以立地成佛了。什么是佛呢？佛是开悟了的众生；什么是众生呢，众生是还没有开悟的佛！

这样，这个少数人的事业，少数人的信仰，少数人的修持，便可以成为多数人的事业，多数人的信仰和多数人的修持。佛教从天上掉下来，变成人间佛教，沾满了世俗烟火的佛教。

在罗什公主带着鸠摩罗什游走西域的那些年代里，大乘佛教已日见端倪。我们的鸠摩罗什迅速地接受了这种新的理解，直至后来，在龟兹城中设黄金狮子法座，弘扬大乘佛法，并且与西域各国闻讯而来的高僧们论辩。他打败了所有前来寻衅的论辩者，这其中甚至包括了他的老师，包括了他光荣的父亲，以及父亲鸠摩炎当年在那烂陀寺修行时候的师傅。那师傅就是那位每天晚上在恒河边上开肠破肚、一日一洗的高僧。他是专程赶来的，来与这位年轻的高僧论辩。

正是在鸠摩罗什的推动和完善下，大乘佛教得以确立，占据主流地位。尔后，它一路走向东方，最后落地生根，进入中国的每一个寻常百姓家，甚至约束到人们日常起居的每一个细微处，关注到人们的衣食起居、柴米油盐。而在佛教的起源地天竺国，由于佛教还停留在它的原始解释阶段，即小乘佛法阶段，因此，它逐渐衰微，那通往庙堂的道路渐渐无人问津，长满青草，那高不可攀的佛祖逐渐被束之高阁。如今，在佛教起源的那个国度，信众的人数仅仅只占到全国总人口的百分之七。

这母子俩游历到沙弥国的时候，一座神庙正殿里放着一口大钟。七岁的孩子，还是贪玩的年纪，他看见有一群孩子绕着那口大钟在玩耍，童心动了。于是跑过来，双手一抓，举起了这口大钟。他的举动把周围的孩子都吓呆了。"你才七岁呀！你的神力是从哪里来的呢？"孩子们吵道。鸠摩罗什也吓呆了，他说："是的，我才七岁，七岁的孩子无论如何是不应该举起这口大钟的！"这样一想，当鸠摩罗什想要第二次举起这钟的时候，钟便纹丝不动了。

"那是意志的力量，意念的力量。意志和意念有时候会超越你的身体的极限而创造出奇迹。"罗什公主在一旁鼓着掌说。

母子俩来到一片汪洋的旁边，这地方叫蒲昌海。在那遥远的年代里，整个西域地面是一片汪洋，叫准噶尔大洋。后来在造山运动中，地壳隆起，喜玛拉雅山脉耸起，大洋逐渐消退。那洋底在裸露出地面后被一座后来隆起的名叫"天山"的山脉，割裂为二。南边的这个盆地叫塔里木盆地，那盆地的中央包着一片大沙漠，人们叫它塔克拉玛干大沙漠。北边的那个盆地叫准噶尔盆地，中央亦包着一片大沙漠，人们叫它古尔班通古特大沙漠。

昔日的大洋在这母子俩游走西域的那个年代里，已经萎缩得只剩下一片水域了，它的名字前边说了，叫蒲昌海，后世它还会有一个名字的，叫罗布淖尔，或者叫罗布泊。

风尘仆仆的母子顺着孔雀河，来到这明镜一般的水边。孩子伸出乞食钵来，澄一澄，舀出一钵水。当要将水递给母亲的时候，他停住了。他注视着那一钵水，在此一刻说出了佛家那句著名的偈语。

这偈语是"佛观一钵水，八万四千虫。"

是的，鸠摩罗什看见了在这中亚细亚灼热阳光的照耀下，那小小的浅浅的一钵水中，有八万四千条生命。"八万四千"是一个约数，在佛家的叙述习惯中，把"众多"这个数目用"八万四千"来形容。

"我的天眼开了！我看见了生命，我看见了本相。它们拥拥挤挤地存在于这一钵水中，在进行着他们自己的生命故事！"鸠摩罗什说。

他还说："我明白了三岁时所看到的那旷野上的骷髅所昭示给我的意义了。我们不必问这骷髅是乞丐的，还是强盗的，是战败的士兵的，还是绝代佳人的，是一位行走江湖的僧人的，还是显贵的国王的。问这个没有任何意义，那只是一个走完宿命过程的生命，无所谓喜，无所谓悲，宛如眼前这个沧海桑田的沙漠海子一样！"

说完这些话，孩子热泪盈眶。年轻的母亲卷起袖子轻轻地为孩子揩去了脸上的泪花。

这时候，一轮西沉的太阳，正停驻在罗布泊西边龙城雅丹那斑驳而苍凉的顶端。那雅丹在苍茫暮色中，像高耸的城墙，像巍峨的城楼，像一地倒卧在侧的骆驼。要不了多久，鸠摩罗什将要穿越它而踏上东土，也许，这时的他已经预感到了什么。

母子俩向这沙漠里的一钵水蒲昌海告别，然后西去楼兰城。那楼兰城，就在海边。他们将在那里歇息，在那里与佛寺里的高僧们交谈。

在楼兰城发生了一件事情。他们的行囊被人偷走了。这是当初离开龟兹城时，鸠摩宰相为他们预备的。"很好，这样，我们可以更轻松地行走了！"母亲说。"很好，那些钱财到了更需要的人手中去了！他的母亲需要看病，或者他的孩子需要学费。"儿子这样说。

后来在城里的时候，官署抓住了那个小偷。按照楼兰国的刑法，小偷的双手将要被砍断。当刽子手举起刀子的时候，鸠摩罗什拽住了他的衣袖。"不要砍断他的双手吧！砍断了，就不能再生了！"他说。刽子手说："他是一个坏人，他辱没了我们楼兰国的光荣！"

鸠摩罗什说："世界上有坏人吗？没有的！那些通常意义上我们所认为的坏人，他们其实是些偶尔犯错的好人！给他一个机会吧，朋友，他那双手，还要用来养家糊口呢！"

"那么，如果将他放走以后，他还要继续行窃，那又该怎么办呢？"刽子手不同意。

"那就让他继续行窃好了！那是他的需要，大约从他的角度考虑，这是他所能从事的最适合的职业。只要他的手不再伸向那些穷人的口袋，我们就睁一只眼闭一只眼，让他过去算了！"

"小偷也算职业吗？"

"是的，是一种职业。是一种与人类本身一样古老的职业，就宛如妓女之于妇女一样。"

既然事主都这样说话了，刽子手只好放下他手中的刀，将小偷放走。那小偷满面惭愧地走了。他表示自己得另外寻找一种谋生手段了。他觉得鸠摩罗什的话语比刽子手砍他一刀，要来得更沉重一些。

随后这一对母子就离开了楼兰城，继续着自己的行程。

他们就这样游历了很久。他们的足迹甚至翻越喜玛拉雅山，遍踏天竺诸国。甚至还到达了遥远的巴比伦城和幅员广阔的克什米尔地区。在那里他们遍访名师大德，深究佛家妙义。

在这风一样的行走中，当年的罗什公主已经成为一个传说中的半人半神半巫的人物。在匈奴传说中，这种能与天地通灵的女人被称为"萨满"，而在西域传说中，这种女人则被称为"耆婆"。

第三十一歌
耆婆

鸠摩罗什七岁离开龟兹国，到十二岁的时候被召唤回来，用了整整五年的时间。

在这五年的行走中，鸠摩罗什一天天地长大了，正如我们先前听说过的那句话一样：见风就长，一日三丈。他已经像他的母亲罗什公主一样高了。他的智慧则比身材增长得更快。他高高的前额，鼻梁尖挺，眼睛深邃，眉长炭黑。他的肤色不像罗什公主那么白，也不像鸠摩炎那么黑，而是取其适中，是一种中和的颜色。

但是在这五年的行走中，罗什公主的容颜发生了巨大的变化，我们知道，她现在的称谓已经是"耆婆"了。女人是不经老的，尤其是美女。人不能顶着自己的屋檐行走，所以在这五年的行走中，中亚细亚那无遮无拦的毒太阳晒黑了她的前额，那"一年一场风，从春刮到冬"的西域狂风，吹皱了她的面庞。

且看她那一双脚吧。昔日那白嫩秀气的一双天足，如今变得粗糙、黝黑，脚趾甲里钻满了污垢，脚后跟上布满了带血的口子。耆婆的这一双赤脚，曾经从灼热的库鲁克塔格山的黑戈壁走过，从塔里木河那冬天的冰凌上走过。还有那荆棘四布的草原，云雀在极高极高的天空啁啾着，铃铛刺在风中摇着铃铛，整个草原溢满了音乐。那铃铛刺又叫狼牙刺，尖利无比，耆婆的赤脚就这样从那刺丛中穿过去，一双赤脚却丝毫无损。

这一双赤脚，后来把耆婆带到了一个地方。那是一座险峻的高山，雪松沉默地兀立着，苍鹰在山腰间栖息。这样的山岗是为这样的雄鹰准备的吗？换言之，这样的雄鹰不正适宜在这样的山岗栖息吗？哦，好一座山岗。

耆婆发现这山岗、雪松以及脚下的这五花草地似乎有些熟悉。最后她的脸突然红了起来，像少女一样两朵红晕飞上了脸颊，原来他们在世界上周游了一圈以后，现在又重新踏上了龟兹国的地面，而此刻脚下踩着的，正是当年美丽的罗什公主扮成牧羊女，诱惑那从葱岭翻山过来的苦行僧鸠摩炎的地方！

耆婆说："我就是在这里认识你光荣的父亲的！"

她是对鸠摩罗什说的，但更像是对自己说的。

他们并没有在这片草地上停留多久，因为那险峻山峰上苍鹰的鸣啾，是如此惊人魂魄，他们决心攀到苍鹰栖息的那面山崖上去看一看。

望着那雄鹰，望着那山崖，他们中的一个说："不要向那蓬间雀去讲述天空的高远，它以为你是在杜撰故事！"另一个则同样地用这个句式，接着说："不要向那井底蛙去讲述大海的辽阔，它以为你是在夸饰生活！"

这路程看起来很近，但是他们竟然走了三天，可见这山之高了。三天后母子俩终于看见雄鹰在那里栖息，看见在栖息地的下方，一群石匠正挥舞着錾子在山岩上凿着什么。他们唱着凄凉的歌曲，锤子声清脆作响。

"你们在做什么呢，亲爱的朋友？"耆婆趋上前去，以手捧心，向这些石匠们问道。

"女施主，我们在凿石窟。我们要把自己的信仰凿在这石崖之上，一为满足我们自己，二为启迪后人。"

"让我加入你们的行列吧，高贵的人们。我会为你们提供许多的图样，在我这些年来风一样的行走中，那些佛家的经典和传说已经变成人物的图形，盘踞在我的心中，幻化在我的脑海里，它们急切地想要跑出来展示自己。让我们用石头刻雕像，用泥塑塑像，用颜料绘画，来表现这一切吧，如果不把它们从我的心中驱赶出来的话，我也许将会憋闷至死的！"耆婆用一种奇异的声音说道。

耆婆继续说："我们塑一千个佛在这里。这个佛窟光荣的名字将叫'克孜尔千佛洞'，后世的人们将从四面八方，不远万里前来瞻仰它，在它面前求得心的宁静。让我们从释迦牟尼开始，在石头上刻画出他的投胎、降生、成长、出家、成道、说法、涅槃以及涅槃后弟子们的结集。菩萨五百身——五百次的转世才修炼成佛，他的每一次转世的形象都应当刻于石上，勒石以铭。"

耆婆还说："我们还要将那些佛家的经典也转化成图形。另外，那些还没有成书，但是已经在西域广泛流传的佛家本生故事，也要刻到石头上去。最后，我们还要将目光投向那些平凡的供养人，那些芸芸众生。一个一贫如洗的贫女，她从山间中采摘了一朵平凡的花来献于佛前，她就是令人尊敬的施主了！"

耆婆说的每一段话都赢得了石工们的齐声喝彩。石匠们说，是佛的指引。他们让耆婆来到了这个地方，他们其实也一直有所预感，知道在他们的等待中，会有高人出现的。

第三十二歌
黄金狮子法座

耆婆决定留下来做这些石匠的助手和帮工，与他们一起完成这项伟大的工程。这工程是如此的浩大，大约需要几百年的时间才能够完成，但是耆婆他们，决心把自己这个时期的工作完成好。

除了为那些工匠在岩石上画出一幅一幅图样外，耆婆有时候还充当模特儿，摆出种种造型，为工匠们提供范式。她还兼为这些工匠们做饭和洗衣缝补。她居住在一个洞穴里，清苦而满足。

赤着脚从西域地区风一样走来，最后在这里停泊下来。耆婆在那个时刻甚至感觉到，她之前所做的所有事情，都是为这件事情所做的铺垫。

"亲爱的孩子，你已经十二岁了，你该回去为自己的祖邦服务了。我带着你像鸟儿一样，已经在这天地之间飞翔得太久了。现在你得回到地面去，回到世俗的世界中去了！"母亲这样对孩子说。

耆婆说："我们亲爱的祖邦龟兹国，现在信奉的还是小乘，你需要去启迪他们，将一个更广阔的世界、更广阔的心灵空间指给他们看。我已经预见到了，你将显赫，你将兴隆，整个世界都将会传诵你光荣的名字。但是，亲爱的孩子呀，你必须有所准备，龟兹国的国运，将很快就会衰微了！"

"它会衰微吗？那么，它会衰微到什么程度呢？"鸠摩罗什问。

"它将遭遇到血光之灾！覆巢之下，安有完卵？个中的原因，也许是因为你，当然，也许并不是单单因为你！"

"不可改变吗？"

"不可改变，那是宿命！"

孩子沉默了。

鸠摩罗什向他的母亲告别。他明白，前面还有许多事情在等待着他，他脱离世俗、脱离责任的时间太久了。也许他那一刻已经预感到，这是与母亲的诀别，他希望母亲能为他送几句临别赠言。

耆婆想了想说："你见过池中莲花吗？佛陀的法座就是用这莲花瓣组成的。莲花生在污泥中，但是它一尘不染，洁者自洁。亲爱的孩子啊，不论此生你遇到怎样的劫难，经历怎样的逆境，命运之手无论把你抛向哪里，你都要永远守住自己！"

"谢谢你，亲爱的母亲！"

耆婆完成了她向孩子的告别，毅然转身走了，她要为工匠们去做饭。鸠摩罗什热泪盈眶地望着母亲的背影消失，然后一步一回头，走下山来。

鸠摩罗什回到了龟兹城。

这个城市伸出双手欢迎它的阔别五年的游子。在这五年中，鸠摩罗什母子的消息，靠那条条道路上络绎不绝的商贾队伍添油加醋地传来，因此，从国王到宰相，再到满城百姓，都对他们的行踪了如指掌，对鸠摩罗什那日渐兴起的声誉深以为荣耀。

龟兹城中依然是市声喧嚣，从城市中心穿城而过的运河上依然舟来船往，男欢女乐。鸠摩罗什以手加额，向这座城市致敬，然后去见他的父亲鸠摩宰相。他向父亲报告了母亲已经正式削发为尼、成为克孜尔千佛洞的一个修建者的消息，这消息引起鸠摩炎深深的嗟叹。他接着谈到了这些年游历岁月中对佛法的所学和所悟，并且将那大乘佛法择其大要向父亲做了介绍。

鸠摩宰相也是个有慧根的人，在儿子的讲述中，他平日被人生俗务所遮掩的眼睛放出光来。"大乘佛法必将大放光芒，福泽天下！"说完，他领着鸠摩罗什去见国王。

弘扬大乘其实也是国王心中所想的，如今听了鸠摩罗什的讲述，又听了宰相在一旁的鼓动，龟兹国国王白纯说："即日颁发诏令，龟兹国自此开始，以大乘佛法为国家宗教，务必全民信仰。另者，用我龟兹国一年的税赋打造一把黄金狮子法座，请我的外甥鸠摩罗什在法座之上，弘法天下，教化百姓。"

第二日，诏示贴出，满城轰动。

这样，大乘佛法得以在龟兹国确立，那黄金狮子法座打造出来以后，就在龟兹城最高的建筑物佛塔之下摆放。鸠摩罗什高僧坐在法座上开始弘法。城中百姓如醍醐灌顶，接着便把心得口口相传，广播四方，于是西域三十六国不断地拥来听经的信众。到最后，连三十六国的国王都惊动了，他们想目睹一下这位鸠摩罗什高僧的风采，想听一听他讲述生命的意义和治国的方略，告诉他们那大乘佛法为人间所展现出来的那种种瑰丽图景。

君王们的到来可不是一件简单的事，需要许许多多琐碎的礼节和无休无止的应酬，于是龟兹王决定，每年设一次会期，请西域诸王集中前来，听鸠摩罗什讲经说法。

讲经说法的那一天是龟兹城的节日，三十六国诸王云集在黄金狮子法座旁边，长跪在地，让鸠摩罗什高僧踩着他们的脊背，踏上法座。

在鸠摩罗什坐在黄金狮子法座上讲经的十年中，不断有西域地面上的各路高僧前来与鸠摩罗什论辩。他们大多是那些小乘佛法的遗老遗少，这其间包括鸠摩罗什在出游时正式投拜过的几位师父。前面我们说了，还包括鸠摩罗什的父亲鸠摩炎的师父，那个在恒河边日日洗礼的高僧。

一位高僧，名叫盘头达多，他自遥远的克什米尔，来找龟兹国问罪，找鸠摩罗什问罪。这位高僧是信奉小乘佛教的人，他还是鸠摩罗什的启蒙老师。

龟兹王问盘头达多："高僧，你为何从遥远的地方光临本国？"

盘头达多说："一来听说我的弟子鸠摩罗什有非凡的体悟，二来听说大王极力弘扬佛法，所以贫僧跋山涉水，专程赶到贵国！"

鸠摩罗什见到师父，非常喜悦。他将自己的觉悟告诉师父，希望得到师父的指点。盘头达多问道："徒儿呀，你崇尚大乘的经典，是否曾见过什么妙义？"鸠摩罗什回答："与小乘相比，大乘的道理比较深奥，阐述我空、法空的真正空义。而小乘佛法则偏于局部的真理，有许多的缺失！"

盘头达多说道："你认为一切法皆空，非常之可怕呀！哪有舍离'有法'而爱好'空义'的呢？"

师徒二人就在这狮子法座之前，展开了一场长达一个多月的舌辩，这场舌辩惊动了满城的百姓，后来连龟兹国王、鸠摩宰相也都来了。

一个多月中，鸠摩罗什展开舌辩之才，将那个大乘妙义连类比喻，娓娓道来，终于说服了盘头达多。

盘头达多信服了，他赞叹道："师父未能通达的东西徒弟做到了。蛋在教训鸡，这句古话在今天得到了证实！"

在拄起拐杖就要离开龟兹城时，盘头达多向鸠摩罗什顶礼，他说："你是我的大乘师父，我是你的小乘师父！"

就在这一年，龟兹国王正式诏令天下，拜鸠摩罗什高僧为龟兹国国师。这一刻，龟兹城这个绿洲中的弹丸小国成为世界的佛教中心，年仅二十一岁的鸠摩罗什，成为公认的西域第一高僧。

而几乎也就在这一刻，遥远东方的长安城中，前秦皇帝苻坚做了一个梦，梦见一位胡貌番相的高人正坐在一座黄金狮子法座上，舌吐莲花，语惊四座。

第三十三歌
兵破龟兹城

有一句俗话叫作"花到半开月半圆"，那意思是说，花半开月半圆之时才是盛期，才最见力量，待那花已全开，月已浑圆，接来的事情，就要走向它的反面了。

龟兹国将要发生的事情，正应了这句俗话。

在一个月黑风高之夜，前秦大将三河王吕光，率三万轻骑以排山倒海之势，攻破了龟兹城的城池。

前秦是五胡十六国中之一国，关陇豪强，氐族。那个苻坚，亦是历史上一个有姓有名的人物，著名的"淝水之战"，这苻坚就是主角之一。

是的，苻坚做了一个梦。梦见身披袈裟舌吐莲花端坐在黄金狮子法座上诵经说法的鸠摩罗什，顿生敬仰之心，他决心要找到这位高僧，请到长安城来做他前秦国的国师。

苻坚将梦中所见细细地述说一遍，令宫廷画工画像，他又将画像细细地看了一遍，稍许改动，于是乎更见逼真。然后，在长安城市井之中，在通往西域的各个关隘上，广为张贴，待人揭榜。

丝绸之路过往客商络绎不绝。有好事者见了，击掌说：这不正是那西域第一高僧、龟兹国国师、声名四播的鸠摩罗什高僧嘛！遂揭了诏告，叩击长安城门环，求见皇帝，求那个赏金。

这样，苻坚知道梦中的那人是谁了。遂遣驻守在嘉峪关的三河王吕光出使龟兹国，以重金相借鸠摩罗什。苻坚要吕光向龟兹王转述自己求贤若渴的心情，并说这普天之下，莫非王土，如今前秦索要鸠摩罗什，如若未果，恐怕会兵戎相见了。

龟兹王却是个倔强的人，加之此一刻因了鸠摩罗什弘法，他的国运正在兴头儿上，因此吕光的要挟并没有进到他的耳朵里去。龟兹王说："大秦需要国师，龟兹也需要国师，夺人之爱，这不是君子做法！我这龟兹城中有的是宝物，他要什么我都舍得，只是这国之大宝鸠摩罗什高僧坚决不予。劳请将军转告大秦王，让他断了这个念头吧！"

吕光是一介武夫，见龟兹王出语铿锵，毫无回旋的余地，于是暴怒，说道："待我回去禀告我主，铁骑三万来荡平你的这弹丸小城，夺那鸠摩罗什高僧东去吧！到时候恐怕悔之晚矣！"

龟兹王亦毫不示弱，回应道："悉请尊便！"

吕光悻悻地走了以后，鸠摩宰相泪流满面，执着龟兹王的手说："王呀，龟兹国将有大难，我已经有心惊肉跳的感觉了。不如将鸠摩罗什交给他们以求

自保。后边的事情,后边再说吧! 眼下以城池为重,以百姓为重,以社稷为重!"

龟兹王并不理会。更兼有那西域诸国派来的使者们在一旁怂恿,说这吕光仅寥寥三万之众,尚且长途跋涉,所以不必为虑。西域地面三十六国,兵力相加达七十万之众,区区吕光,根本不在话下。

愚钝的龟兹王见使臣们这样一说,益发不肯同意。

贤明的鸠摩宰相在地上长跪不起,欲劝止龟兹王。龟兹王袖子一甩,走了。鸠摩宰相从地上爬起来,泣道:"龟兹国月圆而亏,花盛而衰,很快就要国运衰微了。我是宰相,一要感恩——感龟兹王拜我为相之恩,二要担承——担承这个国家,担承满城百姓,这以后,我所能做的事情,就是战乱中保护我的百姓了!"

宰相说完,拖着步子,去布置守城事宜去了。

绿洲弹丸小国龟兹城,哪是虎狼前秦国的对手?! 正如史书和典籍中以惋惜的口吻所谈到的那样,在一个月黑风高之夜,龟兹城为吕光所破,兴隆一时的这个佛教中心就此衰微。

吕光以一支轻骑,绕过西域诸国的所谓七十万大军,直捣城池。那七十万大军其实都是些乌合之众,哪里见过什么大的战事,见吕光来势凶猛,纷纷让路,以求自保。后来见龟兹城火光冲天,知道城池已破,于是站在高丘上,观望一阵子后,班师回朝,向自己的王去复命了。

龟兹城被破,龟兹王被杀,随同他一起遭到杀戮的还有许多的城中百姓,这其中包括鸠摩宰相的二儿子。记得当年在生下这个儿子时,炎曾经说过,这是为龟兹国而生的,他将要为龟兹国服务,宰相的预言实现了,这个儿子在保卫城池中丧命,为他的祖邦服务到了最后一刻。

宰相与罗什公主所生的大儿子,被从克孜尔千佛洞赶下山来的耆婆接走。正在那面雄鹰栖息的山崖上叮当施工的耆婆,突然之间心惊肉跳,锤子都举不动了。她掐指一算,明白龟兹城已破,想起她的丈夫鸠摩宰相当年的话,要让这个大儿子返回天竺,去为他父亲的祖邦服务。于是她星月下山,赶到龟兹城,兵荒马乱之中,救出大儿子,而后领着他翻过葱岭,回到菩提伽耶。

回到菩提伽耶之后,这个开始名叫罗什公主,后来又叫耆婆的神奇女人,从此湮灭,杳无声息。只留下那风一样赤着脚行走的倩影,留下她曾经开凿的佛窟,留下那种种动人的不可思议的传说,长久地在西域地面流传。

鸠摩宰相则苟活了下来。

当吕光大军攻破城池的那一刻，鸠摩宰相已经将刀架在自己脖子上了。他要以死殉国，以死报主。这时候，他听到从一间民房里传出了婴儿的哭声。"在这个时候，在这种境况下，这个世界上竟然还有婴儿诞生！"鸠摩宰相被深深地感动了。他决定活下来，尽自己的力量保护他们，继续为他们服务。

不过，他需要隐姓埋名，深居简出，步步小心，以防遭到那吕光的加害。

第三十四歌
恶牛与恶马

为一个和尚发动一场灭国战争，历史上这样的事情只发生过两次。而这两次，都是为了同一个和尚，即鸠摩罗什。这一次吕光破龟兹城，是第一次；二十年后，后秦皇帝姚兴破凉州城，是第二次。

龟兹城的繁华富足与歌舞升平景象，已成昨日，笼罩在龟兹城上空的那一片炫目的佛光，已尽行退去，这地方如今成为一座没有生气的城市，一座死城。

当年摆放在佛塔下面的黄金狮子法座，被吕光带来的工匠拆除，然后在炉里熔化，吕光用这黄金给他的三万名士兵每人镶了一颗金牙。内地来的士兵，不服水土，那西域的风干羊肉咬起来，一不小心就会磕断牙齿。吕光虽是个粗人，却知道体恤部属，他让工匠给这三万人每人的嘴里镶了一颗金牙，算是军饷，算是对他们这场长途奔袭的犒劳，而一旦这些士兵解甲归田、告老还乡的话，这会是一笔私攒。

良好的用途呀，闪闪发光的黄金狮子法座成了那平庸的金牙齿，用以果其口腹的一件东西。

鸠摩罗什在城破之日以手掩面，大哭道："血流漂杵，生灵涂炭，国已不国，家已不家，这一切都是因为我呀！罪孽深重，罪孽深重呀！"

吕光抓得鸠摩罗什，一面飞马报于长安城知晓，一面严加看管。吕光在龟兹城中，又延宕了两年，方才押解鸠摩罗什班师回朝。

　　这两年中鸠摩高僧的处境，大约正如他那曾经的座椅——黄金狮子法座的命运一样，从辉煌的峰顶突然沉入深渊，一个人人拥戴的高僧，受尽欺侮和凌辱。

　　吕光是一介武夫，他觉得佛教这东西十分可笑，是个蛊惑人心的东西，至于那些什么大乘小乘之类，他也懒得去深入思考。对于鸠摩高僧，自见到第一面时起，吕光便心生出一股深深的妒意。

　　鸠摩高僧第一次被押解到吕光跟前时，他一袭袈裟掩饰不住的光华，他的无限从容和不卑不亢，立即叫吕光感到了自己的猥琐。他在那一刻就百妒交集，万恨俱生。想到这么一个人物，竟让那远在万里之外的苻坚心驰神往，寝食难安，吕光这妒忌之心，又加一层。龟兹城里劫后余生的平民百姓只要听到鸠摩高僧，仍然敬畏有加，而对他这个掌握生死大权的三河王却不那么买账，这让吕光的心中又生出第三层妒忌。

　　心生三层嫉妒的吕光，在这两年中，屡屡戏耍鸠摩高僧，以让他蒙羞为乐事。

　　一次吕光要出巡，他让人找出一头城中最恶的牛来，让鸠摩高僧骑了，跟着他招摇过市。

　　那牛如何个恶法呢？它的一只耳朵聋了，一只眼睛瞎了，正被绑在肉店外面的柱子上，等待被宰杀，那牛的眼里充满了对人类的怨毒情绪。据说这牛当年曾经是一头端庄的牛，拉车、拉犁无所不能，它还做过驮牛，可以驮起山一样高的木柴，从郊外走到城里。可是它后来是老了，对这世界是一点儿用处也没有了。它的四只蹄掌上的角质都已磨透，而新的角质不再生长，它身上的皮毛已经被磨损得不成样子了，它的脊梁消瘦得像那朝天立起的铡刀刃一样。按说，就让它这样简单死去吧，最后再为贪婪的人类奉献一顿美餐，但是，肉店老板买后把它拴在店的门口，让它充当一个活模特儿，招揽生意。这样，这头为人类服务了一生的牛，就只好每天看着它的同类在人类的饱嗝中，一片一片地被分割开，填进嘴中。

　　鸠摩罗什骑着这头牛，跟着吕光旌旗招展、甲胄鲜明的巡城队伍行走。"他多么的落魄呀！他多么的卑微呀！"吕光骑在高头大马上，暗暗讥笑。

　　这种举动，乡野里间把它叫"牛背铐"。骑牛游街是一种大屈辱，更不要说骑这充满怨毒之气的牛了。行走间，那牛不停地用弯弯的犄角来挂高僧的脚，想把他挂下来。见这样做无效，那牛就耸起脊梁，趔趄着行走起来。

那牛的脊背，前面我们已经说了，锐利得像铡刀刃一样，随着颠动，那铡刀刃在一下一下地削着骑者屁股上的肉。就这样行走了几条街，高僧的屁股上鲜血淋淋，只见那鲜血一滴一滴从牛背上流下来，滴在青石板的马路上。

终于，高僧大叫一声，昏厥过去，从牛背上掉了下来。一街两行的行人看着，发出一声惊呼。而那吕光，抿嘴一笑，颇为得意。

骑牛游街以后，吕光见鸠摩高僧依然故我，好像不曾发生过这次屈辱似的，就又想到让高僧骑马游街。

满城寻找，寻找到了一匹城中最恶的马。这马既不是一匹骟马，也不是一匹种马。因为骟马在它一岁前，必须将它的蛋丸骟净，这样它便没有了生育能力，它一生的任务只是使役。而种马是天然的身子，两只蛋丸得留着，因为它此生的任务是完成马群传宗接代的工作。不知道是出于偶然的疏忽呢，还是有意而为之，阉匠在从事他的那项职业工作时，将这匹马没有阉净，也就是说，去掉了一个蛋丸，留下了一个蛋丸。

这个既非前者亦非后者，不是这个亦不是那个的一个蛋丸的马，对这世界充满了怨恨。看见种马无限风光地生活，看见役马安宁而平静地生活，它觉得它是个另类，是个畸零者。

吕光站在高坡上，面对着秋天的草原和飘飘忽忽的马群，说："做一匹种马是多么地幸福呀，这草原上一群一群地布满了它的子孙！"

鸠摩高僧回答说："很对。不过，一匹公马成为种马的几率只有百分之一，而百分之九十九的可能是被骟掉！也就是说，一百匹公马中，才留下这么一匹种马。"

吕光说："和尚，如果让你骑上一匹既非种马亦非骟马的马，你会有什么感觉呢？"

吕光让士兵将那匹龟兹城最恶的马牵来，备上鞍子，强迫鸠摩高僧骑上。

那匹恶马，此生大约还没有人敢骑在它的身上，如今见背上有人了，十分暴怒。恶马先一个立桩，像袋鼠那样直立起来，想把骑者摔下马背。高僧拎住嚼子，两只脚在马镫上用力夹紧，两只手则抱紧马的脖子，整个身子随马一起直立。恶马见骑者没有掉下来，就前蹄落地，屁股高高地翘起来，想这样把骑者一个倒栽葱从马背上掀下来。高僧仍旧是双脚在马镫上用力，身子则后仰，后脊梁死死地贴在马背上。

恶马这样往复三次，见骑者还在它的背上好端端地待着，益发恼怒，于是长长地嘶鸣一声，踡开蹄子，向旷野跑去。它先钻到一堆荆棘丛中，想让荆棘把这骑者挂下来。高僧的衣服被挂成了碎片，腿上血迹斑斑。但是整个人像一贴膏药一样，贴在马背上，并没有掉下来。恶马见这没有奏效，于是跑向一片沙枣林，沙枣树的荆棘高一些，恶马这次是想要挂骑者的头部。

鸠摩高僧只觉得两耳呼呼生风，而吕光在那高坡上站着，饶有兴趣地看着这一幕。此刻他如果还不愿掉下马的话，他能做的唯一事情就是与马融为一体，将自己的头深深地埋进马鬃里，抱住马的脖子任它行走，任那树枝拍打脸面。

恶马见这样折腾，骑者依然趴在脊背上，气喘吁吁的它于是使出了最下作的一招。这个招数，稍微有点儿德性的马都不会使的。

前面是一片黑色的沼泽地。马放缓脚步，走到沼泽地旁边，然后四蹄跪倒，卧下来，来一个就地十八滚。

这招数卑劣而又下作。即便是最好的骑者，这时候也得赶快脱离马背，滚鞍下马了。要不，骑者随着那马的庞大身躯一起滚动，马的脊背会把你的交裆压瘪，骨盆压碎。

高僧只好滚鞍下马了。

在滚下来的那一刻，他手中的马嚼子还没有丢掉。那是在脱离马背时，顺手摘下来的。

现在他的身上，一半是血污，一半是沼泽地里的黑色泥浆，身上的袈裟已经成了碎片，那张曾经光洁的脸上，是一道一道的血印。

"好狼狈！好好玩儿！"看着鸠摩罗什手中提着马嚼子，这样从沼泽地里爬起时，吕光击掌大笑道。

第三十五歌
王女与鸠摩罗什

在龟兹城中，在这昔日的佛国里，三河王吕光继恶牛事件与恶马事件以后，继续对高僧玩着这种"猫逮老鼠"的游戏，以此取乐，以此一次又一次地打击和折磨鸠摩那颗高贵的心。

接下来的这一次玩得更绝。

那是一场在龟兹王宫举行的晚宴。我们似乎还依稀记得，翻越葱岭而来的远行客鸠摩炎第一次在龟兹城亮相时，就是在这王宫，就是在这类似的场合。不过，如今这王宫的主人变了，龟兹王白纯变成了三河王吕光。

在这晚宴上有两位特殊的人物，一位我们知道，是高僧鸠摩罗什；另一位我们还未曾见过，那是美丽、忧郁、高贵的鸠摩罗什的表妹，龟兹王的女儿。

那王女高贵地坐在那里，礼节周正但是沉默不语。自从城被攻破、父王遇难以后，她一直就躲在深宫里，不愿再见一个人。但是今天，在吕光的淫威下，她不得不出来应酬一下，况且，她也想见一见自己的表兄鸠摩罗什。他们自小一起玩耍，她对这位表兄崇拜有加。

他们在那个晚宴上喝了许多的酒，直喝得不省人事。为什么喝了这么多的酒呢？这事谁也想不明白，宿命吧，天意吧！抑或是那吕光的安排。

总之，当鸠摩罗什醒来的时候，他发现自己和表妹被关在一间陈设得异常奢侈的密室里。他们赤身裸体地相拥在一起。"我犯了奸淫之罪！我在亵渎佛祖！我破戒了！"鸠摩罗什捂着自己的脸哭起来。这个高傲的人，高贵的人，终于被这致命的一击彻底击倒了。

鸠摩罗什穿好衣服，在卧榻前跪下来，双手合十，祈祷道：

"佛祖释迦牟尼，凭着你的光荣，我皈依你圣洁的教训，恪守清规，我每日每时都在远避罪过，你的一切经文中的每一个字都在我心中回响着，我将享受着你的恩宠，向地上众生去光大你的教义。但是啊佛祖，也许是我的罪孽太深重了吧，我身上的定力远远不够吧，我无法提着自己的头发上天，我的双脚被污泥沉重地拖住，请指示我，难道我应该还俗，再回到这世俗的世界中去吗？"

这时密室的门外，传来了哈哈大笑声。

那是吕光，他这天晚上一直在门外等候，此刻，他胜利了。吕光以胜利者的口吻说："是的，高僧，请还俗。你的道行已经遭到败坏，你已经破戒，不管你承认不承认，你已经从天上掉了下来，成为了一个凡人。这一切都是我的安排。事实上，你和王女已经成亲，那昨日龟兹王宫中的晚宴，其实正是本王为你们的婚礼而举行的庆典。"

原来，那恶牛、恶马的事情过去以后，吕光见鸠摩罗什高僧那高傲的头颅依然挺立着，不愿向他屈服。他不明白这和尚心中那种钢铁般的定力是从哪里来的。这时，他听到了龟兹城中一个广为流传的传说，人们说，当年罗什公主怀胎的时候，曾经有一个云游僧见到公主额头上那颗红痣以后，惊骇道："大贵人诞生了，智慧子诞生了，上苍将借你的身体为世界送来一位先知。施主，你要好好地守护你腹中的孩子，如果这孩子在三十五岁之前不破戒的话，他将修成正果，将放出辉耀东方的大光华！"

吕光听了这个传说以后，笑了笑，开始罗织他的阴谋。他已经找到从精神上打击这位高僧的最好办法了。

三河王吕光的计谋得逞了，他很得意。在说完上面那些话以后，他离开了密室的门口，接下来他要做的事情，是在龟兹城的大街小巷广贴告示，将鸠摩罗什与王女成亲的消息周知四方。他明白，这个打击将是致命的，那昔日笼罩在高僧头上的光环将被卸去。他的行径将令龟兹城百姓所不齿！

"你在渎佛！"鸠摩罗什在密室里叫道。

吕光哈哈大笑。他不屑于回答，因为现在跟他说话的是一个凡人。

"我毁灭了法身的戒行，我将接受天刑的惩罚！"鸠摩罗什长叹一声道。

这时候，王女早已穿好了衣服。清晨的阳光从密室顶端那个天窗照进来，照在王女的脸上。她的脸上依旧端庄明媚，依旧闪动着庄严的姿态，依旧保留着一个龟兹国王女的风度。

随着服饰窸窸窣窣，她趋身过来，伸出衣袖擦了擦高僧脸颊上的泪花。她说：

"我光荣的表兄，大智的僧人，这是宿命，让我们平心静气地接受它。你将依旧崇高，将永远是一朵出污泥而不染的莲花。既然东方在召唤你，那么就顺应命运，向东走吧，带着你的苦难的身躯，拖着你的沉重的步履，还有一个我，你忠实的妻子，咱们上路吧，去长安城！"

第三十六歌
食人蚁

在龟兹城被攻破整整两年之后，吕光起师，押解着鸠摩罗什高僧上路。他们将沿着丝绸之路南路，也就是沿着塔里木河河谷，一路东北而行，行到敦煌、嘉峪关，然后进入河西走廊。然后径直向东，在穿越漫长的河西走廊之后，抵达长安城。

这一路，如果是以马或车代步的话，正常的行走时间需要整整一年。而我们的高僧的这一次东行，竟用了十八年的时间，其间的主要原因，是在那河西走廊的凉州城，被羁留了十七年之久。

在一个太阳喷薄而出的西域早晨，鸠摩罗什高僧骑着一匹高大的白马，向着太阳升起的方向走去。最初，他是被捆在马上的，防止他逃脱，后来，士兵见他没有逃跑的意思，这四周的漫漫荒原令他也难以逃脱，于是解开了他的手脚，并且开始把他当作一个去长安城的贵客看待。

他骑在马上，三万名三河王吕光的士兵簇拥着他。而在这士兵的行列之后，黄尘漫天，哭爹喊娘的，是那龟兹城的三万名百姓。

那些行走的百姓中有一位领袖，一位核心，这就是那个此刻隐姓埋名的鸠摩宰相。在那些西域传说或者佛家经典中，它们只谈到龟兹王战死、罗什公主重返天竺、鸠摩罗什被押解到长安城这样的史实，而对这位贤相的去踪则用"下落不明"来搪塞。其实，他是有下落的，他率领这三万名失去家园的百姓，跟着鸠摩罗什头顶那一团佛光，一直走到遥远的东方，然后在陕北高原与鄂尔多斯高原的接壤处，那个曾经叫代来城的地方，重建龟兹国。

这情形，就像歌儿里唱到的那样：如果陆地注定要上升，就让人类重新选择生存的峰顶。他们就这样走向了东方。而在这几近二十年来，之所以能一直走下来，像空中那纠结成一团的蜂群一样滚动着向前，是因为有个核心，这个核心就是贤明的鸠摩宰相。

他隐去了自己的名字，以免受到那吕光的加害。掌握生杀大权的吕光，刚愎自用，看见谁不顺眼就杀。除了鸠摩罗什他不敢动以外，他可以凭自己的兴趣去杀任何人。

后来，这位高贵的宰相，终于为这些行走者们寻找到一个新的家园，重新开始生活。而他本人，则正如我们所知道的那样，化作一棵中亚细亚苦难而坚强的树木，立在村口，以纪念这一拨迁徙者曾经的家园，昨日的时光。

他就这样完成了自己。

话说到这里，让我们不得不赞赏当年龟兹国王那个选相的举动。他的眼光是对的，他选择了一个敢于承担的人。

话说吧，吕光大军押着鸠摩罗什，完成了塔克拉玛干大沙漠的穿越。在那块寂寞、凄凉而又危机四伏的荒原上，他们遇到过许多的事情。史籍告诉我们，有一天夜晚，大军在一个旧的河道上扎营的时候，高僧说，改个地方扎营吧，最好将营帐扎在那沙丘上，或者这古河道的堤岸上。吕光对鸠摩罗什的建议不屑一顾。到了半夜，果然大雨滂沱，山洪暴发，白茫茫的河水霎时将古河道填满，那水有几丈深，在河谷扎营的将士死伤了数千人。鸠摩罗什的神异让吕光有些叹服了。

又有一次，他们把队伍扎在那有名的死亡之海，当年叫蒲昌海，今天叫罗布泊的地方。那里有一个有名的所在叫白龙堆雅丹，后世的唐僧取经，马可波罗完成穿越，都曾在这白龙堆雅丹歇息，在那有名的罗布泊六十泉饮水。

这一日黎明，当朝阳从敦煌那个方向，从阿尔金山那个垭口喷薄而出时，突然雅丹变成了一片赭红色，不光是雅丹，就连驻营地面四周的沙丘也都变成了赭红色。那红色还一闪一闪，像大水漫滩一样包围了他们的营地。看到这一幕，吕光的脸吓白了，他明白这是遇到了可怕的食人蚁。他的三万名士兵这次是在劫难逃了。

食人蚁遍体是赭红色，拖着一个大肚子行走。它们个头儿虽然不大，仅仅比普通的蚂蚁大一些，但是长着两排牙齿，况且它们数量众多，排山倒海，凡是扫荡过的地面，片甲不留，那情形，像被一场大洪水荡涤过一样。

所有的士兵都惊骇了，号啕大哭，他们这时候唯一能做的事情是束手待毙。因为根本无法逃脱，食人蚁正漫山遍野、不动声色地包抄过来，严丝合缝，没有给他们留下一个缺口。受到士兵的感染，那些战马、骆驼、驮着辎重的驮牛，都知道劫难将至了，纷纷四条腿跪下来，发出哀鸣。

这时候，只有一个人安之若素，像没有事儿一样在一个雅丹的高丘上燃起一炷香。这人是鸠摩罗什高僧。每天早晨醒来之后，他要做的第一件功课是为佛祖燃上一炷香。而此刻，他正在这样做。

三河王吕光爬上雅丹，跪倒在高僧的面前。此刻的他，也顾不得脸面了。他说："尊敬的高僧，大德之人，请原谅这一介武夫昔日的渎佛行为吧！我现在是知道了，报应是有的，今天早晨的这个跨不过去的坎儿，就是一个报应。尊敬的高僧，人说菩萨都有一副好心肠，你救救这三万兄弟吧！"

鸠摩罗什在进行着他的功课，他头也不回地说："愚钝的人们哪，你们好自为之吧！你们有你们的命运，我有我的命运。"

三河王长跪不起，他说："我愿意接受师父的点化，我愿意皈依！"

鸠摩罗什听了，站起来，拍了拍袈裟上的土，叫了声："放下屠刀，立地成佛！"而后走过来，扶起三河王吕光。

他说："让士兵们待在自己的帐篷里，不要出来。让他们燃上一炷香。相信吧，那些食人蚁闻见气味，就会绕开这顶帐篷的。如果行囊里没有香，那就让他们祈祷吧，心里想着佛祖，嘴里念着《心经》：观自在菩萨，行深般若波罗蜜多时，照见五蕴皆空，度一切苦厄，舍利子云云。我这些日子骑在马背上，正在用汉语默诵这《心经》，不日就可以翻译出来了。若有些士兵，手头如果既没有香可燃，又不信佛，不愿默诵《心经》，那么也就只好由他们去了，而我也爱莫能助了！"

高僧说完，不再说话。他在那高高的雅丹上开始打坐，口中念念有词的，正是那刚刚诵出的《心经》。

吕光得到启示，稍觉心安，不过还是半信半疑。他传令下去，让士兵们待在帐篷里，点起香，如果没有香的话，心中想着佛祖，口中念着《心经》。

食人蚁像一场大洪水一样，在白龙堆雅丹上洗涤了一遍。大水过后，雅丹上是一副惨不忍睹的景象。地上布满了白骨，这些白骨是人的、马的、骆驼的。白骨被啃得干干净净，一丝肉末儿都不见。而那散落满地的骷髅，尤其怕人。食人蚁的大队伍已经过去了，可是这些骷髅里仍有那通红的食人蚁挺着大肚子，从骷髅的鼻子、嘴巴、眼睛、耳朵里爬出。它们是贪恋那些脑浆，而现在，它们一边打着嗝，一边回味着，从七窍中爬出。

大地被洗劫一空，唯一留下来的是那些冷兵器。它们是钢铁，食人蚁咬不动它们。

食人蚁的队伍过去了很久，才有人从帐篷里探出头来。这些人，正是那些点过香的人，口中念着《心经》、心里想着佛祖的人。而那些没有这样做的人，都悲惨地死去了。

吕光走出了帐篷。他还活着。他能够活着，也因为刚才照鸠摩高僧的诏谕做了。此刻他走出帐篷，看到四野一片狼藉，又看到那高高的雅丹上，鸠摩高僧依然端坐在那里，好像正在与上苍通灵。吕光的心里才似乎踏实了。

收拾残部，队伍继续向东走。

他们要赶到下一个水源地。也许，一些天以后，他们就会到达敦煌绿洲了。据说那里有个水源，叫月牙泉，他们将在那里休整一下，尽情地喝上一肚子水。

白龙堆雅丹在闪闪烁烁的阳光下狰狞万状，像一万峰倒卧在地的骆驼。罗布泊一湖深蓝色的咸水，泛着白光。湖那边那座早已废弃的古城楼兰，隐约可见城中的佛塔、官衙和小河墓地千棺之山那一千根高竖的木杆。

吕光率领他的残部，迅速逃离了这个地方。半个月之后，他们抵达了敦煌。

第三十七歌
敦煌和月牙泉

敦煌，处在一片大沙漠的包围之中。一片可怜的绿洲，一条小河，一溜儿黑色岩石顺着河沟漫延了几十里长。而那黑色岩石的上方，就是大沙漠。大沙漠的中央，有一眼著名的泉子，名叫月牙泉。

鸠摩罗什高僧骑着的那匹白马，在穿越塔克拉玛干这近一年的行程中，累倒了，瘦骨嶙嶙的马看见这泉水以后，喝了一满肚子泉水，就再也没有能站起来。

出于对高僧的敬意，人们葬埋了这匹马，并且在马的坟冢上修起了一座木塔，又在木塔旁边修起一座寺院。这塔就叫白马塔，这寺院就叫白马寺。

当这白马塔、白马寺修成以后，人们意犹未尽，出于一种对佛教的虔诚和敬畏，人们决心继续工作，顺着这条河谷形成的绵延数十里的山崖，建造佛窟。诚如当年耆婆在龟兹城那个奇异的山崖上建造克孜尔千佛洞一样，人们怀着同样的想法，在这里凿洞。

从事这项工作的人们，包括士兵，包括从后边源源赶来的那三万名龟兹国百姓，也包括居住在敦煌城和阳关附近的土著居民。

这项伟大的工程也许要花费三四百年的时间，后来的人们，也许会顺着这面山崖一直开凿下去。也许在鸠摩罗什来到这里之前，零星的开凿已经开始了。这些我们都不知道，我们只知道，鸠摩罗什和他的那一行人，在这里进行了决定性的开凿，而那白马塔和白马寺，的确是为鸠摩罗什胯下那匹倒毙的白马所建造的。

他们之所以在敦煌地面拖延这么些时日，其中有个原因就是吕光。

吕光在这里听到了一个民间传说。当地人说，在那静静地躺卧在沙漠中央的月牙泉的湖心，有一颗大大的夜明珠。夜晚的时候，那夜明珠会像一颗小太阳掉进湖心里一样，几十里外都能看见它闪闪发光。

这叫吕光动了贪心，他想把这夜明珠捞出来。自从走出了那死亡之海，踏上敦煌绿洲以后，这位三河王眼见得已经脱离了险境，就又变得骄横和跋扈起来了。

士兵们围绕着月牙泉扎营。

每天晚上，吕光会派一个士兵跳到这湖里去找寻。吕光放出狠话，如果不能捞出，就杀死这名士兵。这样他们连续打捞了二十天，可怜的士兵几乎把这不大的湖中的每一粒沙子都摸过一遍了，但是始终没有捞出那夜明珠。于是二十个士兵的头就被砍下了。而到了夜晚，那夜明珠仍会如期出现，闪烁着有些邪恶的光。

第二十一个夜晚快要到来了，厄运等待着下一个士兵。这个士兵是个聪明人，他走进鸠摩罗什居住的帐篷，乞求他的帮助。鸠摩罗什叹息一声："贪婪的心正在吞噬着他，不把这夜明珠捞上来，吕将军是不会甘心的。也许，有一个人可以帮助你，你去问他吧！老百姓说'劈柴劈小头，问话问老头'，有一个老头就在队伍的后面，在那一片尘土飞扬中。你去问他吧！"

鸠摩罗什说："顺便，你告诉那位老者，我很好，我正在正确的道路上走着。那是他曾经希望我走的路，虽然是以这样的方式走的，但终于走到东方了。亲爱的士兵，请你带去我对这位老者的敬意和祝福，就说一感到他在后边，我就像有一种回到故乡的感觉似的！"

于是这位聪明的士兵离开高僧，在后面的难民群中去寻找那位老者。他在一峰骆驼高高的双峰上找到了这位长髯的老者，将鸠摩罗什的祝福带给了他，并且将那月牙泉边奇异的事情，以及他面临的危境告诉了老者。

那驼峰上的老者沉吟了片刻。

他说："那个叫作月牙泉的泉子里，是不会有夜明珠的，杀再多的人，也是捞不出来的！"

老者又说："那泉边有没有一棵树，很高大，弯弯的树身斜着弯向河边？"

"有这么一棵树。老柳树。"士兵答道。

老者又问："那树的顶上是不是有一个鸟窝？"

"对呀，有一个鸟窝。那鸟窝里住着一对鸟夫妻，一对不知其名的鸟儿！"

"亲爱的孩子，那颗夜明珠是有的，不过它不是在湖水里，是在那鸟窝里呀！那鸟夫妻以为这是它们的一颗蛋，所以一直在暖着，已经暖了许多年了！"

"我明白了，亲爱的老者！我也知道今天晚上该怎么做了！"士兵叩头谢道。

第二十一个夜晚到来了，该这个名叫秃发傉檀的士兵出场了。所有的人都预感到那前二十次的故事将在这个士兵的身上重演，人们已经习惯了那黎明前的一刀。

士兵出场了。他提出要上到岸边那棵高大的柳树上去，以一种优雅的姿势跳入水中。他的这个提议得到了坐在湖边的吕光将军的同意。这样，他攀上了那棵柳树高高的树顶，将手伸到鸟窝里去，果然，他的手摸到了一个圆圆的鸟蛋一样的东西。这东西有些沁凉，士兵的手有些打颤。那一对鸟夫妻被惊动了，前来啄他，但是，士兵已经将那鸟蛋一样的东西牢牢地握到手里了。

随后的故事我们就不讲了。士兵握着这颗夜明珠，以一种优雅的姿势跃入那月牙形的湖水中。他在这湖底装模作样地摸索一阵以后，水面上露出一只手，手中高擎着那颗夜明珠。

夜明珠璀璨的光芒刺痛了吕光的眼睛。

在得到夜明珠以后不久，吕光大军便穿过嘉峪关，继续东行。

第三十八歌
蹉跎凉州十七年

白马死了，鸠摩罗什高僧就乘上了一辆高车——那是青海的高车、昌耀的高车。车轮辚辚滚动，已经给人一种接近中原的感觉了。他的妻子，那个忧郁的龟兹王女和他同乘一辆车。自从离开龟兹城，开始他们的行程以后，她一直跟着他，照顾着他的起居。那王女黑纱遮面，露出两只黑眼睛，头戴一顶尖顶高帽。虽然已经沦落到今天这样的境地，那昔日华贵的服饰如今也已破旧、褪色，但是，骨子里的东西是永远无法改变的，她的那举手投足依然有一种高傲和自尊在内。

已经有道路了，而不像他们之前所经历的那样，在荒原上行走，靠那些白花花的骸骨作为标识。尽管这道路是在戈壁滩中，那牛头大的鹅卵石不时地绊住车轮子，车轮也不时地陷入路旁的沙窝里，但是，毕竟是乘车了，毕竟是有路了。

大轱辘车辚辚滚动。他们穿越了不时燃起白色狼烟的阳关，经过了那气象森森的巍峨楼阁嘉峪关，在一个叫酒泉的地方喝那带着酒味的泉水，在一个叫张掖的地方欣赏那一地金黄色的油菜花。有一座雄伟的高山，绵延千里，他们一直在这山的阴影里行走。那山脉嵯峨万状，虽然时令是夏天了，但那山顶白色的积雪依然隐约可见。每天清晨，一轮大太阳从山脉积雪的大垭口喷薄而出，在他们的头顶行驶一天以后，这橘红色的大车轮子一样的夕阳，在他们的身后，那西边的地平线上停驻一阵，才猛然一跃，沉入地平线去。

伴着他们的这座绵延山脉叫祁连山，"祁连"是突厥语"天"的意思，因此，这山也就是天山。鸠摩罗什高僧在他晚年的时候一定会发现，自己的这一生其实都是在和山厮搅着。这山简直就是他的一生。大家知道，他晚年居住的那座山叫终南山。

它们其实是同一座山，是葱岭伸向东方大陆一支脊梁一样的山脉，是在侏罗纪时代那伟大的造山运动中，喷涌的岩浆向东奔流，而后凝固，从而形成的一个横卧在东方大地上的巨龙身躯一样的山脉。

它最早的名字叫"昆仑山"，意思是"南山"。接下来的名字叫"喀喇昆仑山"，意思是"美丽的南山"。再接下来就是祁连山了。到了陇东高原以后，它又恢复了"南山"这个名称，这南山进入关中，到华山那儿终止，所以它这一段壮丽行程的名字叫"终南山"。

鸠摩罗什高僧会发现这一次东行的路径，正是循着这条伟大山脉行走的，然后在终南山的一个山脚，走完他的一生。同样的，佛教传入东土，亦是沿着这条山脉，以一个洞窟又一个洞窟的步伐，以一个高僧又一个高僧的步伐，日渐东进。

在鸠摩罗什一行东进时，祁连山脉已经短暂地停歇了兵戈。北匈奴王郅支率领着他的部族，唱着"失我祁连山，使我六畜不蕃息。失我焉支山，使我嫁妇无颜色"的古歌，刚刚离去，去迎接那贝加尔湖畔、粟特城下致命的一刀。

匈奴人被驱赶出祁连山脉的标志，是在河西走廊的一座名城——凉州城的城楼上，高悬着的城徽。那城徽是用上等的青铜做的：一匹天马四蹄腾空，张扬地踏过，马蹄下是一个被踏翻的匈奴士兵。

鸠摩罗什一行终于来到了古凉州，他们看见了那著名的城徽。城头变幻大王旗，这地方现在已经是前秦国的地盘了。

吕光率领他的大军入城，在这里，他听到了一个惊人的消息，前秦皇帝苻坚率四十万大军南征东晋，在淝水之上与东晋大将谢安作战，结果大败。兵败的苻坚回到长安，被部下大将姚苌杀死。氐族人建立的前秦灭亡，古羌人姚苌建国后秦。

其实这个时期的吕光，一直都有自立为王的野心。当年攻下龟兹城之后，之所以在那里延缓了两年之久，就是想拥兵自立。只因龟兹国地域偏远，四周又无策应，吕光才不敢贸然行事。这一次，听到前秦灭亡的消息，吕光说：时机到了。

吕光遂在凉州城建国，始称后凉。这所谓的后凉亦成为五胡十六国之一国。这三河王，自此称凉州王。

这后凉一共存在了十七年。先是吕光，吕光死后是他的儿子，儿子死后又是吕光的另一个儿子。

那个曾经披一身光辉，令整个世界为之着迷、为之倾倒、为之疯狂的西域第一高僧鸠摩罗什，也就只好在这个弹丸小城蹉跎一十七年，仰人鼻息，苟存于世。

坊间曾有大量的传说，说这位高僧如何上知天文，下晓地理，预测吉凶，先知先觉，说这位高僧如何辅助这个短命王朝的先后四任皇帝吕光、吕绍、吕纂、吕隆的故事。我们无法知道，他是如何低下那高贵的头，与这些粗野的人们战战兢兢地相处的。那些传说为我们所展示的此时的高僧，光彩已经褪去，更像一位朝中术士。

在这样的境况下，鸠摩罗什仍然收徒和译经。凉州城在隋文帝、隋炀帝的时代，曾经成为佛教传入东土的一个重要的支撑点，成为佛教中心之一，大约这就与高僧在这里待过十七年有关。尤其是在隋炀帝杨广的年代，这位在中国历史上大有作为的皇帝，曾经在凉州城里举办过一个万国博览会，丝绸之路触须所及的诸多国家纷纷来朝。这不能不说与高僧在这里形成的厚重文化底蕴、文化氛围有关。

前边说了，在这凉州城的十七年中，我们的高僧大约更像一个（后世的）袁天罡式的、李淳风式的朝中术士，更像吕氏小王朝中的一位穿着袈裟侍候皇帝左右的命官。帮他度过这十七年的一个重要的慰藉，是他那美丽的妻子。

大约有一家小院，这小院距离皇帝的宫殿应该很近，近到能听见皇帝的咳嗽声。皇帝喊一声话，院子的主人一袋烟的工夫就可以到达。夜里，如豆的清油灯下，鸠摩罗什在译经，美丽的妻子在旁边服侍着。妻子端着一杯盖碗茶上来，茶冒着热气。妻子悄声说："这是今年的清明茶，产自汉中，坊中有'临洮易马，汉中换茶'的说法。"高僧接过茶碗，揭起盖儿，在拂着热气的茶水上用盖碗荡两下，然后呷上一口。

上面这一幕情景，多像一个中原文化人的做派，高僧就是这样一步步地融入东方，融入中原文化的。上苍给了他十七年的时间，让他来做这种进入中原前的心理上和饮食习惯上的准备。

而汉传佛教这个从天上掉下来的东西，亦是这样一步步日渐东进的，那无上的崇高逐渐落地，变为实用主义和琐碎庸俗，最后被这个东方古国强按在地，成为国家准宗教。

在这十七年中，距离凉州城并不算遥远的后秦数度前来索要鸠摩高僧。

鳩摩羅什与龜兹玉女

如此国宝，岂能轻易予人？于是这后凉的四任主子，对于前秦或是姚苌、或是姚兴的索要，一口回绝，丝毫没有商量的余地。

弘始三年，即公元401年，姚兴派遣驻守秦州的大将姚硕德出兵西伐凉州，一举灭掉后凉，掳得鸠摩罗什高僧送往长安。这是为一个和尚、一个法师所进行的第二场战争。连同前面的破龟兹城之战，这两场战争都是为了同一个人，而且这两场战争都是灭国战争。人们说鸠摩罗什的一生充满了传奇，这两场战争亦是传奇之一。

凉州城被破，后凉灭亡。鸠摩罗什又被另一位将军捆在了马上，依然沿着那条伟大山脉东行，晓行夜宿，大约一月有余，眼见得看见渭水，看见渭河岸上那咸阳古渡了，这时发生了一件意外。这意外就是，那龟兹王女咬舌身亡了。

第三十九歌
咸阳古渡口的新冢

高贵的王女在一个关中平原青色的早晨，骑一匹小牝马上路。她已经想好了一件事情，所以此刻，并不显得沉重，而是有一种如释重负，得到解脱的感觉。

她穿上了当时境况下自己所能搜罗到的最好的衣服。脚上那双红色的小马靴已经磨得没有后跟了，红色也已经都褪尽了。这天早晨，她特意为小马靴上了些鞋油，让它干净、鲜亮一些。她还特意化了一个浓妆，用那水仙花将指甲盖染红，用从龟兹国带来的最后的胭脂涂抹嘴唇，并且给眉心点了一个痣。她的睫毛虽然依旧像黑炭一样，但是她还是用那最后一点颜色将这睫毛再涂一遍。当这一切结束后，她骑上那匹小牝马，头戴尖顶高帽，黑纱掩面，上路了。

她与鸠摩罗什并辔而行。鸠摩的双手仍然被反剪着，不过这只是一个象征性的被缚，所有的人都已经知道他终究会抵达长安城的。

高贵的王女，当来到那著名的咸阳古渡，注视着脚下滔滔的渭水，眼望着渭水彼岸那金碧辉煌的长安城时，她的脸色发白了。她对同行的鸠摩罗什说：

"我的表兄，我的丈夫，我的世界上最亲爱的人、最敬仰的人，我只能陪你走到这里了。你是一位高僧，是一个给这苦难大地带来佛光的人，你的声名将会不朽，那些未来的人们将会以恭敬的口吻来讲述你的名字，盛赞你的光辉。你的事业将在这长安城达到大兴，你人生中最重要的时刻就要到来了！"

这位王女继续说："而我已经不能够再陪伴你了，或者说，不能再继续玷污你那圣洁的袈裟了。掐指算来，已经整整二十年了，我该离开你了。飞翔吧，鹰！完成你最后的也是最辉煌的一次飞翔吧，这整个世界都是你的！"

龟兹王女在这个咸阳古渡的早晨，说着这些奇怪的话。她的话让即便是高僧的鸠摩罗什也有些心惊肉跳。他明白她要干什么了。他刚要劝止她，这时，只听到一声惨叫，这位高贵的王女咬断了自己的舌根。

在就要从马上掉下来的那一刻，那半截舌头还在嘴中，王女用含糊不清的喉音，又说了下面的几句话：

"我已经多次给自己说过，看见长安城的那一刻就是我辞世的时辰！表兄，前程珍重，你大约还有十三年的命数，十三年后我们再见！"

龟兹王女说完，便从马上摔下来了。

鸠摩罗什翻身下马，挣脱手中的绳索，俯身抱起王女。王女脸色煞白，嘴角上有血沫子喷出。她微笑着，所做的最后一件事，是将自己那半截舌头咽进肚子里去，那是父精母血，是自己身体的一部分。

在咸阳古渡旁边，鸠摩罗什轻轻地用袖管抹去王女嘴角的血沫子，最后一次端详着王女。他看到的是一个世界上最美的女人，和这样一个女人耳鬓厮磨二十年，他得到的幸福和受到的伤害哪个更多，真是一件很难说清的事情。

他们将王女埋在渭河岸边一座高丘上，然后插上柳桩。不久，柳桩就会成活、发芽，然后给这坟头，给这王女的头顶，罩上一层绿荫。而王女，她将安卧在这高丘上，头枕渭河，日日夜夜倾听着这流水如歌，倾听着咸阳城东楼的风铃叮当作响。

咸阳古渡对岸，旌旗招展，后秦皇帝姚兴出郭三十里相迎，已在那桥头等候多时了。

鸠摩罗什高僧双手合十，向渭河岸边的这座新冢致敬。河谷的风吹来，

打湿了他的眼睛,那著名的咸阳城东楼上的风铃叮叮当当作响。在这风铃声中,鸠摩罗什说道:

"亲爱的王女,亲爱的表妹,亲爱的妻子,我向你保证,你将不朽——你将因为我而不朽!"

说完,他转过身,揉揉那被麻绳勒肿的手腕,整整衣衫,面向后秦皇帝姚兴,登上了咸阳古桥。

过了古桥,鸠摩罗什高僧与迎候在桥头三十里长亭的君王见礼。

"山高水长,云路苍茫。今日,贫僧终于抵达长安城了!"高僧无限感慨地说道。

后秦王姚兴上前,一把拽住鸠摩高僧的手,说道:"朕如久旱之望云霓,在这长安城里,日思夜想,寝食难安,已经等待高僧很久了!"

鸠摩罗什答道:"贫僧向往东方,向往长安城已经许多年了。万法归一,一归何处,这神秘东方,广袤所在,那佛家的'何处',当是此处呀!"

"朕将拜高僧为国师,强盛我的国家,教化我的子民,让这自天竺而来的佛光照亮我中华大地!"

"贫僧将尽其所学,尽其所悟,为中原大地上的佛国效力。佛法能弘扬天下,光耀东方,那是佛祖的光荣,是佛人的功德,亦是每一位僧人的本分呀!"

两人说完,相视而笑。姚兴执起高僧的手,走到自己的车旁,请高僧与他同乘一辆帝辇。俄顷,只见车轮滚滚,一辆华丽的马车沿着这条长安城直通咸阳古渡的三十里街亭长廊,踏踏而去。

那鸠摩罗什初到长安城的情况,亲爱的读者想来都已经知道了。他先在那旌旗招展、气象森森的长安城南城门的城墙上受到了姚兴的款待,继而被以隆重的仪式拜为后秦国国师,接着,姚兴皇帝把高僧安顿在终南山下逍遥园内的草堂大寺。自此,这位伟大的行者、西域第一高僧,便在这草堂寺里开始了他的十三年岁月。

大家大约还记得,正是在那长安城的南城门上,鸠摩罗什高僧与后来的匈奴末代王赫连勃勃相遇了。他们两人是同时代人,但是仅仅相遇过一次,便就此缘尽,不再有过照面。后来,当姚兴皇帝有一天偶然问起这位阅人无数、通晓古今的高僧如何评价赫连勃勃时,高僧叹息说:

"那是一位天人,一位为某项特殊使命而来到世间的可怜的人。不要评价他的对与错，他所做的每一件事情，站在末代匈奴王的角度来看，都是必须的。在这样的人物面前无所谓对与错、善与恶，人类现存的法则和善恶观根本不适用于他！"

我们的这部小说，是写一个大恶人的故事，这个大恶人叫赫连勃勃。同时，又是写一个大善人的故事，这个大善人叫鸠摩罗什。

对鸠摩罗什高僧的注视，已经耗去了我们许多的时间，而在那边，凶悍的末代匈奴王已经蹬鞍上马，胯下的马也已经急不可耐，蹄子不停地砍地，砍出阵阵火星。赫连勃勃正眯起眼睛眺望着大河套地区，准备随时将它鲸吞入腹。

那么，且让鸠摩罗什高僧安宁地在这终南山下从事他的黄卷青灯、暮鼓晨钟吧，我们以后还会见到他的。而我们此刻的笔墨准备转向赫连勃勃，转向鄂尔多斯高原与陕北高原交汇处。

第四十歌
长安城咏叹调

长安城矗立在关中平原上，在终南山之北，在渭水河之南。威赫赫的一座四方城，秦砖汉瓦筑就。城郭极大，像一个格子状的围棋棋盘在平原上四散铺开。这方格一共有一百零八个，被称做长安城一百零八坊。那每一个坊都像后世的那种街区、社区一样住满了老户，人头涌涌，市井攘攘。

一圈三丈高、三丈厚的厚重笨拙的城墙，将这一百零八坊包在中间。城墙外有护城河，护城河上有吊桥。这城墙的东南西北各开了四座门，合起来四四一十六，也就是说，这长安城一共有十六座城门。每一座城门到了晚上，那沉重的、钉满了圆钉的大木门就"吱呀"一声关了，然后从里面插上三道门杠。到了第二天早晨，啼起鸡叫，大木门才又"吱呀"一声打开，城外的人们入城，城里的人们出城，于是长安城的一天就开始了。

那十六座城门洞上面各盖有一座屋脊高耸、四角挑起的角楼，四角的勾檐上挂满了一串串风铃。每一遇风，风铃便当啷当啷作响，千万个风铃一齐摇响，声响响彻这一百零八坊，从而给这座城市增加了不少的厚重感。十六座城楼下面各有一个瓮城，守卫这座城门以及在城墙顶上巡城的士兵，平日就居住在这瓮城中。如果遇到战事，这瓮城可为依托，退则可守，进则可攻，从而增加了这座城市的安全度。

长安城的中心点是一座钟楼，陪衬这座钟楼的是一座鼓楼，两楼互为犄角之势，相隔五十丈。每日清晨，每日黄昏，一声钟敲，一声鼓击，向世界报告着平和与安宁。那座威赫赫的钟楼是所有道路的一个交会处，这座规规矩矩、方方正正的城市里所有的道路都是笔直的，所有的转弯都是九十度直角，靠道路将那一百零八坊隔开，这条条道路都可通向钟楼。

城市的右手是终南山，这座曾经被叫作昆仑山、喀喇昆仑山，被叫作祁连山的伟大山脉，在经过了绵延万里、逶迤万里之后，在长安城的东侧二百公里处终止。那里是黄河。它伫立在咆哮的黄河边，高举手臂向黄河致意，并在此完成了它的旅途。那高擎的手臂，人们叫它"华山"。

而终南山在途经长安城的这段行程中，向这片冲积平原，向这座帝王之都，伸出了七十二条峪口。那七十二条峪口喷溅出七十二条清洌的水花飞溅的溪流，这水流灌溉着平原，滋润着城市，并向那护城河提供着源源不绝的长流水。

城市的左手就是那著名的河流——渭河了。这条从陇东高原一个叫鸟鼠山的地方发源的河流，在经过了陇东高原的激荡以后，从一个叫作"铁马秋风大散关"的关隘进入关中平原，在孕育了这块冲积平原，孕育了这千古帝王之都之后，继续东流，从一个叫"潼关"的地方注入黄河。

"禹门口"这个称谓，也许为我们泄露了些许历史的秘密。

是的，在大禹治水之前的年代，八百里秦川还是一个内陆湖，那里有一连串的湖泊，沼泽四布，芦苇丛生，还有黄河象出没。那时的人们在山腰或者山脚下居住。时常站在洞穴或者草屋的门口，望着这一片汪洋兴叹。

那时男人的平均身高是一米六五，女人的平均身高则是一米五五。这是后来那些好事的人们，从终南山脚白鹿原下的一个名曰半坡的母系氏族村落里，挖掘出二百多具尸骸后，进行平均计算得出的数据。这二百多具尸骸是在一个墓葬中发现的，他们被反剪着双手，弯曲着身子，侧身而卧，面向着太阳落山的那个方向，一具一具并排摆放。

那些男人或女人就是后来的长安城人吗？也许是的，也许不是。好事者们对那些头骨做了复原，复原后的头骨令他们惊异。这些六七千年前居住在渭河平原上的人们，他们的瘦窄脸和单薄的骨骼结构更像今天的岭南人，也就是两湖两广一带的人。对此，专家们叹息一声说，历史上有个五胡十六国年代，这个民族大融合的年代长达三百年之久，因此，长江以北的中国人基本混血。

以上是闲话，这里不再说。

是的，是那个大禹王疏通了渭河入黄处，于是这一片汪洋一泻而下，湖底裸露了出来，成为肥沃的良田，八百里秦川遂被称为天府之国。河流逐渐冲出一道河槽、一道河床，在这平原的中心线上穿过。人是逐水草而居的动物，他们撵着河流走。人们从山上或半坡走下来，走到河边定居。于是在这渭河两岸，在这广袤的平原上，星罗棋布的同姓同氏族村落一个一个地建立起来。

众星拱月，在这些村庄的拱卫下，一个庞大无朋的村子建立起来了。这大村子叫长安城。它是农耕文明与定居文明在东方建立起来的一个大堡子，是当时世界上唯我独大的城市，是世界的东方首都。

千百年来，那些走马灯一样路经这座城市、莅临这座城市甚至定居这座城市的历史人物，有名的或无名的，不朽的或速朽的，当他们来到那高奏迎宾曲的南城门口，停驻片刻，然后以手加额向这座辉煌都城张望第一眼时，都会发出啧啧的赞叹之声。

我们已经听到了赫连勃勃的一声赞叹，我们也听到了那西域高僧鸠摩罗什的一声赞叹。

这座城市真的是太有历史沧桑感了。一部中国的历史，大约有一半是这座城市的历史。

第四十一歌
三千匹汗血马

"你们有你们的命运，我有我的命运！这个世界啊，好世界，现在，让我们来较量一番吧！"

在那个青色的值得纪念的早晨，刘勃勃跨上他那匹著名的黑骏马，从鄂尔多斯高原与陕北高原的接壤处，那个曾经被称为代来城，现在则被称为龟兹城的地方，率领他的部族启程，走向大河套的深处。

这是一匹真正的好马，马中的极品，三千匹好马中最上乘的一匹。它通身是黑缎子一般的乌黑，在朝霞中，那黑缎子柔软、光滑、充满质感、闪闪发光。它的四只蹄子却是白的，白得耀眼。它的额头上有一道竖起来的白色印记，像某一次闪电划过后留下的痕迹。当这匹马风驰电掣般地向大河套奔去，活生生地像一道闪电划过。

它具备一匹良马所应当拥有的所有品质：崇高，真诚，漂亮，聪明，极端地吃苦耐劳。是的，它是漂亮的，脸很长，线条分明，眉眼分明，两只扑闪扑闪的大眼睛聪慧而又驯良。那脖子十分修长，长长的鬃毛竖起来又垂下去，像美人的披肩发，这长鬃一直延伸到额顶，遮住那闪电的上半部分。接下来是两个结实的、充满力量感的前胛了。对于马来说，前胛是重要的，它必须坚强有力，才能支撑起飞驰时重力落到前腿的巨大冲击。四条修长的腿，配以灵活的蹄腕。这马的腰身是细长的，宛如美人的腰身，只有这样腰身细长、柔软的马才能够急速奔驰，骑手骑在它的背上才有一种柔软的犹如在摇篮中的感觉。屁股是一匹马有多大耐力的一个标志。马的屁股浑圆、结实、肌肉暴出，那紧绷的肌肉里仿佛蕴藏着无限的力量。最后就是尾巴了。尾巴多么的长呀，飘飘洒洒，飞飞扬扬。一匹好马，它的全部的美也许就在这尾巴上了。那长长的尾巴，当它垂下来的时候，会一直垂到地面上；当这匹马奔驰的时候，它作为一匹马的身体的延伸部分，会平缓地，像一束流云一样浮在身后，从花朵和草尖上掠过；而当这匹马在安详地吃草时，那长长的尾巴像一把蝇刷子，优雅地摇动着，向前后左右甩动驱赶着蚊蝇。而这时，通常会有一只草原上的乌鸦飞过来，落在马背上，乌鸦"呱呱"地叫着，用尖嘴在良马那黑缎子一样的皮囊上寻找着寄生虫。马挥动尾巴，试图赶走它，但是没有成功，于是也就默认了，让那乌鸦就栖身在它的背上，而它则继续低头吃草。

这真是一匹好马。前面我们曾经说过，马运动起来有三种姿势：一种是走，一种是颠，一种是挖蹦子。你可以成为一匹好走马，也可以成为好颠马，也可以成为一匹双蹄并举一张一弛的挖蹦子马，但是，成为集这三种技能于一身的马，那几乎是不可能的事情。但是，这匹黑骏马就同时具有这三者。

这匹黑骏马还有一个特殊的技能。这技能在赫连勃勃征伐大河套的年月里，曾几次救过他的命。这技能就是当马儿风驰电掣般地奔驰时，如果前面遇到障碍物，或者后边追兵逼近，那马儿会在两只前蹄高高扬起的那一刻，突然身体九十度转向，也就是说，它的肥圆的屁股会在这一刻承受所有的重力，然后以这屁股为轴心，身体九十度转向，双蹄落到旁边一侧，然后继续奔驰。如此这般，就避开了前面的障碍物，同时一屁股甩掉了后面的追兵。

"马里头挑马不一般高！"这是一句陕北民歌里的话。

前面我们说了这匹马的种种好处，那么，这匹珍贵的马是如何来到鄂尔多斯高原与陕北高原交汇处的呢？它又是如何成为赫连勃勃的坐骑的呢？这匹马的出处又有怎样的渊源呢？

就在刘勃勃在这块草原收拢父亲匈奴西单于刘卫辰的残部，积蓄力量，准备前往那大河套深处的固远城时，飘飘忽忽，从那黄河的上游，河套深处，走下来了一群马。这种马声名远播，叫汗血宝马，来自西域，这赶马的人是柔然人，是柔然可汗杜伦派来的使者。

柔然可汗久闻后秦皇帝姚兴爱慕良马，尤其喜好那久负盛名的汗血宝马，于是从国中搜罗得上等良马三千，派了士兵押送，运往长安。使者一边行路一边游牧，顺黄河而下，大约走了三年的时间，才走到这里。冬日，这三千匹马走成一条直道，一匹马踏着一匹马的蹄窝，从雪地上踩出一条道路。夏日，草原上广阔无垠，牧草遍野生长，这三千匹马则走成一个扇面，逆风而行。这原因，一是去抢一口那鲜嫩的草尖，二是顶着风走，蚊蝇落不到身上。

三千匹马不是一个小数目，况且都是上等的汗血宝马，因此这行程的提心吊胆可以想见。如今，眼看到了后秦国的辖地了，使者方才心安，料想不会再有事了，步子也就徐缓了下来。恰好这里有一处沙漠湖泊，名叫红碱淖尔，于是使者就让这群马在这水草肥美的湖畔多滞留了几日。使者想让这群马稍微肥壮一点儿，颜色鲜亮一点儿，好让那后秦皇帝姚兴看了，给他一个眼亮。

红碱淖尔盛产金色鲤鱼，鲤鱼不大，味道却极为鲜美。那勃勃手下大将叱干阿利最爱这鱼的鲜味儿，因此在代来城滞留期间，常来这湖边打鱼。这一日，他又带着属下来到湖边，看到湖光水色之间，一群天马一样的汗血宝马正在湖边的芦苇丛中隐现，叱干阿利见状，吃了一惊。他开始以为是野马，后来见了那使者，才知道这马有主人，而且是送往长安城的贡马。好阿利，在那使者的帐篷里，喝了一顿奶茶，将这事揣摩清楚了，回来说与勃勃。

阿利献策说，天赐良机呀，到了嘴边的肉，不吃白不吃，有这三千匹良马，势力就起来了。刘勃勃听了，有些犹豫，说这是贡于后秦姚兴的马，我是姚皇帝的安远将军，这事于理不通，倘若让姚皇帝知道了，这一条路就断了。叱干阿利说道，草原辽阔，天高地僻，只要将那使者并送马的兵丁尽数杀了，不留一个活口，鬼知道这是谁干的！刘勃勃听了，觉得这话说得却也在理，于是杀心顿起。

以刘勃勃这时候的实力，杀掉那些没有丝毫防备的柔然人，却也不是什么难事。于是刘勃勃起程，薛鲜、薛桓分列左右，由能言善辩的叱干阿利带路，赶往红碱淖尔。酒桌上，以受后秦皇帝姚兴之托为名，将这些柔然人劝到酒桌前，先是灌个半醉，进而尽数杀死。这样三千匹汗血宝马人不知鬼不觉地一夜间尽归刘勃勃。

这三千匹汗血宝马都是些半野马，从未经过人的驯化，它们的嘴上从未套上过笼头，身上也从未配过鞍子，主人所做的事情就是在它们发情期之前，将两个蛋丸割了，然后放归，让它们重新自由自在地回到草原上去。

因此要把这三千匹马擒拿，驯服，然后再骑上马背，也不是一件容易的事。

第四十二歌
踩镫上马

所谓的汗血马，在奔驰的时候，它的血脉贲张，那一滴滴的鲜血会从毛孔里喷出来。这时只要主人不勒马嚼子，它会一直奔驰下去，直到鲜血流尽，倒毙在地而亡。

在平日不去使役、奔驰的时候，那毛孔是半封闭状态的，有时会流汗，但是通常不会流血。毛孔上结一个带血丝的黑色硬痂。这痂可以抠下来。不使役、不奔驰的时候，那汗血马偶尔也会流血。特别是在秋天。

秋天到了，秋高草肥，铃铛刺上的壳儿在风中不停地摇动着，草原上顿时布满了音乐。这时候满山遍野的牧草都已经结籽了。吃这种结籽的草，就像给马儿加料一样。汗血马吃了这样的草，如果不使役的话，它会肥胖起来，肚子圆鼓嘟嘟的成了奔跑时的累赘，而前胛上的肌肉也会积下脂肪。这时候，那硬痂会破了，马身上的血一滴一滴从这破裂处滴出，于是马就瘦了下来，随时可以上路。

至于在奔驰中那马儿是渗血，是滴血，还是喷血，那要视奔驰的激烈程度而定。而且鲜血流出最多的地方是在前胛子上。骑手在奔驰中，伸手往前胛子上一摸，那毛皮湿漉漉的，一摸一手掌血。望着这血，任凭你是怎样的骑手，在这一刻都会对这种高贵的生灵肃然起敬。

刘勃勃手下将这在红碱淖尔四周游弋的三千匹汗血马归拢，吆喝着向南，赶往龟兹城方向。三天头上，到了龟兹城地界，找一个没有出口的死沟，将这些马赶进沟里，然后砍些树枝做栏杆，将沟口封死。

接下来就是分马。这马群基本上是三色。红色的如火，如血；黑色的如炭，如墨；白色的如银，如雪。他们将这马按毛色分成三拨，后来赫连勃勃著名的威震大河套地区的红马军团、黑马军团、白马军团，它最初的班底就是这样建立起来的。

马群被分成三大拨，三大拨再分成无数的小拨。这分成的小拨，有的被从沟里赶出去了，寻找一个旧的马厩将马圈上，有的图省事，就在这沟里临时用栏杆隔成马厩。接下来的事，就是如何跳上这不曾驯化过的马背了。

三千个草原汉子，一摊一摊，在那散落在这一块草原上的马厩里，显示他们的力量。那高贵的马是不会轻易让人跳上它的背的。汉子们在马厩的外边顺栏杆趴满，一个一个地轮番进入马厩，与马去角力，从而显示自己的力量，以便赢得同伴的尊重和喝彩。

这时的马是光背马，身上不着一线，如果系上笼头再去驯它就是一件没有意思的事情了，那会被人瞧不起的。唯有这光背马，能拧住它的耳朵，掰住它的嘴巴，将它放倒在地，或者抓住脖子上那长长的鬃毛，一使力骑上马背，像一帖膏药一样死死贴住，任马跳跃、打立桩、奔驰都不会掉下来。然后为马系上笼头，戴上嚼子，配上鞍子等等。能做到这些，才算把一匹马给征服了。

每一个马厩里都在进行着同样的事情。不断地有人掉下马来，引起阵阵哄笑。掉下来以后，你得再去骑，如果你胆怯了，不敢再去骑这匹马了，这匹马会牢牢地记住你，会从此蔑视你，终生都不会让你坐它的背！

这块可怜的、灾难的草原，已经好长时间没有这种欢乐的笑声了。

叱干阿利选择了一匹走马。草原上有一句民谚，叫作"不要和骑走马的打交道"，那意思大约是说，这骑走马的人一般都有了点儿年纪和阅历了，缺少激情但是工于心计，所以见到这骑走马的，你最好知趣地躲开。

阿利选择了一匹走马。他扒着栏杆瞅了半天，那一马厩的马活像开了锅的水一样，狂风一样地转着圈圈。阿利瞅了很久，甚至趴在地上看那马的走手，当看到这匹马那蚂蚱一般的长腿迈动，后蹄窝要超过前蹄窝一拃长时，他明白这是一匹顶尖的大走马了。这样的大走马将四只蹄子像蚂蚱那样地跳动起来时，并不比颠马或者挖蹦子的马慢多少。况且这走马稳当，有耐力。阿利主意已定，于是挥着一只笼头甩两甩，将这笼头扔过去，搭在了马背上。

那正在盲目地转圈儿的大走马停了下来，它感觉到了自己背上的笼头，误以为自己已经被束缚住了，苦役般的使役就要开始了。它望了望栏杆外面的糟老头叱干阿利，四目相对时，大走马的眼皮垂下来了，它表示接受命运，承认这个主人。

阿利跳进马厩，趁马儿还没有清醒，飞快地先用双臂抱住马的脖子，然后从马背上取下笼头，迅速地套在马头上。接下来，他并没有立即跨上马，而是先伸出鸡爪子一样的手来，在马两只耳朵的根部细细地挠痒。这地方是马身上最敏感的地方，马被搔着，舒服极了，"咚"地放了一个响屁。马现在是臣服了，甚至在主人搔它耳根的同时，还把屁股翘过来，这不是想踢他，而是想让主人再搔一搔它的屁股。

有点儿得意的阿利见这匹马已经臣服于他了，于是先在马背上拍两下，算是给马打个招呼，然后翻身上马，一叩马肚，向那条叫"硬地梁"的小河走去。他要在河水中用马刷子再细细地刷一遍马的全身，这是一个骑手对他的坐骑所应该做的最起码的事情。

较之叱干阿利，薛鲜去驯服一匹马的经过则简单得多，粗暴得多。他选择的是一匹颠马。他小时候一直有一个梦想，就是骑着一匹四蹄翻花的颠马，一路上铃铛响着，从五色草地上走过。

起初，他也像叱干阿利一样趴在栏杆外，眯着小眼睛瞅着。后来，他终于相中了一匹颠马。他翻身上了栏杆，等马群转圈圈，当那匹颠马转到他跟前时，他一个虎跳扑上去，一把抱住这匹马的脖子。

马受了这突如其来的惊吓，暴怒起来，别的马在旁边旋风般地踏过，它此刻却不能动弹了，马有些愤怒，它扬起脖子"咴咴"地叫着，试图挣脱。

薛鲜半个身子倚着这匹马，一条腿半蹲式地伸向马的脖子下边。只见他腾出抱住马脖子的一只手，在马的耳朵上摸索，这不是去在那耳根上搔痒，而是用一只大手，将那耳朵死死地攥在手心，然后再腾出抱住马脖子的另一只手，去找马的嘴巴。一阵摸索，马的长嘴巴找到了，也被牢牢地握在手里了。

接下来的事情，就是使蛮力了。只见薛鲜那抓马耳朵的手和那掰马嘴巴的手同时用力，将马头往自己怀里这边掰，将马嘴向天空的方向掰，腰上再一施暗力，事先塞进马脖子下面的那条腿带动整个身子向马压去。

只听"嗵"的一声，这匹大颠马像一座山那样倒下来了。

薛鲜用身子继续将马压住，顺势给它戴上笼头。

这匹马就这样被驯服了。

而薛桓得到他的坐骑的手段，又不同于以上两位。

他喜欢奔驰的马，喜欢那热血沸腾、两耳呼呼生风的感觉。他希望能得到一匹挖蹦子的马。他将栏杆打开，将一拨马赶到了戈壁滩上。薛桓骑在原先的坐骑上赶着这拨马，让它们在戈壁滩上奔驰。他的手里挥舞着套马绳。那套马绳是用牛皮割成的细条做的，平日牧人将这套马绳整理好了，盘成一圈一圈挂在马鞍的一侧，使用它的时候，将这盘成一圈一圈的绳索，从马鞍上取下来握在手中，一边追赶，一边在自己的头顶挥呀挥呀，约摸着距离差不多了，一扬手，绳索飞向前去，那套环就准确地套到前面的马脖子上了。

身大力不亏的薛桓，此刻就用这样的办法套住了跑到最前面的那匹马。那马快，他是追不上的，但是人聪明，抄近路驱马风驰电掣地去追。只见那绳索飞起，在空中飘了有十丈远落下来，刚好落在那正在奔跑的马头上，马头向前一伸，就牢牢地套在脖子上了。绳索的这一头却还系在薛桓的马鞍子上。

那马正在兴头儿上，哪肯就范，一个立桩直撅撅地立起来，口里"咴咴"地叫着，试图挣脱。薛桓两手拼命地拽那绳索，两脚使劲蹬住马镫，身子在马背上都后仰得、倾斜得快要掉下来了。

那马挣扎了一阵，看看挣不脱了，只好就范。

得胜的薛桓走过去，给擒获的这匹马换上早已准备好的笼头，把那套马绳取下来盘好，依旧挂在马鞍上。然后，骑在自己的马上，牵着这匹汗血马，徐缓着步子回到营地。

三千匹汗血马中，原来却也有一匹头马。那马全身乌黑，发着缎子一般的亮光。四只蹄子是白的，仿佛是一匹黑马站在皑皑白雪中。前面我们已经说了，这马的额上还有一道白色的闪电。

这真是一匹好马，所有的人都看上了这匹马。但是，这匹高贵的桀骜不驯的宝马根本看不起那些试图使役它的人。是的，很多人都尝试过，我们前面谈到的那三种走近一匹马的法子，大约很多人都对它使用过了，但是，他们要么是重重地挨了一蹄子，要么是被马在奔驰中一个直角转身给甩了下来。

这样，到了最后，三千匹马中，只有这一匹马暂时还没有主人。

"这是我的坐骑！"刘勃勃看上它了，欣赏它了，甚至可以说崇拜它了。

所有的马都被牵走了，得到马的人们有的去遛马，有的去刷马，山沟里这个空荡荡的大马厩里，现在就只剩下这匹马中之马了，它阳光下披着一身黑缎子般的光芒，孤独地站在马厩的中心。

勃勃先走过去将那马厩的栏杆挡好，挡结实，防止那马跑掉。如果这匹马跑回草原去了，是很难追上它的。

将那马厩关好以后，刘勃勃手里拖着根羚羊角做杆、熟牛皮做梢的马鞭走了过来，他扬起手，不问青红皂白地开始打这匹马。他要把马身上的这股傲气打掉，打得那倔性子屈了。

见主子刘勃勃打马，叱干阿利吆喝来薛鲜、薛桓，将他们自己的坐骑在那栏杆上拴了，也提着马鞭子走了过来。

最初，当刘勃勃一个人在挥动鞭子打马的时候，这马端端地站在那里，长长的脖子拧着，纹丝不动。它明白马厩的门是关着的，它是逃不走的，现在唯一能做的事情是将头避开，将屁股对着这个打它的人，让那鞭子落在它的厚厚的屁股蛋子上。

但是第二个人来了，对着它的头打。于是它只好将身子横过来。不料，第三个、第四个人又拎着马鞭子过来了。马现在是无处可躲了。

东西南北四个方位站着四条汉子，四条汉子每人手里各拎着一根鞭子。鞭子不急，有节奏地一下一下，落下时的声音很沉闷，这表明鞭子是结结实实地打在了肉里边了。

汗血宝马知道躲避是没有用的，四方八位都是鞭子，它所唯一能做的是纹丝不动，任你鞭子去打，自己则咬着牙关忍受。

一顿饭的工夫过去了，马已经被打得皮开肉绽，皮张上血汗双流。它终于支持不住了，扬起头来“咴咴”地叫了两声，然后两只眼睛流着泪，四条腿弯曲，蹄子翻起，慢慢地跪倒。它臣服了。

勃勃和他的部属们终于降服了这匹桀骜不驯的马。眼见得这马跪倒在地上了，勃勃扔了手中的鞭子趋上前去，为马系上笼头，然后拽住缰绳将马牵起。

马全身打战，眼含热泪，它已经屈从于自己的命运了。

在草原上，那些半野生状态的马，那些性格暴烈、桀骜不驯的烈马，大约就是这样被驯化的。

是时，三千匹汗血宝马各有其主，红马军团、白马军团、黑马军团也相继成立，下来他们要做的事情就是抽空压一压马，给自己的马配一副合适的鞍子，然后有可能的话，将那天然的马掌削一削，为它们钉上铁掌。

这配备鞍子和钉马掌的事儿由聪明人叱干阿利负责。他从一开始就显示了自己在这方面的能力，直到他后来铸造龙雀大刀，被赫连勃勃拜为宰相兼将做大将，去修筑那个统万城，其实一直都在干着这方面的活儿。

这一日是个好日子，他们踩镫上马。

像草原上的好汉所经常做的那样，刘勃勃坚持要亲自为他的汗血宝马配上鞍鞯。

马被牵来了。先上马嚼子，马嚼子是一根明晃晃的铁棍，这铁棍从马的嘴里穿过。铁棍的两头系上皮索，这皮索绾成一个面具那样的东西，后面一条勒住马的耳根部分，前面一条在耳朵前面，马的两边脸颊还各有两道。然后再用一条长长的牵马的皮革条，两头系在马咬在嘴里的那根铁棍两端。这样人捉住马缰，随便往哪边拉，马的那个勒口都会感觉到疼痛，便不敢抗拒了。

然后在马背上搭上两个垫子。一个小一点儿的是汗垫，用来吸收马在奔驰时流下的汗液。另一个大一些，整个遮住马背，这是为了让那马鞍搭在上面。马鞍的前桥和后桥是用木头或者铸铁做的，饰以熟皮包裹，两边则有两扇皮面耷拉下来，遮住马镫革。那一左一右两个马镫是靠一截上等的皮革连接，从而系在马镫上的。粗心的人会将这马镫系死，这样骑马者一旦掉落马下，马镫不能及时脱落，骑手就会一只脚塞在马镫里被马拖着走，直到毙命。这种情形叫“拖镫”。而细心的工匠会将这一头做成活的，系住马镫革鞍桥上那个铁质的拴儿，这样马镫会因骑手的"拖镫"而自动脱落。

鞍子披上，再下来的事情就是系马肚带了。"骑手的命在马肚带上"是一句草原格言，因此这马肚带一般得骑手自己来系。

三条肚带在马的另一侧垂下来。刘勃勃伸出穿着马靴的脚去挂那肚带，勾过来一条，上紧，扣子扣好。再去挂另一条。这时候不要低头用手去取，当心马会给你一蹄子，弹你一下。马蹄向后踢叫踢，向前踢叫弹。

"备马"的最后一道工序是为那马系上后鞧。所谓的后鞧，是将一条熟皮子做的柔软而漂亮的皮带一头系在马鞍的后桥上，一头穿过脊背，穿过马屁股中间那道深渠，一直通到马尾巴根上，然后在马尾根部将它系紧。

在这个草原的青色的早晨，未来的朔方王、大夏国国主赫连勃勃，就这样细心地，像完成一件艺术品一样，为自己的坐骑备好了装具。

当然，不要忘了给那马脖子上再挂一个用熟皮子做的酒壶，草原民族三件宝：弓箭弯刀皮酒囊。而在马鞍贴近马肚子的地方，再装上几袋草原风干羊肉。熟肉自然好，生肉也行，只要一番行走，那生肉就会被骑手的大腿和马的身子挤压变熟的。

整装待发，马焦急地用蹄子砍着地上的土，嘴里"咻咻"地叫着，等待着奔驰。

"上马吧，我的红马军团、白马军团、黑马军团！"刘勃勃冲着这一片草原大喊了一声。

说完，他自己先踩着马镫，闪一闪身子，一跃上马，坐稳，然后一拽马嚼子，踏踏两步，逐渐加快。他的随从叱干阿利、薛鲜、薛桓，叫声"主子且慢，我们来了"，也随后跟来。

当一匹马开始奔驰的时候，同行的马会跟着上来，于是乎马蹄踏踏，宛如一股洪水猛兽。

骑手是阻挡不了他的坐骑奔驰的。奔驰是马儿的天性，它们是为奔驰而生的，那就像鸟儿是为飞翔而生的一样。骑手这时候唯一能做的事情就是松了马嚼子，顺应马儿的愿望，让马奔驰，让马使性子，让马显示力量。

卑微的、贫瘠的、破败的、苦难的草原，它已经许久没有见过这样的奔驰了。马蹄声惊动了草原，震颤了草原。懦弱的人们纷纷从帐篷里、平房里或者窑洞里探出头来，看着这风一样一掠而过的马队。

人们口口相传，说在刘卫辰死去之后，荒草不除根，来年又发生，新的主公刘勃勃产生了，草原上又升起了太阳。

于是刘卫辰当年的残部迅速归拢。帐篷里、毡房里或窑洞里那些渴望建功立业的精壮后生，也纷纷牵上了自己的马加入队伍。那三万名龟兹国移民，其间也不乏孔武有力者，他们不甘心从此与这平庸的地形地貌为伍，不甘心从此匍匐在大地上以事农耕，于是也跟在了队伍的后头。

第四十三歌
黄河与固远城

安远将军刘勃勃，从这一刻起正式亮起旗帜，打出名号，开始向大河套深处进发。他们的第一个目标当是那黄河"几"字形转弯处的固远城。虽然勃勃的铁骑所向此一刻还没有抵达固远，但是风暴已经起了。"固远城"这个本该与世无涉、偏安一隅的小城，已经许多次出现在了一些重要人物的口中了，读者也许对它有些熟悉了。

这将是赫连勃勃的第一步，他实现野心的第一步。对于这第一步能不能踏出，能不能踏稳，此刻勃勃自己心里也没有底。

他们的马队是顺着黄河左岸的河床溯流而上的。越往大河套的深处走，山就越显得高峻而凶险。水土流失在当时已经很是严重了，天雨割裂，黄河两岸的群山，地皮被洪水刮掉以后，露出一道一道的山的筋骨，树木已经很少了，牧草也已经很少了，只有那往来无定的风在呜呜地吹着，从山野轻掠过去。

能给刘勃勃一点儿信心的是，他们始终是沿着这条大河上行。有时候，看不见黄河了，但是绕过一个弯子之后，翻过一个山头之后，那条熟悉的水流又像一条蜿蜒的长龙一样，在他们的左近奔腾，从而给人一点儿踏实的感觉。

是的，"势"已经起来，尽管就目前的境况来说，还仅仅只能说是"势单力薄"，但是当这一股汹涌的潮水开始奔流，开始泛滥时，它们将来的发展，谁也不敢低估。在这个乱世，一股可怕的力量就这样出现了。

統萬城

那萬個
跃上馬背的
是匈奴王原
上的匈奴人
時間是距今二千
八百二十三年
壬辰歲

固远城在那大河套的深处，背倚着贺兰山，面对着高平川。黄河在城的不远处叹息着流过。它的准确位置是在大河套那"几"字形的大弯中前弯靠近顶点的地方。它在黄河的内侧，所以给人的感觉并不是太远。那黄河的外侧，大河套更深的深处，还有着许多威名在外的森森老城，例如黑水城、白水城、受降城、锁阳城等等。那些城池将来也会是赫连勃勃的目标的，且让我们走着看吧。

黄河在进入固远城之前，水是清的，碧绿的，河中间卧着从巴颜喀拉山上冲下来的滚圆滚圆的星辰石。而在流过固远城之后，水便变得异常混浊了，因为它须得穿越大河套，路经戈壁滩、大沙漠和黄土高坡。

黄河一年发两次水。第一次发水是在春天冰凌期。冻结了一冬的黄河冰层在春天的时候开始消冰。消冰，通常是从那河流的拐弯处、有滴水处、水流湍急处开始的，年年并不固定。夜来，惊天动地的一声声炸响，那是黄河的冰层炸开口子了，水从口子中急急地溢了上来、漫了上来，于是这一段河流开始消冰。那冰层一摞一摞，堆砌得像一座山，冰层与冰层摩擦，轰轰隆隆直响。这时的上游与下游的河段，冰还没破，水泄不通，因此冰山会越堆越高。终于，下游泄通了，于是冰山嘎巴一声响，向下游泄去，黄河一年一度的春汛就这样开始了。蔚蓝色的一河春水成一幅几十里宽的扇面，颇具威仪地从大河套地面流过。这春汛期往往三月底开始，五月末结束，黄河两岸郁郁葱葱的林带，也主要靠这一场春潮来滋养的。而那低洼处的牧草，更是得益于它，即便那水退去了，仍会有沼泽、湿地和湖泊留下来，继续滋养着牧草。直到把这些草甸子里的牧草，滋养到秋天结籽时为止。

黄河第二次发大水是在盛夏和初秋。一场暴雨伴着打雷闪电过来了，白雨点子拍打着地皮，地皮太硬，土质太薄存不住水，于是一条条混浊的湍急的水流从戈壁滩夺路而出，涌入黄河。黄河的汛期又到了。

我们的固远城就在这黄河的岸边，千百年来目睹着黄河的水涨岸塌，目睹着这人间的世事沧桑，直到我们的大美女鲜卑莫愁的这个年代。

我们的笔墨对这位大美女冷落得太久了。当前面的那些故事发生的时候，暂时还没有故事的她正日日坐在那固远城门洞子上的城楼上，抚琴和歌唱。歌台舞榭，那仅仅只搭一个台子的地方叫"台"，那台子上面再覆盖一个亭子的地方叫"榭"。我们的鲜卑莫愁就兀立在这歌台舞榭上，以一种永恒的耐心，在等待那脸上有三道刀痕的草原来客的出现。

此一刻，当勃勃的踏踏马蹄沿着黄河左岸，不分昼夜地向那固远城奔驰时，她就在固远城头，歌台舞榭之上，等待着那一团幻影的出现。她感觉到自己等待得已经太久，等待得都已经有些老意了。

而在后来，在她与赫连勃勃的相处中，在那爱恨情仇的炙烤下，她彻夜难眠，她曾不停地问自己，那最初的日子，到底是什么东西蛊惑了她，令她钟情于这个脸上有三道刀痕的男人。直到有一天，她大约是想透了，那原因就是，她渴望有不平常的际遇，渴望有不平常的人生，而那个男人能给予她这一切。那个男人身上有一种奇怪的味道，她的嗅觉准确地嗅到了这一点。

第四十四歌
鲜卑莫愁

这是一个青色的早晨。这个早晨，对固远城来说，对鲜卑莫愁来说，都是一个重要的时辰。清晨，一列列长云从遥远的天际，一直铺到固远城后边那蓝宝石般的贺兰山巅，大红坨坨一样的太阳，一跃从东方的地平线上跳了出来，霎时间满世界一片光明。那情景，就是人们常说的：清晨，一列列的云彩在等待太阳，好像群臣列班在等待君王。

阳光平射，视野辽阔，从固远城头向东方望去，辽阔的天地之间，一只草原鹰驾着气流，平展着翅膀，在平稳地飞翔。那翅膀一动不动，连转弯的时候都不动。偶尔，它从高空中发现一个猎物了，那猎物或者是腐尸，或者是活物，它才会箭一样的，一个俯冲下来，长唳两声，敛落地面。不久，爪子张开擒获着抓到的猎物，它又会飞回天空去，继续着它的草原巡视。

> 你看那苍鹰又在天边遨游，
> 它莫非生在战乱的时候！
> 你看那片片的流云在疾走，
> 它莫非在呼唤着那已去风暴的怒吼！

固远城头上，琴声又响了。这是我们的鲜卑莫愁在弹琴。那惆怅的歌声，较之当年与刘勃勃在路途上相遇时，那"我的车子上有一大袋子酸奶子"的清脆童音；较之不久前在固远城头时，吟诵"于是佛把我化作一棵树，长在你必经的路旁"时的清纯之音，已经多了许多人生的况味，多了许多女人的闺怨。

在这样的早晨，固远城头上，琴声如诉。刘勃勃率领着他的草原兄弟，踩着这琴声的节奏，一步一步，逼近固远城。

无遮无拦的旷野上，那琴声传得很远。因此勃勃这一行人等很早就听到了这略带几分惆怅几分沧桑的琴声。那声音给他们最初的感觉是，像一只发情的母狼在万籁俱寂的夜晚，面对荒原倾诉，发出求偶之声。待慢慢地走近了，侧耳细听，听出是琴声的弹拨，而伴着琴声的，是一个高贵的声音在吟唱，自怨自艾。

他们多么愿意放轻脚步，一直踩着这抑扬顿挫的吟诵之音走完这一世。就连刘勃勃也被这声音感动了，放轻了他的马蹄。

但是无论他们的脚步怎么放慢，怎么放轻，最后还是来到了固远城下。

勃勃勒住马头，手搭凉棚，向威赫赫的固远城头望去。他看到了城头上那一袭曳地红裙正在抚琴而歌的鲜卑女，看见了那四角翘起的建筑歌台舞榭，于是以手加额，向那美女致敬，然后口中撩拨道：

"有一首古歌这样唱道：'北方有佳人，绝世而独立。一顾倾人城，再顾倾人国。宁不知倾城与倾国？佳人难再得！'那古歌仿佛是为今天的此情此景而写的。良辰美景奈何天，萧条异代不同时，固远城的美人呀，你的歌声我们听到了。过路客刘勃勃在这里有礼了！"

在那个年代里，草原民族以接受中原文化、洞悉中原文化、崇拜中原文化为时尚，我们的刘勃勃也不能免俗。他此刻的话语中，就有许多卖弄的成分在内。

城头上的美人听到招呼声，抬眼看到了城头下的来客。于是琴弦"嘣嘣"两声作结，停止了弹琴和吟诵。

她站起来，伸出手臂将裙裾轻轻地提起，接着正一正高绾的发髻，这一切做罢，回嘴道："城头下面的过路客，你的聒噪打搅了我的雅兴。叫人怎么说你呢？你真不识相，搅局了！"

"有乌有乌，绕树三匝，无枝可依！固远城的美人哪，勃勃听到你的吟诵中，有一种无所依傍的情绪在内，仿佛一只发情的母狼面对旷野，在暗夜里发出的求偶之声！美人哪，青春易逝，花开有季，莫非你在等待什么人吗？"

"过路客，莫放粗口，否则我要恼了。不过，不瞒你说，我确实在等待一个人，这个人当年曾许下口愿，说等他长大了，富贵了，要筑一座城，让我去做那座城的女主人！"

听到这话，城头下的刘勃勃十分感动，脑子轰的一声。他向城头问道："那么姑娘，这么多年来，亲爱的朋友，你就一直等待着那个人的出现，信守着路边扔下的那一句话吗？你就不怕路边的一句话，山风一吹就会无影无踪了吗？"

"是的，我在等待，经年经岁，站在这城头上翘首以待。眼睁睁地看着这一片草原莺飞草长，草枯草黄，眼睁睁看着这一段河套春凌秋汛，水涨堤塌，就这样一直傻等到现在！"

"在等待的这些年中，你就没有遇见过什么人吗？"

"遇见过。固远城下是一条通衢大道，名曰丝绸之路北道，那过往的各色人等络绎不绝，驼群马队鱼贯而过。其间不乏有波斯王子、西域商贾，他们单膝跪倒，拜倒在我的裙下，但是我已心有所属，不为所动！"

"你还记得当年路遇的那个人吗？那个曾为你许下口愿的人！"

"记得，怎么不记得呢！他那时候还是个孩子，或者说，他是个半大小子。他是那样的忧郁，那样的痛苦，那情形，就像全世界的苦难都装进他一个人的胸膛里似的！他从草原上来，身上有一股淡淡的羊膻味儿！"

"你还记得什么吗？"

"我记得他那张特殊的脸。他的脸颊上有三道伤痕。那第一道伤痕代表勇敢，第二道伤痕代表美仪，第三道伤痕代表凶恶。是的，他很凶恶，我能感觉出来的。然而女人真是个奇怪的东西，不但不反感，反而，被这勇敢、美仪、凶恶的混合体给迷住了！"

"那是可怜的我呀，亲爱的人，请你俯下身子向城下瞅一眼吧，眼前骑在马上的这个男人，他的脸颊上是不是有三道伤痕？"

美人见说，俯下身子向城下望去。

"天杀的，你终于来了！"鲜卑莫愁惊叫了一声，晕倒了。

固远城的城门，"吱呀"一声开了。

刘勃勃以及他的随从，鱼贯而入。

第四十五歌
胡旋舞

固远城较之先前我们见到过的叱干城，倒有几分相似。不过这固远城要大上许多，也森严、齐整上许多。城头上有"关河锁钥"四个大字，显示这地方是军事重镇，是大河套地区的一把锁，或者说是一把开锁的钥匙。

那四周的城墙也垒得四棱四正，严严实实。这里筑城的石头用的是贺兰山的云母石，亮蓝，坚硬，在阳光下闪闪发光。那叱干城筑城的石头，就次一等了，那是从黄土中刨出的糙石。所以那城总给人一种灰头土脸的感觉，而这固远城就厚重森严多了，叫人不敢小觑。

驻守这座后秦名城的是高平公莫奕于将军，大河套地面一个根基深厚、有头有脸的人物。

翌日，固远城高平公莫奕于将军府内，设宴为刘勃勃一行接风。

将军端坐在那里，原来，威名在外的他，却是一个留着山羊胡子的和善小老头儿。那刘勃勃现在就坐在莫将军的右侧，在莫将军的左侧坐着他的小儿子鲜卑莫喜，一位英武的小将军。在草原民族的规矩中，左为大。

寒暄两句，勃勃起身，恭敬地递上文书。

莫奕于笑了，他说他知道这件事。固远城是丝绸之路上的一个要冲，来往客商塞道，消息不胫而走，因此对于他来说，长安城里发生的事情，没有他不知道的。有些事情与己无关，他不往耳朵里送；有些事情与己有关，他才捎带地听上两句。

莫奕于接过文书，那是安远将军的委任状。他象征性地看了一眼，继而丢在了几子上。

"安远将军，我来为你接风。天高地远，山城简陋，这里的吃喝以肉食为主，烤全羊、骆驼掌、青稞酒、酥油茶、油炸果、奶疙瘩、塔儿米、炖羊杂，等等，这些我都已经预备下了。另外，这地方有一道菜叫'驴板肠'，最为有名，也已经预备下了。主食嘛，叫'剁荞面'，也还可口，一会儿再上吧！"

莫奕于又说道："那是小儿，名叫莫喜，既领兵打仗，又帮我料理内外，掌管城中三万控弦之士。膝下还有一女，名叫莫愁，能歌善舞却又郁郁寡欢！"

这样说罢即开席。勃勃心中有事，席间，他起身敬酒，敬完酒后，清清嗓子说道：

"主公，我闻莫愁公主才艺过人，集美貌、智慧于一身，有北方佳人之称。这丝绸之路上口口相传。此一刻，酒过三巡，何不请莫愁妹妹现身，为我们弹琴作赋，欢歌一曲，也让我们这些粗俗之人开开眼界。"

勃勃这话，顺着人说，句句中听入耳，直听得莫奕于眉目飞动，暗暗得意。爱女莫愁是他的骄傲，他也希望她展示一下。

莫奕于拍了一下手，掌声刚毕，只听见珠帘一阵响动，莫愁出来，深深的一个"喏"，风情万种。那古琴原先已经在厅堂中备好，看来，莫奕于将军平日接待客人，请出莫愁抚琴是常有的事。

莫愁走到琴边，坐定了，十指张开，先试一下琴弦。

勃勃站起来，也拍了一下手说："世间有一件奇事。一位西域高僧，大名叫鸠摩罗什，被我主姚兴裹胁而至长安，想不到这高僧身后马蹄扬尘处，竟尾随了三万之众的龟兹国百姓。龟兹国是歌舞之国，尤其是有一种舞蹈叫胡旋舞，脚尖踮起，脖颈笔直，身子风一样地绕地十八旋，煞是好看。我那行营里就带了这样的胡姬，胡姬之外，还有一个皮肤黝黑、胡貌番相的昆仑奴。能否请他们进来，为莫愁妹妹的琴声伴舞，也博莫王爷一笑！"

莫奕于见说，喜道："那胡旋舞之美妙轻盈，本王爷是早有耳闻，只是还未亲睹。新闻年年有，今日到我家。安远将军这话甚好，速请那些远方来客登堂入室，献技吧！"

二十个身材高挑的胡姬，一个身材矮短的昆仑奴，已在门外等候多时，这时，听到召唤，鱼贯而入。

莫愁女十指高高扬起，落下，一声猛拨，随后嘈嘈如雨，又如大珠小珠落玉盘。

矮小的昆仑奴击着手鼓，弯起腰在核心倒着步子，转着圈子，一群胡姬脚尖踮起，身子风一样地扭动。那胡姬的脖子细长，脖子上顶着一颗小小的头，猛而东，猛而西，随着节奏扭动。

这就是号称西域第一舞的"胡旋舞"。这种舞蹈以舞者飓风一般的旋转而得名。在那令人眼花缭乱的旋转中，据说舞者的心跟着伴奏的弦音走，手指则随着鼓声的节奏走。而当弦鼓合为一声之时，她则双袖并举，全身像风摆杨柳一样筛动，像雪花飘落一样婀娜多姿。

在那疾如闪电快如飓风的原地三百六十度旋转中，胡姬那摄人魂魄的眼神会向观众匆匆一瞥。这一瞥，饱含撩拨之意。当你瞠目结舌、陷入联想时，眼神已经转过去了，你看到的是雪白的脖颈三角区；而当你略感失望时，这眼神又丢来了。

还有腰肢。舞蹈的灵魂在腰上，这话没有说错。因为所有的旋转都是以腰为中轴线的。那是怎样的腰肢啊！短坎肩紧紧束住的腰肢大约只有两把粗，它的曲线让人想起一匹良马颀长的腰身。

还有足尖。小马靴前面的足尖将整个身体支起，并完成它的旋转。那足尖还用它点地时的一戳一戳，给整个舞蹈以节奏。

五短身材的昆仑奴是这二十个胡姬的核心。他时而半蹲下来，击着手鼓，时而倾斜着身子，以手拄地，像这股风暴的风暴眼一样，旋转着在核心刮起台风。

据说，昆仑奴的祖上来自遥远的阿拉伯半岛。他们后来流落到西域，再后来又从西域流落到中原。在我们这个故事的后面，还不断地会有昆仑奴出现的。

所有的人都看呆了。

在这残酷的世纪里，在这兵荒马乱的年月，在这荒僻的边远小城，这场盛宴也许会被人们永记于心。

这场舞蹈的指挥者，用琴声来打出节奏的莫愁女，像喝醉了酒一样，手指飞动，面颊绯红。她在弹奏中不时地用目光从刘勃勃那有三道刀痕的脸上掠过。

当酒足饭饱、面红耳赤之时，懂事的鲜卑莫愁将琴弦猛烈地弹拨两下，然后两手将琴弦一捂，琴声戛然而止。胡姬与昆仑奴见琴声停了，像接到号令一样，所有的舞姿都瞬间凝固。凝固片刻，完成造型之后，低着头，倒退着离去。

贺兰山的夜已经很深了。山风起了，山谷间传来阵阵声响。

当这场欢宴结束时，刘勃勃起身。他趋前两步，在莫奕于将军的面前跪下来：

"莫王爷，勃勃有一句话，堵在喉咙里，不知当说不当说。如果今夜不说出，勃勃恐怕会难过致死的！"

"贤侄，有什么话，但说无妨！"莫奕于还处在刚才的梦幻中，见勃勃上前施出这般大礼，又说出这等话来，有些惊诧。

勃勃低下身子，头颅顶着王爷的膝盖，说道："王爷，勃勃仰慕莫愁妹妹久矣，想攀个高枝，到府上入赘为婿！"

这话说得有些唐突，令莫奕于一点儿思想准备都没有。那莫奕于听了后，沉吟半响道："这事我应了。不过，我应了是不算数的，还得看看莫愁的意见！"

勃勃应声说道："莫愁妹妹如果不答应，勃勃就在这里，长跪不起了！"

勃勃说完，用眼角一扫，向鲜卑莫愁望去。

莫愁女双颊绯红。她冲父亲甜甜一笑，笑得那么真诚，那么可爱，那么善良！

"行，姑爷起身吧，这事莫愁女答应了。"莫奕于说道。

第四十六歌
在草堂寺

日子风一样地过去了。就在刘勃勃入赘固远城几年之后，在长安城南侧，终南山下的草堂寺，鸠摩罗什大师正在讲经。高鼻、深目、串脸胡子的他，盘腿坐在一个用麦秸秆编织而成的蒲团上，好像正在讲《金刚经》。

底下的大堂里放着一个一个这样的蒲团。这蒲团是用关中平原上的麦秸秆编织而成的。那第一个蒲团上坐的是后秦姚兴。姚兴的后面，文武百官按职位大小依次而坐。

"我感到自己快要死了！我在这草堂寺中一共译了二百多卷经书，可以夸口说，天下的经书，三中有二都是本僧翻译的。我是真诚的。如果我的译经与原经文的旨意相符的话，将来辞世后，火化时我的舌头非但不化，还将有莲花从口中喷出。后世的人们，会以'舌吐莲花'四字来赞美我！"

高僧说着向窗外瞅去，窗外莲花池中那一池莲花此一刻开得正盛。肥大的叶子像蒲团一样，一张张平铺在水面上。那莲花，有的刚从这铺开的叶片之间挤出头来，像一个攥着的拳头；有的已经被长长的茎秆挑起，离水面很高了，茎杆上面顶着一个花萼；有的则已盛开成粉红色的花朵，花瓣们一层一层抱成一团，花心中有一个粉白色的花蕊。

"在这遥远的东土，我看见我佛了，他就在窗外，在那一片莲花池中。花开见佛——见莲花开如见我佛！"鸠摩罗什继续说道。

草堂寺是一座位于逍遥园行宫中央的佛教大寺，谷草苫顶，故曰草堂。这逍遥宫是前秦苻坚、后秦姚兴的避暑夏宫。它建在终南山七十二峪中最大的一个沣峪的口上。沣河从山沟里奔涌而出，流向平原，成为"八水绕长安"中的一水，这逍遥园就紧依山脚，濒临沣河水。宫门面南而开，也就是说面对终南山而开，所以有"倚南窗以寄傲"之说。迎门有一个大殿，那是后秦姚兴平日处理公务和夜间歇息的地方。大殿后面仍有偌大地面，皇家督造，在院子正中盖了一座草堂大寺供鸠摩罗什高僧使用。后来随着寺院佛事兴隆，僧人增加，又围着这大寺，分别在它的东边、西边、北边各盖有三座小寺，供僧人们居住。

草堂大寺的西北角有一眼井，每年春夏之交，井中会有烟雾袅袅而出，扶摇直上，升上天空。这一景十分奇异。院子中有莲花池，挖掘而成后引来沣河水。那一池莲花，春来接天莲叶无穷碧；夏来荷花或打骨朵儿，或半开，或全开，光彩照人；秋日里满池莲蓬，结满莲子；冬日里荷花败了，仅剩下一池莲秆，莲秆上挑起枯黄的叶子，亦是一道好景。

姚兴将这里办成了中国地面上的第一所国立译经场。鸠摩罗什高僧收三千名印度学生学习汉语，又收三千名中国学生学习梵文。整座草堂寺，晨钟暮鼓，香火兴隆，成为当时中原地面最大的佛教中心。

那鸠摩罗什高僧历经千辛万苦，百死一生，终抵达长安，如今既来之，则安之，也就心无旁骛，唯以光大佛法为大要。高僧生性聪慧，一肚子的学问，年轻的时候，曾经有过宏大抱负，觉得过去这些被奉为经典的经书，其中有着许多的"不然"，常让人有言不尽意之憾。他想自己亲自执笔，再创一些新的经典，可是东方环境令他失望，这里的人们更注重于实际，以实现衣食温饱为人生第一要旨，缺少高远的志向和深邃的思考。鸠摩罗什明白，要进行这样的创作是不可能的事情了，缺少启迪，缺少交流，缺乏大环境。所以此一刻的高僧，也就只有以译经为主了。

草堂寺的院子中有一棵孤独的梧桐树。有一天早晨，从西边方向飞来一只受伤的白天鹅，它在这树上栖息，发出阵阵鸣啾。恰好这时有天竺国那烂陀寺的高僧来访，树下摆起茶炊，小聚间，鸠摩罗什高僧手指那孤桐上的白天鹅，叹息曰："那就是形单影只的我呀！"其声哽咽。

后秦姚兴虽然知书达理，笃信佛教，毕竟只是个凡夫俗子而已，平日那言谈举止之间，常露出粗俗一面。这一日，三月三日天气新，长安水边多丽人。姚兴要高僧陪着他到沣峪口地面转悠。到了晚上，姚兴说："高僧呀，今天我见你一行走来，一共对十个宫中丽人露齿笑过，朕现在决定了，就将这十位佳人赐予你，做你的老婆。"

高僧听了，大惊道："这是亵渎佛门的事情，本僧万万做不得的！"

姚兴笑道："你是世外高人，聪慧灵秀，朕笨想，假如高僧能有子嗣留下来，改良人种，那么这一块粗俗地面，就可以得到改观了！"

高僧变脸道："不可！"

后秦姚兴哪里理会高僧的拒绝，是夜，遂吩咐那十个宫女入草堂寺，陪高僧宽衣解带安歇。高僧见了，叫苦不迭，只得将那十个宫女安顿在外屋歇息，自己则走入内室，关紧房门，和衣睡了。

这事传出，成为长安城的一个笑柄。文武百官从此看轻了鸠摩罗什，高僧讲经时，他们也不那么专注地听了，并且时时打断高僧的谈话，发出诘问。

更有寺院中那些年少的僧人，亦时时露出轻侮之意，嘴上说道："你有十个老婆，我们却一个也没有，这世事真是不公平！"

鸠摩罗什听了，觉得不理会是不行了。这一日，他将寺院全体僧人召集到草堂大寺。待众人屋内坐定，高僧拿出一只大钵来，又将那锋利坚硬的钢针盛满一碗。高僧闭目养神一阵后，用手指捻起一枚钢针，用舌顶吹气，那钢针登时红了、软了、化了。鸠摩罗什又拿起一枚钢针，舌尖顶住，轻轻一吹，钢针拦腰折断。他又将钢针的两个断裂处吹一吹，吹红，然后用两只手一对，这钢针便又焊接在一起了。

众人看得目瞪口呆。高僧叹息一声，然后端起那满钵的钢针，用手撮着，一大口一大口地填入嘴中，抿一口唾沫，咽下，吃完这一满钵钢针，最后拍一拍自己的肚皮。

做完这一切，鸠摩罗什对着大厅细声说道："愚妄的人们哪，如果你们能吞下这一根钢针，那么就可以去找一个老婆了；如果你们连一根钢针都不能吞下，那么，你们就甘心去过自己平庸的人生吧，以后也不要在我耳边再聒噪了！"

说完，高僧闭目，开始自己这一天的修持。

僧人们目睹了这一幕，又听了鸠摩罗什这一番话，满面羞愧，大家以手扶地站起来，慢慢地倒退着离开了经堂。

草堂寺自此又恢复了安静。

是的，尽管处处受人尊崇，尽管光环笼罩，但是我们的高僧并不快乐。那些伟大人物大都是这样的，他们走得太远了，很难能有人与他们同行为伴；他们站得太高了，孤独的灵魂在天的高处，清冷而寂寞。也许，只有在佛的国度，在每日的修持中，他的精神才能得到片刻的安宁，片刻的踏实。

后世的人们将像仰望一颗遥不可及的星斗那样仰望他。同时代的人将会诋毁他，觉得他不过尔尔，和凡人一样地吃喝拉撒睡。那是谁说过：九十九步的一半是一步。这是一个超数学问题，当代人不明白这个道理，因此诋毁天才；后世人不明白这个道理，因此在天才面前焚香膜拜。

鸠摩罗什在草堂寺的这十三年中，处境大抵就是如此。

有一件事让他悬了多年的心终于放下。自那陕北高原上捎来了一封信函，信函来自新建的龟兹城。信函中说，贤明的高贵的鸠摩宰相在历经种种磨难之后，终于带领他的臣民们在那块土地上安家立业。家园建立起来之后，这位宰相说："我这个宰相还是合格的吧，有担当，有交代！在行将辞世的时候，我细细地回顾了一下自己的一生，得到的结论是，我不欠这个世界什么，这个世界也不欠我什么，所以我可以释然地撒手长去了！"

鸠摩宰相说完，寿终正寝，他就埋在那顶毡帽被种植到地里以后，长出的一棵胡杨树下。鸠摩宰相去世时，正是深秋，那一刻，这棵胡杨树上的树叶在金灿灿的高原阳光照耀下，刚才的满树碧绿，一下子变得金碧辉煌。

那树叶的颜色像金箔纸的颜色一样，金光灿烂，闪闪烁烁。

信函中还夹了三片树叶。一片是细长的柳叶，一片是大叶杨的叶子，一片是窄小的带花边的枫叶。

望着这三片树叶，鸠摩罗什高僧的眼睛湿润了。他明白，这三片树叶正是来自那毡帽种植出的那棵胡杨树。

在西域各民族的语汇中，那"生长不死一千年，死后不倒一千年，倒地不朽一千年"的胡杨树还有另外一个称谓，叫"三叶树"。

胡杨树冠的底部，那些从树根或树身上憋出来的枝条，它们长出来的叶子是柳叶，那柳叶和真正的柳叶并没有什么区别。那树冠的浑圆的中部，它长出的叶子是大叶杨树叶，手掌般大小，风一吹哗啦啦直响。那树冠的顶部，生长的则是枫叶，叶子呈椭圆形，顶尖有些尖，贫气而枯瘦。

鸠摩罗什手捧三片树叶，双手合十，面向北方肃立良久。他将这三片树叶夹在自己新译出的经书里，充当书签。

还是接着我们开头的事说吧。

大家记得，这一日终南山下草堂寺中，鸠摩罗什大师正在讲经，蒲团上，后秦皇帝和文武百官正在听着，我们的高僧正讲"莲花"这个题目。他刚讲了"舌吐莲花"，接着又讲了"花开见佛"，再下来大约还想再讲一讲佛祖卧塌之下那个莲花宝座的故事，这时，他被惊扰了。

严格来说，不是他被惊扰了，而是后秦皇帝被惊扰了，整个后秦小朝廷被惊扰了。

第四十七歌
摇唇鼓舌

话说在草堂寺中，正当姚兴皇帝潜心听经之时，这时门外突然脚步踏踏，一个内官模样的人慌慌张张地进来报告说："皇帝陛下，大事不好了，固远城高平川出事了！"

姚兴被惊扰，有些不高兴，训斥道："佛门净地，不谈杀戮！"说罢，有些不情愿地站起来，双手合十，向鸠摩罗什高僧一拱，算是歉意。礼罢，匆匆跟着那宦官出来了。

"固远城高平川有什么事？这几年自从勃勃去了那里以后，隔三岔五总有事情发生。"姚兴不高兴地说。

"安远将军刘勃勃派他的偏将叱干阿利来报，说那高平公莫奕于勾结拓跋魏，谋反后秦。欲知详情，待传那叱干阿利进来，一问便知！"

姚兴回到逍遥殿寝宫，坐定。

"传叱干阿利！"

叱干阿利进来，拜过姚皇。

叱干阿利身材中等，面容癯瘦，目光犀利，下巴上留着一把山羊胡子。古人常说"脑后有眼"，说的就是这种类型的人。那目光虽则犀利，但时常有半个眼皮遮着，粗看给人一种没有睡醒的样子。古人又有一句话，说"那舌头根上安着转轴子哩"，那嘴巴，甚是乖巧，顺着你的话头说话，句句中听。

当年，叱干阿利从陇东高原那个山湾中的一辆囚车上救下勃勃以后，他注定将会成为勃勃集团里重要的一员。这是一个乖巧的人，一个凶残的人，一个仿佛魔术师一样随时会从肩上的褡裢里掏出各种物什的人。民间传说和官方文献中，都几乎众口一词地认为，赫连勃勃之所以能成为历史上一位著名的暴君，与这位仆从叱干阿利不无干系。

这是后话。叱干阿利这次骑着走马，千里迢迢来长安城摇唇鼓舌，正是勃勃入赘固远城，继而夺取固远城的一项计谋。

"叱干阿利，固远城有什么重要的事情发生？安远将军勃勃为何让你千里迢迢来到京城，打搅我的耳根清净？"姚兴斜眼瞅着叱干阿利，有些不高兴地问。

叱干阿利不卑不亢，眼皮一抬答道："吾皇在上，容阿利禀报：吾皇啊，大事不好了。这些年中，高平公莫奕于一直与拓跋魏暗中勾结，商量反叛后秦，易主改帜之事。这次，拓跋魏大军已在黄河东岸驻营，固远城改弦易帜之事，旦夕之间将会发生！"

"你如何知道此事的？"

"是安远将军让在下潜行千里，前来举报的。安远将军是高平公的姑爷，隔墙有耳，这事是瞒不过他的。将军受吾皇知遇提携之恩，决定大义灭亲，以社稷为重，令我瞒了众人，速速来报！"

"那刘勃勃也不是什么好东西。前些年，西域杜伦可汗贡三千匹良马予朕，行至红碱淖尔，就是被他劫去了的！这一桩事，我还没有兴师问罪呢！"

"主上冤枉安远将军了。勃勃对主上忠贞不二，奈何他属高平公管辖，又是高平公的女婿，在人屋檐下，怎敢不低头？那次红碱淖尔劫马，他只是奉命行事而已。要说有罪，罪在高平公莫奕于！"

"看来朕是冤枉这勃勃了。爱卿阿利，听说这勃勃自从在固远城被招为女婿以后，又在大河套地区一路招赘，连做了受降城、锁阳城、白水城、黑水城的女婿，他倒是应付得过来呀！"

"回主上，汉魏联姻，用的是女人！草原民族联姻，用的是男人。风俗十里则不同，习俗而已！"

"这是他个人的事，朕也不想细究。只要北方能够安定无事，任他怎么折腾都成！"

"主上，高平公莫奕于叛秦降魏，这事太大，安远将军勃勃虽则骁勇、忠贞，这一次却也无力回天了！"

"我来回天！"

后秦姚兴继而说道："朕这几年在这长安城中住得憋闷，想出去打打猎。听说那大河套地面古木参天，沼泽四布，黄河象时有出没，朕一直有猎象的想法，奈何大河套太大，朕还没想好个去处。这下好了，容朕发十万精兵前往固远城，灭了那个胆大包天、知恩不报的高平公莫奕于！"

"主上英明！只是事情要做，得抓紧做。待那黄河结了冰，拓跋魏军队过了河，占了固远城，那时就迟了！"

"这我知道！爱卿阿利，你先轻车简从，潜行回去，告知安远将军勃勃，让他领军接应。三日之后，我后秦十万虎狼之师将长驱直入，直扑固远！"

"属下这就连夜赶回去通报！"

叱干阿利见使命完成得这样顺当，长出了一口气，喜滋滋地告退。

姚兴又问："安远将军的驻营在哪里？是否也在固远城中？"

阿利停住脚步，答道："安远将军勃勃为防范拓跋魏，纵横百里，连筑十六座连营，囤兵于上河套之五原郡！"

"让他带着队伍，向固远城迂回，配合朕攻城！"

"是！"

叱干阿利见事情办得顺利，擦擦额头上的汗，当下离开逍遥宫，骑上自己的大走马，于草堂寺的暮鼓晨钟之中，一溜烟地消失了。

走到旷野上，叱干阿利哈哈大笑。一个小人物搅起了一场大浪。想到这里，阿利不免得意，自言自语道："假如这世界上有两个聪明人的话，我就是其中的一个；假如这世界上只有一个聪明人的话，那就只好是我叱干阿利了！"

说罢，两腿一拍马肚，大走马摇头摆尾，直奔大漠边关而去。

第四十八歌 围城

不一日，五原郡，叱干阿利单人单骑已回到城下。城门开了，阿利顾不得满面灰尘，鞍马劳顿，急匆匆地径直奔入将军府报道：

"主公，这事是成了。火药捻子已经下下了，且让我们捂住耳朵，听那固远城中的雷霆之响吧！"

勃勃这些日子一直烦躁不安，单等那叱干阿利的消息，见叱干阿利这么一说，喜上眉梢，只这一喜，脸色随之又阴郁了下来。

那勃勃经历了这几年的大河套历练，已渐渐露出王者之相，行为举止，持重有度。此刻，他端坐在一张豹皮铺陈的躺椅上，面色阴鸷，像一只草原鹰。他见叱干阿利的嗓门儿有点儿高，嘘了一声，用手掩住嘴唇说：

"小声点儿，机不密，祸先发，万万不能让鲜卑夫人知道！"

阿利点点头。

阿利趋上前去，在勃勃的耳边一阵低语，将那道遥宫中他与后秦姚兴的一番语言过往，添油加醋地说与勃勃。说到精彩处，阿利眉眼飞动，勃勃击掌大笑。

"好个阿利舅舅，固远城倘能拿下，这其间一半的功劳，是你这长安城之行的摇唇鼓舌之功啊！"

勃勃说罢起身，不顾尊卑地张开双臂拥抱住叱干阿利。

拥抱完了，两人眼对着眼，同时哈哈大笑，嘲笑这天下所有的人。

笑毕，叱干阿利知趣地后退两步，欲告辞而去。勃勃见他要走，说道：

"传我令去，五原郡中没有我的军令，一兵一卒不准动弹。我当按兵不动，静观其变。让那斥候①一日三报，容那固远城中的战事，有了分晓，我再伺机而动！"

"明白了！"

叱干阿利连连应着，匆匆退下。

叱干阿利刚走，这时珠帘一动，香气袭来，内室里走出鲜卑夫人莫愁。

莫愁问道："将军，刚才来的可是阿利舅舅？这个人我好像已经好多日子不见他了。底下传言说他去长安城了！"

"夫人不必挂心，那阿利将军确实是去长安城了，代我向那草堂寺上了一点儿布施，还我当年的一个口愿，如今他已经回来了，刚才来府上是向我销假的！"

鲜卑夫人见说，安心了一点儿。想一想又问道：

"将军，我这几日，白日里眼皮总是乱跳，夜里则是噩梦缠身。如今这兵荒马乱年间，想那固远城该不会有什么事情发生吧？"

勃勃答道："不会有事的，夫人！如有事情，会有狼烟传讯或者斥候飞报。这样吧，为防万一，我让那驿使斥候再去探听探听！"

"这样最好！"

鲜卑夫人就要回内室去，勃勃又叫住了她。

勃勃说："夫人，有一件事情我想请你帮忙。这是一只羊拐，小孩子玩儿的物什。我一直有一个梦，要筑一座城，一座匈奴城，一座童话城。这羊拐上就曾经附着过这个梦。请你劳神让城中的匠人为它钻一个孔，穿一根绳子，将来挂在我的脖子上，算是吉祥物吧！我将佩戴着它，驱马长驰，鼓行燕赵！"

勃勃展开手掌，手心里是我们曾经见过的那只叱干城的羊拐。他将鲜卑夫人的手抓住，将自己的大手往上一拍，羊拐便落入夫人的手中了。

鲜卑夫人捧起这羊拐看了看，说："我做姑娘时也玩儿过这种掷羊拐的游戏。哦，这羊拐上沾了这么多血。什么血呢，羊血、牛血或者是人血？"

勃勃有些不耐烦地回答："我不知道！也不想知道！"

鲜卑夫人莫愁握着羊拐的这只手有些颤抖。她瞅了勃勃一眼，手心展着，

---

① 斥候，古代的侦察兵，起源于汉代，因直属王侯手下而得名，是一个相当重要的兵种。

眼瞅着羊拐，进内屋去了。

屋里传来了琴声。琴声有些凄清，有些惊颤，还有一种不祥的预感在里面。

在我们说话的当口儿，围绕着固远城而掀起的那场大风暴终于刮起来了。

对于这五胡十六国三百年乱世来说，对于这大河套群雄纷争的凶险之地来说，这场大风暴不过是那无数次风暴中的寻常的一次，寻常到不足挂齿。然而，对于赫连勃勃来说，这则是他称王称帝道路上的重要一步。

那愚蠢的后秦皇帝姚兴果然上当，发兵十万，御驾亲征。姚兴自长安城出发，打出讨逆旗帜，先入秦直道，沿子午岭山脊一路北行，到了无定河边，渔河堡地面，掉头西北，进入大河套地区，而后溯黄河而上，不日即抵达固远城地面。

固远城素来有"关河锁钥"之称。背倚贺兰山可为屏障，面对大戈壁适宜布兵，委实是个易守难攻的战略要地，更兼有黄河天堑，或冬季大河封冻，或夏秋汛期河涨，都给那用兵布阵增加许多的变数。姚兴多年不打仗了，手头痒痒，又视杀戮为儿戏，先派先锋大将不分青红皂白一阵攻城，待姚兴御驾到来时，双方已经死伤无数了。

固远城里，高平公莫奕于见祸从天降，叫苦不迭，百口难辩。即便站在城头上与姚兴对话，贺兰山山风凛冽，话也难以说清。那一阵子，群雄蜂起，各自称王，这高平公原本也是位地方豪强、鲜卑领袖，如今见姚兴真的起了杀戮之心，虽不明白这其中就里，但是以守住城池要紧。他料到这后秦大军远道而来，不出半月就会知难而退，那时有机会再与后秦姚兴当面理论，问个明白不迟。

后秦姚兴小觑了这朔方地面上的弹丸小城，围城数日，破城无望，且士兵死伤无数，姚兴看来是没辙了，于是遣人赶快前往五原，请那安远将军刘勃勃速来助战。

话说这刘勃勃眼见这场纷争起了，干戈生了，自己却在五原郡稳稳当当地按兵不动，隔岸观火。勃勃只派左部将薛鲜、右部将薛桓各领一支精兵向固远城迂回，自己则亲率大军，备足粮草，静观固远城这场厮杀。勃勃站在城头上，向西南观望，两手袖着，那情形就像这事与他没有关系似的。

表面平静如常，暗中勃勃却派快马斥候一日三报，报告那固远城的战事进展。

后秦姚兴屡屡派人前来督促，勃勃只说，拓跋魏大军虎狼之师正拖住他的后腿，待这边的事情处理完了，立即前去参与攻城。

固远城高平公莫奕于也屡屡派人前来督促，要姑爷前去救围。勃勃也以同样的理由搪塞。来者无法，只得去求鲜卑夫人莫愁。莫愁前来质问，勃勃说，夫人放心，已遣薛鲜、薛桓二位先去救援了，自己不日即策马起程。

挨了七日，又挨了七日，等到第十五天头上，听到斥候报告说固远城被破已势在必然了。勃勃听了，大笑一声说："时辰到了，该我登场了！"

第二日，旌旗鲜明，铠甲耀眼，勃勃的红马军团、黑马军团、白马军团成三路纵队，列阵出发，直指固远城。

那鲜卑夫人，并白水城夫人、黑水城夫人、受降城夫人、锁阳城夫人、五原郡夫人、九原郡夫人一行十余人，站在城头上为勃勃送行。

第四十九歌
赚城

刘勃勃率领他的精锐之师，不日来到固远城下。左部将薛鲜和右部将薛桓所率之师，奉勃勃将令，只在固远城附近观望、迂回，并不靠近，这时见勃勃大军到了，迅速前来靠拢，合为一支。勃勃见了他们，问了问情况，想好了说辞，前去觐见姚兴。

后秦姚兴的大军来势汹汹，本欲一口吞下固远城，想不到是有些轻敌了，固远城城池坚固，那莫奕于的儿子鲜卑莫喜少年英雄，勇不可当，因此攻城已半月有余，却收效甚微。要想围而不攻，困死莫奕于，也行之不通。那贺兰山上奔流下来的一条清溪，穿城而过，因为有了这个水源，城中一年半载并不恐慌。

姚兴郁闷，摊场已经铺开，如今这打也不是，撤也不是。正在此两难之间，人报"安远将军刘勃勃到了"。

行军途中，野外扎营，姚兴在一座大些的帐篷中安寝。因此较之那长安城中的觐见，也就少了许多的压抑，免了许多的礼数。

见了勃勃，姚兴有些面冷。他开门见山，直通通地责问道："后秦大军行军用了多日，攻城又已半月有余，安远将军为何咫尺之遥，却姗姗来迟？"

勃勃心中早已盘算好了说辞，这时看着姚兴脸色，赔着小心答道："主上有所不知，臣正与拓跋魏大军在河套激战，那拓跋魏大军渡河而来，分明是来解这固远之围的。臣若退缩，引那虎狼之师来到这固远城下，倘若主上有个差池，如何是好，这罪责勃勃担当不起呀！当年汉高祖刘邦白登山之围就是前车之鉴！"

"哦，原是这样的，朕看来是错怪你了。此刻，那边军情如何？"

"来犯之敌拓跋魏已经为臣所败，想来三年两载不敢再发兵了。河防安顿好了，臣才星夜兼程，匆匆赶往这里。固远弹丸小城早破一天、迟破一天并无大碍。至于破城之策，臣行军途中早已盘算好了。这事只在今夜最好，待明日日上三竿之时，吾皇就可以站在固远城头上，看那大河套风景了！"

姚兴听到这里，面露喜悦，说道：

"好！看来我并没有看走眼！将军你且说，将如何破城？"

勃勃答道："莫奕于也曾三番五次飞马传书，要我驰援，来解这固远城之围。今晚，主上需拣那精锐之师伏于城外开阔地带，待我打开城门，信号发出，士兵们洪水猛兽般杀将进去。如此这般，到那明日，主上就可以安安稳稳地坐在城头，瞭望这大河套的风景了！"

"善！"后秦姚兴听到这一席话后，大叫一声，击掌称赞。

议定之后，勃勃辞了姚兴，回到自家营中安排，筹备。那后秦姚兴，喜滋滋的，待在帐篷中，等待消息。

是夜，月黑风高，暮云低垂，青海长云暗雪山，刘勃勃以叱干阿利置前，薛鲜、薛桓分列左右，一行铁骑马蹄踏踏行到固远城下。

瞅那城头上的楼阁台榭隐现处，正是当年鲜卑女弹琴的地方，琴声曼妙，吟诵声清亮，栩栩如在昨日。

勃勃勒住马，仰起头面对城头，张口刚要喊，一时语塞，不知如何说才好，于是用下颚示意，让叱干阿利去喊。

阿利似乎有些不情愿，但是又不敢抗命。只见他趋前两步，清清嗓子张张嘴，终于喊出声来。叱干阿利喊道：

"那守城的将爷是谁，请他过来说话。我是安远将军刘勃勃帐下叱干阿利，烦请告诉主公莫奕于将军，姑爷的援军到了！"

听到话音，城头上闪出一位英武的将军，却是莫奕于之子，莫愁之弟莫喜。鲜卑莫喜见说，喜道："高平公之望姑爷，如久旱之望甘霖，望眼欲穿耶！安远将军来得虽然有些晚，但毕竟还是来了！"

叱干阿利见城头上莫喜搭了腔，知道这事成了，于是叫道："莫喜将军，容请放下吊桥，打开城门，放我等入城！"

莫喜见说，迟疑了一下，说："这事重大，容我向父亲禀报。委屈各位，在城下稍等片刻就是了。"

俄顷，城头上一阵骚动，火把照耀得如同白昼。火光照耀处，高平公莫奕于未着戎装，仅披一件大襟的白布衫子，在城头上闪出身影。

"叱干阿利，真的是姑爷领兵来救城吗？"

"真的是安远将军刘勃勃！"

"那好，请勃勃爱婿上前说话！"

叱干阿利看一眼勃勃。勃勃无奈，只得上前答语。

"老泰山受惊了，勃勃来迟，勃勃该死！"

"真的是姑爷，我的一颗心现在是放下了！"莫奕于说道，"城下，请将那松明子再点上几把，容我再细认一番！"

城下刘勃勃听到这话，又点起几支火把。只见那火光照耀处，骑着一匹汗血宝马的刘勃勃，在马上向莫奕于深深叩首。

"放下吊桥，迎姑爷入城！"莫奕于下令道。

吊桥吱吱呀呀地放了下来。城门沉重，几个士兵奋力地将两扇门推开。

"恭迎姑爷入城！"众士兵喊道。

在众士兵呼喊的同时，在吊桥放平、城门洞开的同时，城外那些密密匝匝的帐篷被一齐点燃，火光冲天，爆炸声四起，鼓角齐鸣。只见后秦姚兴的骑兵从地面上一跃而起，像洪水猛兽般越过吊桥，向城中拥去！

"刘勃勃，你这贼人，竟敢骗我！我待你恩重如山，你这白眼狼，却如何反目成仇！"城头上的莫奕于大骂道。

勃勃在城下乱军丛中答道："岳父息怒！这个世界是让强者出头！我有着勃勃野心，主公不过是勃勃实现野心的路途中，马蹄过处不经意地踩死的一只蚂蚁而已。我这里放话说吧，这事还会多次发生的，你不过是那最先的一个罢了！"

"引狼入室，引狼入室呀！"莫奕于叫道。

莫奕于捶着自己的胸腔，哭道："城既被破，一场杀戮在所难免，叫我如何面对这一城百姓！叫我如何面对创下这基业的列祖列宗啊！"哭着不由一个趔趄。

城头上站着的鲜卑莫喜，见父亲这样说，悲从中来，他先搀了父亲一把，而后站定，指着城下火光照耀处的勃勃，大声骂道：

"刘勃勃，你狗日的先不要得意。十年等你个闰腊月，假如莫喜死了，话当另说；假如莫喜不死，将来取你首级的那个人，就是莫喜！"

城下的勃勃听了这话，打了一个冷战，想要回嘴，口张了半天，一口唾沫又咽了下去。

勃勃自己先让开，示意叱干阿利、薛鲜、薛桓先退到城外扎营，让开一条路，容后秦大军蜂拥入城。

第二天早晨，贺兰山下这座塞外名城出奇地死寂。一轮血红血红的朝阳，从黄河那边，从腾烟的大漠中，一跃而起，这座依水傍山的名城被涂上了一片血红色。

城头上，歌台舞榭之下，后秦姚兴站在那里，勃勃一脸恭敬，束手在侧。勃勃说对了，在这第二天的早晨，后秦皇帝姚兴果然站在了固远城的城头上。

来人禀报姚兴："城中清理过了，已成一座空城。百姓中大约有三成被杀，七成逃逸。守城士兵悉数被杀。高平公莫奕于一家十余口，没有留下一个活口，高平公死于乱刀之下，高平公夫人自缢于内室的屋梁上！"

"罪孽罪孽！"姚兴双手合十，口中念念叨叨。

姚兴又叹了一声，说道："随军中有两个草堂寺的僧人，让他们在城中找个高处，筑个台子，诵经七日，超度亡灵！"

立于一侧的勃勃，大约还记得昨晚城头上鲜卑莫喜丢下来的那一句狠话，便问来人："莫奕于之子，那个名叫莫喜的少年将军，城中可见他的尸首？"

来人答："奇怪，翻遍满城尸首，独独少了他一个。要不，容我差人再细查一遍？"

勃勃惆怅地说："不必劳神了。大河套地面的路他最熟，此一刻他大约已经翻越贺兰山，北出雁门关，正走在投靠拓跋魏的路上！"

姚兴大胜，准备班师回朝了。他这一次北巡有两件事情，一件已经圆满结束，就是这件，另一件则是狩猎。他听人说，大河套地面尚有古象存在，这次的目的之一是猎一头大象回去，然后骑着这头大象，在长安城风风光光地穿街走巷，展示一番。

行前，姚兴执着勃勃的手说："勃勃将军，朕当年在长安城头曾许下口愿，待有一日，将军成了气候，立了功业，朕封你为匈奴西单于朔方王，承继你父亲的封号。此一刻，正当其时，是兑现这个口愿的时候了！"

"谢主上！"

"朕的半壁江山，就托付于你了！"

"谢主上！"

第五十歌
莫愁之殇

固远城之战，勃勃不费一兵一卒，借后秦之力杀了岳父莫奕于，占了固远城。至此，岭南河北地面尽在西单于朔方王刘勃勃掌控之中。

前番说了，大凡游牧古族发端之时，常以入赘入室，给人做上门女婿为由头，而后翻脸，反客为主，雀巢鸠占，一夜间强大。这事不自勃勃开始，也不由勃勃结束。例如后世那个效仿大夏、由西羌族党项部落李继迁、李德明、李元昊所建立的西夏政权（其国名也叫大夏，为区别前者，史学家称其西夏），亦是采用的这种发展方法。党项人自三江源一路顺黄河东来，上门入赘，落地生根，日强一日，发展成党项九姓，后来则在河套地面、黄河以西建立中兴府（银川城），成就一番霸业。这是后话，这里不提。

且说这大河套上上下下诸多城郭，见勃勃上书求婚，八成是惧于勃勃军力，两成则是讨好勃勃，于是纷纷允婚，将女儿送于五原城勃勃帐中，这样不出数年，大河套地区尽在勃勃掌控之中了。

好在当年有那女萨满言传身教，教会了勃勃那宫闱中的御女之术，所以这勃勃虽堂上已有十多位夫人，却也能应对自如，一夜御十女，清晨起来照样精神抖擞，料理军务不见一丝力怯。

独有一个南凉王名叫秃发傉檀的，不买勃勃的帐。那傉檀原来却也是我们曾经相识的一位故人，他的事情我们后边再说。

这秃发傉檀也是一位强人，个性刚烈不输于勃勃。他见了勃勃所下的帖子，笑曰："勃勃小儿，天下人怕你，我独不怕！算计来算计去，这小子现在算计到我的头上来了！"遂一把撕了帖子，又将来使割去双耳，一脚踢出帐外，让其回去复命。

勃勃听了这话，恼在脸上，怒在心头，决心发兵西宁城，除去这秃发傉檀。只是当时手头还有固远城的事情，因此暂按怒火。如今者，这固远城已归勃勃，接下来就该做那件事了。

固远城的事还没有全部办完，有一件事还得有个善后之策。城既被破，高平公莫奕于被杀，公子莫喜生死不明，这件事情总得给鲜卑夫人莫愁一个交代才对。这是勃勃的一块心病。

勃勃先叫人从五原城中，接鲜卑夫人到固远城。这日，约摸着人快到了，勃勃披麻戴孝，出郭三十里，于那路的中间长跪不起。直到莫愁夫人的马车到了跟前，那驾车的马头抵住勃勃的头了，他方才起身。

鲜卑莫愁见了勃勃的一身孝服，顿时脸色大变，眼神惊恐。

勃勃执住莫愁的手涕泣不止，说道："夫人哪，勃勃救围救得迟了。勃勃到时，这城已为后秦所破，岳父大人及全城百姓都尽遭屠城之戮了！"

莫愁听罢，顿时惊得目瞪口呆。

勃勃见话已说穿，不容鲜卑莫愁细想，从自己的马背上取下早已准备好的孝衣，让人拽胳膊抱腿，为鲜卑套在外衣上。

莫愁换了一身素衣，披麻戴孝随勃勃入城。固远城既遭杀戮，又被一场大火焚烧过，眼前的惨败景象令莫愁一步三哭，痛不欲生。

勃勃也是一身素白，面色凝重，挽着莫愁顺着街道，一路行走。

固远城的一个高处，坟墓立起。姚兴留下来的那几个僧人，双掌合十席地而坐，正在诵经。

莫愁女一袭白衣，扶着墓前的一棵树，摇摇晃晃地站定。她说："勃勃，南征北讨我就不随你去了，反正有那么多的夫人陪伴着你。莫愁要尽一份大孝，在固远城守孝三年。我那已成刀下之鬼的莫奕于父亲平日最爱我，最喜听我的琴声，我要在这坟前一日三次功课，为他弹琴超度！"

　　勃勃听了，双手一摊，说道："难得夫人一片孝心，那我就先回五原城去了。南凉王谋反，我得去征讨。叱干阿利为人精细，我留下他在这儿侍候你，顺便让他督促重筑固远城！"

　　莫愁摆摆手，示意让勃勃快走。她说："你走吧，容我安静一阵，把有些事情想透！"

　　见莫愁这样说，勃勃叹息一声，悄声退去。

　　就在这时，莫愁像想起什么似的，从身上摸摸索索地掏出那只羊拐。她叫住了已经走远的勃勃，将羊拐递过去，说道：

　　"我用做马靴的锥子为它钻了一个眼儿，又用自己的头发配以金丝搓成一根绳子，再请银匠将它包裹了一下。你瞧，这是那只羊拐！你觉得有必要，就佩戴在身上，做个吉祥之物吧！"

　　勃勃在这一刻感动极了。他甚至不敢去看鲜卑莫愁的眼睛。

　　莫愁女将羊拐为勃勃佩戴在脖子上。

　　莫愁喃喃地说道："勃勃，我崇拜你，我爱你，但是我又惧怕你！你的身上有一种暴戾的力，一种足以摧毁一切的破坏力。这种力量让我害怕！面对你，我一直处在矛盾中。"

　　勃勃叹息了一声，他说道："每个人都有自己的命运，这是我的命运！"

　　勃勃退了下来。

　　莫愁背转过身子，扶着树不再看他。

　　琴声起了，凄清，酸楚，无限悲凉。琴声中有后秦姚兴留下的僧人那喃喃的祈祷声。贺兰山的山风呜呜地吹着，那终年积雪的山头缄默不语，满面沧桑。黄河这个"几"字形的大折弯，那湍急的水流声几十里外都能听见。

第五十一歌
灭南凉国

　　固远城的事情，走到这一步，算是挽了一个疙瘩。那哀恸万分的鲜卑莫愁，自此在这固远城中居住了下来，为父母守孝，经年有岁。叱干阿利十分明白

144

勃勃的用意，他一边防范着莫愁，不让她与外人接触，一边在城中做一些修修补补，恢复这座名城的一些元气。

这样的事情持续了三年，直到三年以后，勃勃选定都城城址，拜叱干阿利为将作大匠负责那城的督造，叱干阿利方才离开。

而鲜卑莫愁离开这伤心之地的时间，还要推后一点儿，她是在知道了固远城那一场大杀戮的秘密，知道了父母遇难的过程之后，前往统万城去寻仇时才离开的。

上面这些却是后话。此一刻，固远城得手，勃勃羽翼已日渐丰满，正踌躇满志。固远城一得，整个大河套地区尽在勃勃掌控之中，这个"朔方王"，名至实归。

那日在固远城鲜卑莫愁父母的坟前，鲜卑女那一番话，那坟前的凄凉情景，曾让勃勃无限伤感，但情景一过，这事也就淡忘了，丢在脑后了。大夏国未立，天下未定，勃勃的一颗勃勃野心，岂是儿女私情所能左右。

下一步，勃勃马鞭指处，将率他的红马军团、白马军团、黑马军团共骑兵二万，越过黄河，直扑大河套的深处、三江源源头西宁城，与南凉王秃发傉檀展开一场大战。

那秃发傉檀是谁？前面说了，这是我们的一个故人。诸位大约还记得，当年三河王吕光掳得西域第一高僧鸠摩罗什，在穿越大漠抵达敦煌时，在那沙漠中曾遇到过一个湖泊，为了那湖泊中的一颗夜明珠，二十夜连派了二十个士兵跳进那湖泊里去捞，这些士兵都因为没有捞上夜明珠而被杀。至二十一夜时，这个士兵乖巧，觉得这夜明珠的事有些蹊跷，于是去请教大智鸠摩罗什，大智又让他去问后头率着龟兹国难民行走的鸠摩宰相。这样，士兵知道了那颗夜明珠其实并不在湖里，而是在湖边的那棵老柳树上的鸟巢里。夜来士兵捞夜明珠的时候，先攀到树上，从鸟巢里取出夜明珠，而后跳进湖里，装模作样地捞了一阵后，手举夜明珠，踩着水走出。

这个乖巧的士兵正是后来的南凉王秃发傉檀。

原来这"秃发"二字是姓，"傉檀"二字是名。刨起老根来，这南凉秃发与居于雁门关外的北魏拓跋是一族，甚至还是一姓。当时的人不知其详，闻知这镇守西宁城的秃发傉檀起事了，逮这个音，把个"拓跋"写成了"秃发"，如此而已。不过话又说回来了，其实"拓跋"这两个字也是当时的文化人逮的音，落到纸上成为了固定称谓，如此而已。

一个无香无臭、无名无姓的士兵如何能突然发迹，称王称霸，这其中的原因，亦和那次月牙泉中捞出夜明珠的功绩有关。吕光得了夜明珠，心中喜悦，对这士兵也就高看一眼，后来见这秃发傉檀为人乖巧，忠诚可靠，就屡屡提升。最后，当后秦姚兴去灭凉州城时，这秃发傉檀已经官拜后凉国的鲜卑大将军，率兵驻守在当年叫作"西平"，如今被称为"西宁"的这个地方了。

凉州城被破，后凉灭国。这时，驻守西宁的戍边大将秃发傉檀先是假意呈降，同意归顺后秦姚兴，待姚兴大兵一退，秃发傉檀立即翻脸，亮出旗帜自立为王，以西宁城为都城，建南凉国。

那南凉国在秃发傉檀的苦心经营下，割据一方，日渐强盛，成为中国历史上的五胡十六国之一国，青史上留名，传说下每见。后秦姚兴惧于这南凉国的国力，加之确实路途遥远，因此也就懒得动它，让它在那日月山下，青海湖边自生自灭。

没想到在这世界上还有人惦记着它，这就是野心勃勃、意欲完成大河套一统、进而占据北中国的朔方王刘勃勃。

拒绝了婚事，惹怒了勃勃，南凉王并不过于担心。因为即便是从勃勃现在占据的固远城出发，要抵达西宁，那路途亦是十分的遥远。

这中间，要穿越两片大沙漠，一片大沙漠叫巴丹吉林沙漠，一片则叫腾格里大沙漠。况且那沙漠尽头还有一个大湖泊，这就是那有名的居延海。勃勃要用兵，得先长途跋涉穿越这些地方才能抵达西宁城。那唯一能给勃勃一点儿支撑的，是这居延海边的白水城、黑水城，都已在勃勃掌控之中。

是年，勃勃领骑兵二万深入南凉腹地，铁骑过处攻城掠寨，杀伤万余人，驱掠二万七千口人，掳得十万牛羊，得胜而还。

匈奴人用兵，叫群狼战术。

狼群要捕一头大象或一只老虎，先远远地绕着猎物兜圈子，这圈子越兜越近，越兜越小，到了跟前猛咬一口，待对方刚要还手，轰的一声，群狼就又跑远了。停上片刻，待对方稍有松懈，再以同样的办法蜂拥而至。就这样十几次、几十次地反复攻击，直到把一个巨型动物血液耗干、身躯扑倒、肉啃干净为止。而后，再继续前行，寻找下一个猎物。

勃勃来取西宁城，采取的也是这个办法。

勃勃解释说："吾以云骑风驰，出其不意，救前则击其后，救后则击其前，使彼疲于奔命，我则游食自若，不及十年，岭北河东尽我所有也。待姚兴死后，徐取长安，姚泓凡弱小儿，擒之方略，已在吾计中矣！"

又说："昔轩辕氏亦迁居无常二十余年，岂独我乎！"

这样说着话，勃勃的大军已到西宁城下。到了城下，只将这城围住，并不进攻，而后在城外空旷之地，扎营安寨。勃勃这时候做的事情，是指挥他的士兵们像收割庄稼一样，将这城外空旷地面上的人口悉数掠去，将那正在放牧的牛马羊悉数掠去，将牧民帐篷里的金银财宝悉数掠去。

南凉王傉檀在城中磨刀霍霍，原想依据这都城险固与勃勃决一死战，如今见这勃勃并无攻城之意，颇有些纳闷儿。开始时见勃勃的士兵在旷野上追赶畜群，驰掠人口，也不甚在意，谁知这勃勃大军在西宁城外一驻就是半年。半年过后，整个南凉国地面像大水洗过一样，被勃勃一掠而空。

傉檀每日在城头上看着，心疼不已，大骂勃勃。勃勃任他辱骂，笑而不答。如是者半年，傉檀终于按捺不住，决心出城一战。

傉檀打开了城门，率领大军去追勃勃。手下人劝他说："主上莫敢轻敌呀！这勃勃天生雄鸷，少有大志，如今前来图我南凉。有西宁城在，南凉国不灭；倘没了西宁城，南凉如何立国？我等只需守住城池，让那勃勃在城外去折腾吧，折腾够了，总有一天他会走的！"

傉檀不听，恼道："勃勃以死亡之余，率乌合之众，犯顺结祸，幸有大功。今勃勃虽掳得我财物，然军已不军，那牛羊塞路、财宝如山，窘弊之余，人怀贪意，不能督励士兵以抗我也。我以大军临之，勃勃军必土崩瓦解！"

说完，秃发傉檀一马当先，冲向勃勃大军。

勃勃见南凉大军汹汹而来，大喜曰："傉檀不知好歹，弃城追赶，中吾计也！"

勃勃于是命后军做前军，就地阻击。又让后面的军队沿戈壁滩挖几道壕沟，士兵躲在里面，砍来沙柳遮住身子（昔日匈奴人活捉汉朝大将李陵，用的就是这种办法）。勃勃又令士兵将所掳来的金银财宝掷于路上，再将军中的车辆辎重，堆砌成山以阻道路。

俄顷，秃发傉檀已经冲来。那傉檀，站在一个沙丘上高声叫道："勃勃小儿，老子与你不共戴天。今天是有我没你，有你没我。老子要用自己这张老羊皮，换你一张羊羔皮。"

　　傉檀说罢，看见勃勃回转马头正要作答，于是换弓搭箭，圆睁怪眼，高叫一声："勃勃小儿看箭！"

　　这一箭射得厉害，勃勃来不及躲避，那箭呼啸着就过来了，直中勃勃右臂。只见勃勃一个趔趄，从马上摔了下来。

　　眼见得勃勃落马了，傉檀高叫一声道："此时不攻，更待何时！"说罢，挺一口刀，拍马直取勃勃而来。

　　勃勃见傉檀来势凶猛，挣扎着从地上跃起，伸出右手，一咬牙，将那箭镞从肩膀上拔出，而后大叫一声，复又回到马上，率领部属反扑过去。

　　那傉檀飞驰之间，不提防脚下有一条壕沟，壕沟中沙柳遮身潜伏着士兵，傉檀的坐骑一惊，一个趔趄将傉檀掀下马来。士兵们见了上来擒拿，好傉檀，复又翻身上马，提刀再追勃勃。

　　勃勃让士兵故意扔在路旁的金银财宝，这时候也起了作用。南凉国的士兵们，鏖战之中见了这些宝物，分外眼红，纷纷弯腰去捡那珠宝，队形也就乱了。而堆砌在道路上的车辆辎重，这时也起了阻隔的作用。

　　大战中，这边众将见勃勃如此神勇，受了感染，得了激励，于是人人奋勇，个个争先；那边众将见这南凉王骁勇异常，于是也就人人拼命。更兼这块地面，毕竟是南凉国的地盘，所以将士们也就有些心理上的优势。

　　这一场大战，大约是勃勃出道以来最为血腥的一次。直杀得天昏地暗，日月无光。杀到最后，勃勃是占了上风，南凉军则溃败而逃。

　　勃勃见南凉军溃败，不依不饶，追至西宁城，而后一鼓作气，攻破西宁城，取了南凉王秃发傉檀的首级。

　　此役，杀伤敌军万计，斩其大将十余人。战罢，打扫战场，勃勃的将士们，马头上挂满敌军将士的首级。

　　勃勃令人将这一万个敌军的头颅，于那西宁城外拣一个高处，层层堆砌，堆成一座山的模样。那顶端的最高处放的是鲜卑英雄、南凉王秃发傉檀的头颅。

　　只见那头颅圆睁怪眼，作金刚怒目之状，依然不服。

　　勃勃见了，叹息一声，叫道："此骷髅台乃后世的一大景观也！"遂俯身向这骷髅台拜过，安顿好西宁城防务，而后率领大军返回五原。

第五十二歌
赫连大夏

灭了南凉国，整个大河套地面尽属勃勃。

勃勃明白立国的时机到了。回到五原郡以后，勃勃一纸文书上表长安。表上说，这是最后一次称姚兴为"吾皇"了，待勃勃立国大夏之后，后秦、大夏将是两个国家并世而立，互不相扰，鱼安水安，鱼水两安。表中又大肆夸耀自己铁骑二万灭南凉国秃发傉檀的经过，以此给姚兴一点儿惊骇。表中最后又说这立国的事情，请姚兴务必予以承认，勿动干戈，上表来贺等等字样。

"朔方王"这个称谓，勃勃也将它自行废除，他自称"天王大单于"，自此以后天下匈奴人归他统管。

那勃勃还将自己名字前面这个"刘"姓取掉，换成"赫连"二字。匈奴人本没有姓氏。自当年汉高祖刘邦遭匈奴人冒顿一族白登山之围之后，高祖畏怯，派建信侯刘敬出使匈奴，将宫人之女嫁与冒顿，这叫胡汉和亲。自此以后，这一支冒顿之后就以母姓为姓，以汉室的外甥自居。后来到了曹操的年代，曹操设河东五郡安置匈奴，这五部匈奴，均以刘姓为帅，选汉人为司马以督监之。自此，刘氏大旺，在黄河以北，民间有"天下匈奴遍地刘"一说。

哪五部？左部都尉所统万余落，居于山西高平。右部都尉所统六千余落，居于河北安国。南部都尉三千余落，居于河南商丘北。北部都尉四千余落，居于甘肃武山。中部都尉六千余落，居于山西太原北。刘氏匈奴虽分统五部，均视晋阳汾水之滨为其老巢。

五胡十六国之乱，就是由这内附的匈奴刘氏五部开始的。其时，迁徙到山西离石的匈奴左部帅刘渊首先发难，先占洛阳，再占长安。这叫前赵，五胡十六国之一国。

刘渊的部将羯族石勒，见刘渊势力渐弱，于是自立为王，建五胡十六国之后赵，建都河北邢台。

刘渊之另一个部将氐族人苻洪占长安城，自立为王，称大单于、三秦王，其所建国家世称"前秦"。到了苻坚手里，国力渐盛，如果不是淝水之战兵败，前秦当还要继续存在一阵子的。

苻坚兵败，逃回长安，第二年被他的部将姚苌所杀。姚苌建"后秦"。姚苌死后，儿子姚兴即位，这就到了我们说话的这个年代了。

联想到那前秦灭而生出凉州吕光，吕光灭而生出南凉秃发傉檀，再联想到上面我们所说的刘渊灭而派生出的那一连串国家，好一部乱哄哄的五胡十六国史，其实如果顺蔓摸瓜，还是有踪迹可查的。

到了赫连勃勃的时代，此一刻，独勃勃如日中天，匈奴刘姓五部于乱世纷争之中，由他来挽狂澜于既倒，就是情理之中的事情了。

勃勃将自己名字前面这个"刘"姓取掉，换成了"赫连"二字。勃勃觉得以母姓为姓是一种羞辱，况且这姓是汉天子所赐予，他现在终于可以将这帽子摘下了，看天下谁人敢说半个"不"字？"赫连"二字是古突厥语中"天"的意思。当年冒顿大帝以"天之骄子"自居，勃勃此刻以"天"为姓氏也不算过分。至于"勃勃"二字，那是父亲朔方王刘卫辰当年给他取的，还是保留着它吧！

"赫连"加上"勃勃"，赫连勃勃，一个无限张扬的姓名自此出现，中国历史上一个枭雄式的草原王和他的草原帝国自此出现。

至于为什么叫夏，勃勃一族，或者说冒顿一族，一直以夏朝的大禹王后裔自居。传说大禹王死后，他的夫人领着这一族人迁徙到西域大漠，牛羊为伴，游走不定，天长日久，当年的治水人就成为游牧人了。

所以勃勃将他的国号定名为"大夏国"。这就像此时他的迁徙到欧罗巴大陆的北匈奴兄弟阿提拉自认为是大汉国的后裔，从而将他的国名定为"大汉国"或"匈奴大汉国"一样。

五胡十六国之大夏国自此建立。

国既新建，那些例如分封诸王呀，提拔功臣呀，大赦天下呀，整理朝纲呀诸等事情，勃勃自然会做，而且以他此一刻的历练和胆识，这样样事情都会做到妥帖为止。

勃勃立儿子赫连昌、赫连定为王，封舅舅叱干阿利为宰相，拜薛鲜将军为左部帅，拜薛桓将军为右部帅，如此等等。

那勃勃先于鲜卑莫愁之前，曾受父母之命、媒妁之言娶有一指腹为婚的娃娃亲梁氏，这梁氏在前，她自然做了皇后。梁氏往下，第一个就是鲜卑莫愁了，虽然她还远在固远城，但这名分得给留着，接下来，白水城夫人、黑水城夫人等等，依次类推。西宁城破了以后，那新封的南凉王秃发傉檀的女儿则排名最后。

第五十三歌
乐极生悲

在勃勃文书抵达长安城之前，长安城中正是一片歌舞升平景象。在这几近三百年的战乱年间，能有这几十年的和平安宁，实属难得。

那后秦皇帝的小日子此一刻过得好生滋润。那年固远城之役后，姚兴顺道在黄河滩狩猎，果然猎得一头大象。他将这头大象赶往长安，先是骑着大象在长安城一百零八坊中走动了一遍，赢得举城喝彩，算是出尽了风头。继而又以这头大象为坐骑，组织一个乐队，吹唢呐的、弹拨琴弦的、拍镲的、敲锣的、击鼓的等等，一批乐人坐在这大象背上，各司其职，吹吹打打，招摇过市。

原来，在固远城与勃勃道别时，勃勃将那二十名能跳胡旋舞、高鼻深目的美艳胡姬和会玩儿各种戏法的那位昆仑奴，一并献于了姚兴。如今这姚兴的游乐班子，就以这些人为班底组成。后人将这种形式叫作"汉唐百戏"。

那二十名胡姬跟在大象后边，拽着长裙，从长安城大街小弄，飞旋而过。那昆仑奴，时而踩着一个三丈高的高跷，晃悠悠地夹在胡姬队列中间，举手投足赢得路两旁齐声喝彩；时而走到大象跟前，弃了高跷，站在大象背上，合着乐人们的击打鸣奏，或倒立，或翻跟头，或张开大口向四周喷出火焰。一街两行的人们只知道西域地面有戏法、有歌舞、有天籁之音，如今亲眼目睹，算是服了。

那姚兴也没有闲着，二十名胡姬夜来就在这逍遥宫歇息，陪姚兴淫乐。姚兴长叹：这宫叫逍遥宫，如今算是名副其实了，人生在世，良宵苦短，难得几回逍遥！

看这些胡姬们跳舞，姚兴觉得不过瘾，于是也探手探脚地跳下舞池，以自己庞大的、三百六十市斤重的身子，学着胡姬的样子跳起胡旋舞来。世界上的事情也真难说，这样跳过几回以后，姚兴倒是深得了这胡旋之妙，跳动起来，一个庞大身子像陀螺一样在核心旋转，呼呼生风，赢得四周一片喝彩。得到了掌声的鼓励，这姚兴跳得更欢。较之那些胡姬们的风摆杨柳，婀娜多姿，姚兴的舞姿当属另一种风韵。

姚兴见自己的胡旋舞跳得这么好，觉得光在宫廷里展示还远远不够，就想随胡姬们一起上一次街。弟弟姚邕规劝他说，你一个万乘之君，跑到街头上去做这滑稽之相，成何体统。姚兴听了，仍于心不甘，于是有一次趁胡姬们上街巡演，自己就让人做了个面具戴上，随胡姬队伍一起出行。不料长安城的百姓们还是认出了这是当朝皇帝，大家在一旁指指点点，击掌大笑。姚兴明白自己这件事是做不得了，咽了口唾沫，只好遗憾收场。

在姚兴尽情欢娱的这当儿，我们的高僧鸠摩罗什六根清净，八风不动，夜夜黄卷青灯，在距逍遥园迎门大殿不远的草堂大寺，继续着他那奠定汉传佛教根基的译经工作。此一刻，他刚刚译完《维摩诘经》三卷，接着再译《法华经》八卷。另有《华首经》十卷，梵文本已经备齐，译完《法华经》后，就该译它了。鸠摩罗什自知时日不多，因此不敢有丝毫的懈怠。那窗外发生的所有事情，此刻在他看来都是浮云掠空的小事，根本进入不了他的法眼。

这一段时间，他为应姚兴皇帝之约，为他著《实相论》两卷，时人以"出言成章，无所删改，辞喻婉约，莫测玄奥"而评价之。鸠摩罗什著述不多，这《实相论》两卷算是还个人情，是对姚兴赐予一饭之恩的回报。

闲言不叙。

却说勃勃与后秦姚兴反目，自立旗帜，这文书下到长安，姚兴见了恼怒异常。当年责备他放了勃勃无疑是放虎归山的弟弟姚邕，这时宽慰道：

"事已至此，懊悔亦是无益。眼下应做的事情是速遣大将，趁勃勃羽翼尚未全丰之时，一举除之，以绝后患！"

姚兴点头说："事已至此，只好这样了。"说罢老泪纵横。他又接着说道："乱世年间，长安城能有这几十年的太平安宁光景，朕已经很是满足了。平日朕虽然笑在脸上，其实内心是很苦的。夜间，每每醒来后摸着自己的脖子，

統萬城

站在統萬城前，向中原大地瞭望，你會發覺，史學家們向我們提供的廿四史，於這個角度顛倒地。從這裡再觀點，在史正史看一部中華文明史，是以另外的形態存在著的。這就是那每當以此農耕文明為

中華文明一難以智續時，游牧民族的馬蹄過長城，便氣勢從西給停帶的中華文明，以新的草光閃，嗚鼓羯之血化。

高畫聖公元紀元二〇二二五日四日作於西□書

看这头还在上面长着不，口里则时常会念叨："这一颗好头颅，不知道将要被谁割了去！'"

后秦皇帝姚兴摆摆手，让胡姬、昆仑奴出宫去，让他们到长安市井中去成立一个百戏班子，自谋生路，从此永不再见。驱赶走胡姬、昆仑奴，姚兴开始布置与大夏国对垒事宜。

第五十四歌
十年九战

这样，后秦与大夏之间，便有了一场十年恶战。十年后，姚兴死去，由他的儿子姚泓即位。姚泓新立，东晋大将刘裕乘机来伐，姚泓战败被杀，后秦灭亡。至此，后秦与大夏之间的十年恶战才告结束。

战争的初期，是后秦姚兴来攻，兴师问罪；战争的后期，则是姚兴处于劣势，勃勃的虎狼之师，攻城掠寨，不停地蚕食姚兴的地盘。

第一战，姚兴令大将张佛生在青石原上摆开阵势，单搦勃勃出来应战。勃勃建国初期，锐气正盛，士气高涨，加之又有打败秃发傉檀所获的军需与物资，故而一举击败张佛生，俘斩五千七百多人。

第二战，姚兴见张佛生战败，又派大将齐难率骑二万来伐。勃勃避其锋芒，退入河曲，给敌人以不堪一击之假象。齐难以为勃勃真的逃走了，纵兵四掠，全无忌惮，没想到勃勃以迅雷不及掩耳之势反杀过来，战术上这叫杀回马枪。齐难毫无戒备，结果被勃勃打得大败。齐难兵溃，勃勃不依不饶，乘胜追击齐难于木根城，围城数日。生擒齐难，俘其将士万又三千，马匹万余。

第三战，姚兴见两次派将皆为勃勃所败，于是亲自率军来伐。此次战斗，双方均有惨重伤亡，但结果还是勃勃占了上风。

接下来又是第四战。

后秦姚兴数年征伐，国力大亏，接下来的大战已是此消彼长，已是那大夏国勃勃来攻，后秦国姚兴处于守势了。

第五战，勃勃遣其尚书全纂率骑一万攻平凉城。姚兴来救，打败了全纂。

全纂死于军中。

第六战，勃勃遣左将军罗提率骑一万攻姚兴领地定阳，守将姚广都被克，勃勃获大批军需物资，并以女弱赏给军士。

第七战，勃勃又率大军攻后秦清水城，其守将姚寿都心怀畏惧，没有充分交战便奔于上邦。勃勃肆意掳掠，徙其人万六千家而还。

第八战，勃勃率骑三万攻安定城，与姚兴部将杨佛嵩战于青石北原。勃勃大胜，降其众四万五千，获战马二万匹。

第九战，勃勃又攻姚兴部将姚逵于杏城，二旬克之，活捉姚逵，坑将士二万人。

在大夏与后秦的这十年恶战中，有名有姓、有据可查、史书上详尽记载的战争就是上面所说的那九例，至于那些小规模的战事，鸡零狗碎，不计其数。

上面说的那些战争发生地，为了尊重历史，叙述者还都沿用当时的那些古地名。这些古地名，有的后世还在用着，例如平凉城、河曲、杏城、安定城附近的青石原等等。

纵观这些地名，可以知道这些战争的发生地多在从长安城至陕北高原的路途中，另一部分战争则发生在大关西地区，或曰陇东高原地区。

"关西"在那个年代是一个地理概念。渭河平原八百里秦川俗称"关中"，这其间当然包括长安城了。终南山的东尽头濒临黄河，有个有名的关隘叫潼关，潼关以东，三门峡、洛阳、临汾、运城这些地面称"关东"。至于那大散关、萧关以西的偌大地面，如天水、平凉、固原等，这个时期称"关西"。

上面说的这些地域，开始时都是后秦姚兴的地盘，后来在赫连勃勃的蚕食下，后秦国版图日益缩小，待那东晋刘裕来攻时，长安城已几近一座孤城了。

前面说了，大夏与后秦这一对生死冤家的十年角力，最后以东晋大将刘裕破长安灭后秦宣告结束。

其实这还不是结束，刘裕破长安只是其中的一个插曲而已。刘裕破长安后回师建康，留下儿子刘义真守城。刘义真席不暇暖，勃勃已亲率倾国之兵，以红马军团、白马军团、黑马军团为先导，顺秦直道，沿子午岭山脊长驱直入，从刘义真手里夺得长安城。

因此上说，刘裕破长安，这是大夏与后秦十年角力的一个延续，是勃勃借刘裕之手攻破长安城，自己再坐收渔利而已。

这是后话。

第五十五歌
三声喷嚏

从迁徙的途中在那辆高车上降生的那一刻起，命运就赋予了赫连勃勃一个几乎不可能完成的任务，这就是建一座匈奴城，让这些疲于奔命的迁徙者们，有一个喘息之地，让匈奴民族变千年行国为永久居国。

这些年中，无论是在那逃亡的路上，抑或是在大河套地面上的穷兵黩武，抑或是在与姚兴皇帝的十年角力中，那女萨满席地而坐、双手举天所发的祈祷之声，时时回响在他的耳边。

"上苍啊，赐一位英雄给匈奴草原吧，为了五花盛开，为了牛羊兴旺！我们将拥戴他和服从他！"——女萨满的祈祷声像呓语一样搅得他心旌激荡，不得半点儿安宁。

当年陇东城头玩儿游戏时的那个带血的羊拐，后来被高贵的鲜卑女莫愁用她的头发穿起，自此，那羊拐就挂在他的脖子上了。每一次摸到它，那建一座匈奴城、建一座童话城的梦想就从他心头泛起。

在这些年的战事倥偬中，他始终没有忘怀这件事。行旅间，每到一个地方，他都会纵马来到一个制高点，看这里的山形水势、风土人情，看能不能找到一块可心的地方，把他的那个梦想变成现实。

这一天终于来了。

这一日，勃勃率大军来到鄂尔多斯高原与陕北高原的交汇处，登上一座名曰乔山山脉面北而向的沙丘，骑在马上，手搭凉棚向远方瞭望。这一望，他惊呆了。

一阵湿漉漉的雾气吹来，呛得赫连勃勃连打了三个喷嚏。

马头下面是一片古木参天、水草丰茂、湖泊四布的绿荫所在。这一片绿色从他的马头下面铺开，一直伸展到大戈壁的深处，那天与地相接的远方。

那些树木中最为高大的叫背搭杨，树干有几搂粗，树皮斑驳，枝桠歪七扭八生长。另一种叫冈木，又叫青冈树，高大，坚硬，树干亦是十分粗壮。

还有一种柳树，一棵棵粗壮的树干从脚下一直排列到天边。另有一种纤细的乔木，白色的树枝干，树干上一圈一圈的花环。人们叫它白桦树。

相杂在这些树木中的是那些一蓬一蓬、一钵一钵的灌木，这是红柳、白柳、沙柳、荆条、柠条等。由于它们的根是扎进水里或者扎进湿润的土中的，所以长得较勃勃在大河套地区见到的都要青翠一些，树叶更舒展一些。

其次，就是那铺天盖地的芦苇丛了。所有有水流的地方仿佛都是芦苇的天下，那芦苇齐刷刷的一片翠绿。那季节大约正是初夏，芦苇扬花，花絮纷纷扬扬在这绿色中飘荡，将这美景点缀得像是一幅画。

这一切的存在都得力于一条水流。在草原上，水就是一切，就是生命的代名词。在赫连勃勃的年代，这水叫"奢延水"，而在后世，老百姓则叫它"红柳河"。那是一条从草原的深处、遥远的北方流淌过来的河流。经过这里，往下注入无定河。

"奢延水"从草原深处曲曲弯弯地一路走来，闪着碎银子一样的波光，蜜一样凝滞，然后在这乔山脚下汇聚成一个一个的湖泊，那湖泊像串冰糖葫芦似的，依靠河流提供的水源常年不衰。而它的水流，它的湿地，它的碱滩同时又滋润着这片林木。

赫连勃勃骑着那匹著名的黑骏马，以手扶鞍，向那绿色的尽头望去。与绿色相接处的百里之外，就是苍莽的陕北高原了。如果在这里建一座城郭，那就可以以陕北高原为依托，以那座距这里不远的陕北高原最高的山峰天赐湾为依托，如果草原上的敌人来了，那么我们就是居国，可以退到天赐湾一带，在纵横交错、深沟高峁的高原上与敌人周旋。如果是中原地面上的敌人来了，那么我们就是行国，是草原民族，城郭以北、以西、以东辽阔的大漠可以供我躲闪腾挪，游刃有余。

勃勃掉转马头，站在乔山之颠，又向大河套，向那条奢延水逶迤而来的北方望去，漫漫沙漠杀气腾腾，黄河远上白云间，以一个"几"字形的大弯，给这鄂尔多斯高原以三面屏障。

赫连勃勃治下的诸多城池，固远城、黑水城、白水城、受降城、锁阳城、五原郡、九原郡等等，包括不久前纳入大夏国版图的西宁城，它们都在这黄河的岸边，以这座新筑城市为起点都可以控制。

勃勃站在乔山之巅，击掌赞曰："美哉，斯阜！临广泽而带清流，吾行地多矣，自马岭以北，大河以南，未之有也！"

这块地面四周皆有"河津"与"重塞"作为"险阻"，但是却不闭塞，因为有一条古老的道路恰好从此处穿肠而过。这条道路就是闻名遐迩的"秦直道"。

秦直道南至长安城，北抵九原郡。有了这条道路，要去攻打大夏当时的两个主要敌人，即居于长安城的后秦姚兴和居于代州城的拓跋北魏，无论往南往北，骑匹快马，也就是两三天的路程；若要防御，堵塞道路，守住黄河渡口码头，闭关而自守，亦不是什么太难的事。

这真是个奠千年基业、筑帝王之都的绝好所在。

由于据这统万城可进可退，从而为赫连勃勃后来的兵发长安时的长驱直入提供了便利。对于此，后世的史学家们常以感慨的口吻说："当年秦皇修这条秦直道时，是为了北击匈奴，想不到到了后世，它还会有几次相反的用途，为匈奴人赫连勃勃的攻陷长安提供了便利，为后世西夏王李元昊进攻中原提供了便利，为后世大顺政权李自成的纵横天下提供了便利。"

这条道路不光眷顾赫连勃勃，它同样地也眷顾北魏。后来，北魏拓跋大军以雷霆万钧之势克统万城，灭大夏国，走的也是这条道路。

闲言少说。时下，鞍马劳顿，想找一个歇鞍之处的大夏王赫连勃勃，站在乔山之巅，将马鞭子往地下一掷，高声叫道：

"就是这地方了！在这里建一座城，一座匈奴城，一座童话城。它的坚固要超过咸阳城；它的壮美要超过洛阳城！"

说罢，遂调还在固远城镇守的叱干阿利，拜其为将作大匠，负责监造此城。

第五十六歌
并辔而行

号令传出，半个月以后，约莫着叱干阿利快要到了，赫连勃勃一人一骑又一次登上了乔山之巅。

乔山严格讲来不能算一座山，它充其量不过是西北方一条隆起的沙土梁子而已。这块地面又叫鄂尔多斯台地，因此，它更像一个地面上的台阶，那台阶是风一年一年地吹拂，搬来沙子堆砌起来的。由于这将要建城的地方地面开阔，平坦万里，一览无余，因此横亘在西地平线上的乔山才像一座山了。

赫连勃勃已经有一些老意了，当年那光光堂堂的脸上现在爬满了串脸胡，脸上那三道疤痕已没有以前明显，倒更像是三道较深一些的皱纹。脸色也已经是乌青乌青的了，少了当年的那种蓬勃之气。当他乘在马上缓缓地走动时，远远望去像一座颤巍巍的正在移动的山。而当他牵着马行走时，八尺三寸的身高还在，但是腿已经是罗圈腿了，那是因为在马上待得过久的缘故。他行走起来身子前倾，头向前伸着，两只大手向外向前摊开，下半截身子拖在后面。罗圈腿是内罗圈，脚尖向里踢，而那肥大的屁股好像是一件重物一样，翘着拖在后面，缓慢地跟着身子走。

赫连勃勃胯下的这匹马，经过这么多年来的出生入死，也已经有些老意了。马的腰身已经不像当年那样绵软，四肢由于时常从冰水中蹚过，大约已经有严重的关节炎了，行走起来有些迟缓，还偶然咔叽咔叽作响。马的头也不像当年那么总是骄傲地高高扬起，目空天下了。那马的眼睛也有些混浊了，平日闲暇时总是半闭着，懒得看人。

虽然已经是有些老意了，但这总归是一匹宝马，尤其是这是赫连勃勃的坐骑。因此，当它像一位老人一样行走，闭目养神的时候，它尖尖的耳朵却总是保持着高度的警觉。那是一匹战马的警觉。它的身子不动，眼睛甚至懒得睁开，但是，它那两只尖尖的耳朵会像两只风向标一样在头顶不停地三百六十度旋转，搜索着四周的声音。而在旋转的时候，它的屁股正悄悄地调向那有声音的方向，胯骨已经抬起，蹄子已经弯曲，准备随时弹起自卫。

行走中的赫连勃勃已经决定换掉这匹马了。这是将来还要进行的那许多战争的需要，是一个在马背上得天下的帝王的需要。

他有些不舍，因为这匹马曾载着他逃脱过好几次险境。那马在戈壁滩奔驰的时候，后面的敌人是很难追上它的，因为它会在双蹄并举就要落地的那一刻，突然成九十度直角转向，从而将追赶的敌人甩在身后。有一次，他受伤昏倒在一片茇茇草滩上，黄昏了，他从昏迷中醒来，发现他的黑骏马静静地卧在身边，"咴咴"地叫着，四周围满了野狼。他挣扎着爬到马背上，又昏死过去了，马载着他找到了营帐，然后用头使劲地去蹭那营帐的门。士兵们被惊动了，打开门，叫一声"主公"，把他从马背上抬了下来。

不独是对待这胯下的马，即就是对待人，也得这样，这是残酷时代的需要，这是建功立业的需要。役使人也应当像役使马一样，拼命地骑它，作践它，用马刺刺它，而当它气力使尽，倒毙在路旁的时候，对着尸体踢一脚，嘲笑两声，然后再换一匹新的马——世界很大，新的马总是有的。

赫连勃勃骑在马上行走着，等待着他的爱卿。有一阵子，他翻心了，真想就这样骑着马，像一个真正的牧人那样，在草原上漫无边际地走，夜来，鲜卑莫愁站在毡房门口，穿着裙子，袖子挽得老高，手里提着一只奶桶，在等待男人的牧归。但是，他不能那样做，理由只有一个，他不是别人，他是赫连勃勃。而退一步说，如果他真的那样逃避命运，世界上也就没有赫连勃勃，历史上也就没有赫连勃勃了。而同时，也就没有我们的这个故事了。

远远地眺去，阳光闪闪烁烁，不停地跳跃在戈壁滩上。眼见得远处地平线上，叱干阿利来了。

叱干阿利走在一列队伍的最前面。他骑的黑走马像一只大蚂蚱一样，大步流星地迈着步子。他很瘦，窄窄的刀条脸，下巴上留着一把山羊胡子。如果说他是一个凶恶的人的话，那是在他的为人处事上，而单从外表看来，他给人的第一印象，更像一个有些猥琐的来自社会底层的糟老头儿。

"不要和骑走马的打交道！"看着远远过来的叱干阿利，骑着马像大蚂蚱一样地一颠一颠，赫连勃勃笑了。

叱干阿利的身后是一长溜马车，那是他的家眷，大约还有一些细软。

"你好吗？亲爱的舅舅，我亲爱的朋友。你从固远城而来，给我带来了什么好东西吗？我知道，你总是能像变魔术一样，从肩上的褡裢里掏出一些叫人意想不到的宝物，来讨为王的欢心！"勃勃道。

阿利听勃勃问话，紧马两步走上前去，在马上行了个礼，说道："亲爱的外甥，草原上的鹰，匈奴人至高无上的王，我确实带来了宝物，而且一次就是三件，它们就在我的车上放着，一会儿有待我王过目！"

现在两个人马头并着，边走边说，那情形就像草原上偶然相遇的两个行路人在一起谈论天气，谈论夏牧场和冬牧场，谈论今年的羊产春羔和冬宰事宜一样。

勃勃问道："舅舅，我在固远城的漂亮妻子近来好吗？她的琴是不是弹得更加出神入化了？"

"她很好，好得不能再好！她依然年轻美丽，岁月对有些女人会留下刻痕，对她却没有。她的琴也确实弹得更为震撼人心了，较之当年在固远城头的弹奏，那琴声更为深刻，更为沉郁，更多了许多的内涵！"

"那么，有人打搅她的安静吗？要知道，固远城是一个通衢大道，人来人往，耳多眼多嘴又杂！"

勃勃问道。这也许才是他问话的主题，他来此迎接叱干阿利的主题。

阿利答道："回主公，没有人打搅她，人们也无法搅扰她。她是那么安静，仿佛佛家的'入定'一样，一块小石头掉进深淖，根本就溅不起涟漪。更何况，我派了最贴心的丫鬟，黑天白日都守在夫人身边服侍她！"

勃勃听了，长舒一口气，说道："那就好！"

勃勃又问："她的兄弟莫喜有消息吗？"

"没有，活不见人，死不见尸！唉，主公也就不要把这事搁到心上了，乱世年间，死个人就像死个蚂蚁一样。也许，他早就在哪一处戈壁滩上，让野狼给吃了！"

"这事不说了，算了，我们现在说点儿正事！"

勃勃沉思片刻，说道：

"舅舅，你是一个坏人。这个坏人的千古骂名，你大约还得背下去。我要在这旷野上建一座城，这是一件比摘星星、摘月亮还要艰难的事情。但是你得建。这事我就托付给你了，死多少民夫耗多少国库我都不在乎。哪怕这城用死人的白骨堆起来也成。我不问过程，只看结果！"

"容我想一想再说吧，这事不比砌个羊圈、扎个马厩那样简单，筑一座城是件大兴土木的事情，真的很难！"

"你现在不要再想别的，只想怎么修城就是了！从现在起，叱干宰相，我在你的官帽上面再摞一顶，拜你为宰相兼将作大匠！"

第五十七歌
骷髅头酒具——大夏龙雀——独耳狼旗

这个在此地被称为红柳河、在下游被称为无定河的河谷地带，湖泊与湖泊之间，绿树与野花之间，扎满了白色的牙帐。帐篷一个挨着一个，直排到天际。这些年来，他们的行军打仗就是这样安营扎寨的。如今，这一股潮水流到这里，要停泊下来，他们要以此为家。

核心的最大的一座牙帐住的是大夏国国王、匈奴大单于赫连勃勃。他先暂时住在牙帐里，等待着那城筑起。城筑起后，他将搬到城里去住。

牙帐中，赫连勃勃升帐。他的几个王子赫连昌、赫连定等分列左右。我们的老朋友，匈奴左国帅薛鲜、匈奴右国帅薛桓，经过多年征战，也都有一些老意了。他们穿着戎装，也坐在左右。

"爱卿，我的无所不能的舅舅，你说有三件宝物将要献给朕。那是些什么宝物呢？不要卖关子了，立马就从你的褡裢里掏出来吧，让弟兄们也都开开眼！"勃勃说道。

阿利趋上前去，深深一个礼节，然后有些小得意地朝四周看了一眼，继而脖子一扭，打了个响指。

响声刚落，一个随从端了个盘子过来，盘子上蒙了块红布。那随从走到赫连勃勃跟前跪下，将盘子顶到头顶。

勃勃看了叱干阿利一眼，有些狐疑。阿利笑了，走上前去，伸出鸡爪子一般的手，像变戏法一样亮声叫一声"起"，将那盖在盘子上的红布揭开。

四周一声惊呼。就连赫连勃勃脸色也都变了。

原来那盘子里，盛着的是一具狰狞丑陋得不可言状的骷髅头。

见众人都有些惊恐，叱干阿利笑了笑。原来，这正是他想要的戏剧效果。

叱干阿利说道：

"至高无上的王呀，你眼中看到的这东西，不是别的，是我用南凉王秃发傉檀的头颅做成的一件盛酒酒具。在征战南北、鼓行天下时，这酒具将挂在你的马鞍上，不离左右。遥想当年，伟大的冒顿大帝，这个天之骄子、千王之王，他的鞍头上就挂着这样一具骷髅头酒具，那是他在征服大月氏，杀了大月氏王以后，用大月氏王的头颅做成的。这骷髅头酒具就是王的标志。"

赫连勃勃听了，点点头，这个匈奴传说他是知道的，甚至比叱干阿利知道的还要详尽，那毕竟是他们家的家族传说。

勃勃问："那秃发傉檀的头颅，已经被我放进那骷髅台的最高处了，你是如何得到它的呢？"

阿利答道："草原上的人们口口相传，说骷髅台顶端放置的这颗骷髅夜夜放光，光照十里。属下听到这个消息后明白了，这颗骷髅头正是为我们的匈奴王预备的，为打造这么一件独一无二的圣物预备的！"

"好！"赫连勃勃击掌称赞道。

随后离了座位，上去端起这骷髅，举眼去看。

叱干阿利伸手在旁边一边指指点点，一边解释说："这两颗眼睛绿汪汪的，是用一种叫'祖母绿'的宝石镶嵌的；那两排雪白的牙齿是用昆仑玉做的；高高的鼻梁是用象牙做的；而那面具的两个耳子则是用阿尔泰山的黄金做的。这条通衢大道上往来的商人，他们为制作这件东西提供了许多的原材料！"

"好！我喜欢！"赫连勃勃说完回到座位上，将那骷髅头摆在旁边的几案上，用手不停地摩挲。

"那么爱卿呀，第二件宝物又是什么呢？"坐定后的赫连勃勃，怀着期待，又问道。

"回主上，这是一把刀，一把百炼钢刀，是我采了贺兰山的铁，溅上居延海的水，燃上鄂尔多斯的钢炭，历时三年敲敲打打千锤百炼锻就的一口百炼钢刀。文化人形容这口刀说：名冠神都，可以怀远，可以柔遁，如风靡草，威服九区！"

赫连勃勃接过刀来，端详一番，然后轻轻一剁，像切豆腐一样，切去了榻几上的一个角。

勃勃赞叹曰："果然是一把削铁如泥、吹发而过的好刀，一把专门为英雄准备、令世界为之臣服的好刀！"

阿利见勃勃喜悦，脸上的得意又添了几分，他言道：

"主上，这么好的一把刀现在还没有一个名字呢。我们大家击掌，请刀的主人，我们光荣的王，为这把宝刀赐一个名字吧！"

勃勃慨然说道："名字我已经想好了！赫连大夏，威夷四方。这口百炼钢刀，就叫它'大夏龙雀'吧！"

"大夏龙雀！好名字！"众人一齐击掌。

"至于那第三件宝物嘛，是一面令旗——独耳狼旗！"叱干阿利说着打一声响指，第三件宝物拿上来了。叱干阿利拎起这三角形的、上面绣有一只独耳黑狼狼头的旗帜，说道：

"在匈奴民族的传说中，一只独耳黑狼闯入了头曼单于的牙帐。天之骄子冒顿诞生了。于是，独耳黑狼成为这个北方狼族的图腾。这面绘有狼头的三角旗成为冒顿大帝号令天下的令旗。

"如今，当我们尊敬的赫连大单于纵马长驱，鼓行燕赵，踏平秦陇，置都塞外的时候，王的手中高擎的正该是它！"

"做一面旗帜是你宰相的职责！"勃勃说道。

勃勃令人将那独耳狼旗挂起。

勃勃今天连得了三件宝物。那独耳狼旗是自己通知叱干宰相缝制的，因此这事他已经有了心理准备，但这百炼钢刀和骷髅头酒具是他事先没有想过的。这叱干阿利确实是个大能人，三件宝物样样可心，令赫连勃勃一时顿觉气壮了不少。

赫连勃勃让人给这骷髅头酒具里灌满了酒，然后起身，亲自拎着这骷髅头，下来给每个文臣武将看酒。看过三巡，回到自己座位上，端起酒杯，说道：

"建一座匈奴城，一座童话般的城，比那渭水边的咸阳城更坚固，比那中州地面上的洛阳城更宏伟，这一直是朕的一个梦，一个从童年时就开始的梦。不在迟，不在早，就在今日，朕要让这个白日梦变成现实。"

众人听了，齐声击掌。

赫连勃勃又说："这城的名字，朕都想好了，就叫它'统万城'，取其'统一天下，君临万邦'之意，诸位爱卿以为如何？"

众人听了，又一次击掌。

"朕今封叱干阿利宰相兼作督造这统万城的将作大匠。朕这下就拜将了！"

赫连勃勃说完，走下台去，整理一下服装，半跪下来，向叱干阿利行之以礼。

叱干阿利见了，诚惶诚恐，大汗淋漓，赶快拽着勃勃的手，两只膝盖"扑腾"一声着地，口中叫道：

"主上将这么一件大国事托给在下，在下只有肝脑涂地，为王效命了！"

赫连勃勃见事情已经说妥，心中一阵轻松。他执起叱干阿利的手将他扶起，然后面向诸位说道：

"诸位出帐上马，随我看城去。马蹄所向，踏至哪里，哪里就是我们的城！"

众人发出一声喊，纷纷站起。

第五十八歌
跑马圈城

赫连勃勃打头，一行人簇拥着他，信马由缰向旷野上缓缓而去。来到西北角的一个高处，勃勃停住马说道："城的西北界就到这里了。这里要建一个角楼，角楼越高越好，可以藏兵，可以作瞭望之用。城的四个角上都要建这样的角楼。东西南北各开一座城门，那四座城门的名字，我也都想好了。"

勃勃手指着这空荡荡的地面，说道：这是东门，门的名字叫'招魏'，拓跋魏虎视耽耽，是我们永远的敌人，取这个名字的含义是瞅个空儿，招降他们。西门就叫'服凉'吧，那河西走廊地面的前凉、后凉、南凉、西凉、北凉，虽是我们的同类，也当在征服之列，绝不能手软。北门叫'平朔'，朕原本就是朔方王，而且世代沿袭，平定朔方是朕的天职。至于南门，那个遥远的杏花春雨江南，它现在叫东晋，要不了多久它将为一个叫刘裕的将军所取代，建一个南朝叫'宋'。我们现在先把这个门叫'朝晋'，将来再改名字叫'朝宋'，联合宋朝抗击魏国，这叫远交近攻！"

说话间，城四角的四个角楼和城的东西南北四座城门确定。马蹄嗒嗒，众人策马一番奔驰，等于绕了一个大圈子，这统万城的规模方圆就这样定下了。

赫连说道："咱们刚才马蹄踩过的蹄窝处，将来就是城墙！城墙要厚，越厚越好，光挡住马蹄不行，还要能挡住那火铳箭镞的攻击。哦，这城墙要想坚固，最好依着城墙，加修一些马面！"

所谓马面，是古代筑城的一个套路。在那城墙外边，隔上三十丈左右筑一个堡子，这堡子与城墙黏合在一起，同时向外凸现出许多。堡子里面是空的，可以藏兵，可以堆放物资，可以穿越城墙与内城来往。有了这东西，就像牛长了两只角，可防御，可进攻，用兵自如。如此这般，城墙就增厚了许多，城的分量也就厚重了许多。

中原的城池没有"马面"这东西，这是那年进攻南凉王秃发傉檀时西宁城有的东西。正是见了这"马面"，赫连勃勃心生怯意，不敢攻城，而采取诱敌出城的办法才破得西宁城的。破城以后，他专门来到城下，钻进"马面"里摸索了一阵，心想，我将来筑一座城，也一定要把这东西筑上。

说完"马面"，赫连勃勃又领着众人来到东方，马鞭指着辽阔的原野说道：

"在这招魏门的外边，要修两个城。靠近城墙的地方修一个外城，名叫'赋贡城'，让天下的国家都来朝拜我，年年献赋，岁岁朝贡，以养活我的国家。赋贡城的外边，那块大戈壁滩的低洼处，再建一座易马城，临洮易马，汉中换茶，将这里建成一个大集市，让骑在马上、嘴里嚼着风干牛羊肉的游牧人来这里换取布帛和日用品，让那些长城里边村庄里的人们在这里换取耕地的牛、拉车的马、御寒保暖的二毛子皮袄！"

他们还对这城内大大小小的湖泊做了勘测，发现它们的水源均来自那条从北方流来的"奢延水"。水真是一个好东西，有了它，才有了这一片塞上地面难得的湿地和绿荫。

他们决心把这水好好地利用一下，在城中建成天然的湖泊公园。当统万城修起来以后，让这奢延水改道，绕外城墙一圈，成为一条护城河。

有了护城河，再安一个吊桥，它就真的成一座像模像样的城了。

一行人纵马在这块旷野上行走了大半天，一座臆想中的城就这样建立起来了。打道回府的途中，赫连勃勃突然觉得这座城好像还缺点儿什么。

他骑着马，在城最中间的那个位置打了几个转，又向天空望了望，而后用手指着天空说：

"这个地方刚好居中，是我们统万城最主要的地方。这里要筑一个高台，越高越好，高到可以上天摘星星，摘月亮，高到可以夜来望见长安城的灯光辉煌。这高台，叫它祀天台也可以，叫它永安台也可以！"

临了，赫连怅然地说：

"这个高台是给我们草原上那永恒的流浪者，我们先知先觉的女萨满预备的。如果她有所感知的话，统万城落成的那一天，她将出现，并且在这个高台上与天通灵，为我们祈祷，告诉我们那些我们视力所不能及的遥远地方的故事。"

"列祖列宗，佑护我们吧！"赫连勃勃用这句话，为今天的跑马圈城画上句号。

"佑护我们吧，列祖列宗！"一群草原男人用沧桑的声音，齐声附和道。

第五十九歌
酒谷米

这样，这座北方旷野上的辉煌都城，叮当动工。

奠基之日，平日清清朗朗的天空突然飘来一片云彩，老百姓把这叫"过雨云"。云彩飘到划定的统万城上空时，突然停住不动了。几声响雷，滴起雨星。接下来，下的不是雨，而是一条一条的鱼。

鱼落在地上，堆了一层，地面上的暑气一蒸，刹那间这块地面腥臭无比。士兵们见了，人人惊骇。叱干阿利平日最能沉得住气，如今见了这天降异象，也有些变脸失色，便赶忙前来问赫连勃勃，看这筑城之事今日开不开工。

赫连勃勃见了，有些恼怒，手执"大夏龙雀"，指着天空，大骂一通。骂声中，雷又响了两声，一阵风吹过，这云就飘走了，鱼雨也不再下了。赫连勃勃让人将这天空落下来的鱼，堆砌成山，架起木柴烧掉。然后令叱干阿利不必顾忌，该开工时就开工。

叱干阿利的心始得安定。

话说这将作大匠叱干阿利得了王令，也知道这赫连勃勃的脾气，哪敢有丝毫怠慢。于是乎倾一国之财力物力，调四方之兵丁百姓，又从那长安城中挖来能工巧匠，于奠基仪式结束后，开始筹划这筑城的事。

叱干阿利计算了一下，要修这么一座大城，须得十万民夫昼夜不停劳作，六年时间方可搞出个模样来。于大夏国来说，筑城这件事如今已经成为第一要事，甚至那与后秦姚兴的对垒和战争都已经退到其次。因此，这将作大匠叱干阿利现在权重一时。

好阿利，一封通牒文书发出，要那大河套地面内套、外套、前套、后套各个城池三丁抽一，派出民夫与工匠，前来筑城。这样下来，掐指一算，人手还是不够，于是阿利调动兵马四处抓人，整个大河套地面哭声一片，躁动不安。

大河套地面那一顶一顶白莲花般的帐篷掩映在白云蓝天、红花绿洲之中。士兵们有恃无恐，高举着火把一路掠过，将这些帐篷一一点燃。少了帐篷的庇护，牧人们就像被掏了窝的老鼠一样，纷纷跑到野地里。这正是士兵们所需要的。叱干阿利的士兵们挥动鞭子，挥动马刀，驱赶着旷野上的人们。那情形就像赶着羊群放牧一样，从东西南北各个方向，一群一群将他们赶到统万城的建筑工地。

筑城的民工们是有了，招募来的工匠也都有了，统万城的图纸大样也都按大夏王赫连勃勃设想的那样绘制出来了，甚至监工也已经手提鞭子督促民工们要开始干活了，但是，工程却不得开工。

聪明的叱干阿利这次遇到了一个天大的难题。这难题就是统万城用什么来筑。巧妇难为无米之炊，筑这么一座大城得有建筑材料才成呀！

叱干阿利骑着他的走马，以城址为圆心，用了三天时间走了一大圈儿。令他诧异的是，方圆百里竟然找不到一块石头。坐骑走到青羊岔的白于山区，那里虽有些石山，但都是些风化石，一经风吹雨淋就碎成粉末了，根本不能用来筑城。坐骑走到西边和北边，这里都是一望无际的茫茫沙漠，那流沙一浪一浪地卧在地上，连马蹄子都陷进去了。流沙直达黄河岸边，连一块拳头大的石头也找不到。马蹄又将他带到南边，那里要跑很远的路程，直到周河，直到宁塞川，才见石头。

叱干阿利平生还没有遇到过什么难事，不过眼下这件事可把他真的难住了。没有材料如何筑城？赫连勃勃嘴上说说容易，但是要实施起来却难上加难。没有法子，他向赫连勃勃报告。赫连勃勃说："朕只问结果，不问过程。"

接着又说："你不要用这些寻常小事来打搅我。长安城将要有一场鏖战。我正想着长安城的事情。这筑城的事情，你是大拿，什么时候城筑好了，你再来告知我！布置好房间，让我搬进去就是了！"

叱干阿利还想唠叨两句，只见赫连勃勃不耐烦，只得悻悻地走了。临出门时，只见赫连勃勃在他后边，将一只脚使劲地往地上一跺，有些暴躁地叫道："天如果佑我，让这脚下的满地黄土，一夜间变成石头吧！"

没承想，赫连勃勃这句一时冲动脱口而出的话，仿佛一句谶语，那统万城地面的满地黄土果然都变成了石头。

事情是这样的。

叱干阿利受了赫连勃勃的训斥，回到帐篷后心中烦闷，一个人把杯举盏，喝着闷酒。正在这时，门开了一条缝，厨子进来了。厨子的肩上扛着一条狗，往地上一扔，说道："将军，我见你心头有事，喝酒解闷，就从旁边的村子里打了一只狗回来，待我将这狗烹烧好了，给将军下菜！"

叱干阿利刚要回话，后面嘈杂声一片。原来是狗的主人追上来了。狗的主人上前夺过狗，先骂了那厨子两句，又说这狗被打杀，怎么连一声也不叫唤，真是怪事。主人说着，将狗的嘴巴使劲掰开，掰开以后，发现有一团软乎乎的东西填在狗的嘴里，将狗的上嘴唇与下嘴唇粘在了一起。

这黏糊糊的东西叫"酒谷米"，或者叫"九谷米"，或者叫"糯米"，是米的一种。这是大河套地区的一种物产，老百姓逢年过节吃的糯米糕就是这东西做成的。村野乡间，有好事者想打狗吃，蒸这样一块糕，走到人家门前，隔墙头扔过去，狗见了一吞，整个嘴巴就被粘住了，如果那糕是烫的，连狗的牙齿都会被粘掉。

狗的主人与厨子正在争执，言语过往中时时提起"酒谷米"字样。"酒谷米"这三个字令叱干阿利眼前一亮，他毕竟是老江湖了，经多识广，这大半辈子舌头尖上流过的美食不计其数，酒谷米以及这酒谷米熬出的糯米汁、蒸成的糯米糕，他都是知道的，也都是品尝过的。

叱干阿利走过来，踢了那狗一脚，然后掰开狗嘴来看。狗嘴粘得很死，阿利费了很大的劲儿才把狗嘴掰开，把它吞进嘴里的那个米团掏出来。

叱干阿利叫道："果然如主公所说，脚下的这满地黄土可以变成石头的。"

他又说："将这酒谷米拌上黄土，再拌上些生石灰，再掺上些细沙，用一口大锅蒸了。待这东西干了，冷却了，凝固了，就该像石头一样坚硬，同时还要比那石头柔韧，阿利我，明天就用这材料筑城！"

这样一说，叫那旁边正厮打的狗的主人和皇家厨子，明日也帮衬着做这

如果这世界上有两個聪明人的話，
我就是其中的一個。
如果这世界上有一個聪明人的話，
那就只好是此干阿利戟了。

为此干阿利造型
高建群言屋誌

个试验。说完抬起脚来，给他们一人一脚，将二人踢出帐外。

"明日试验！"他说。

第二日，乔山下面北城墙一线，支起许多口大铁锅。锅里冒着热气，正在蒸这种混合物。蒸好出锅，叱干阿利亲自动手，拿一把长铲子将这混合物从锅里铲出，然后沿北城墙一线一层一层垒起拍齐。垒起一截以后，就圪蹴在旁边来看。一阵工夫，约摸这东西干了，拿到手里变硬了，便提起来在地上摔了摔。

这东西果然坚硬如铁。

叱干阿利拔下腰刀在上面蹭了两蹭，霍霍作响，想不到这东西竟然坚硬得可以磨刀。叱干阿利见状，大叫道："黄土确实可以变成石头，这统万城现在是可以筑了！"

这时回转身子一看，只见主公赫连勃勃骑在他那著名的坐骑上，站在乔山之巅纹丝不动。他正满面阴郁地向着南方，向着长安城方向凝视。

叱干阿利上前禀报道："主上啊，你口外口里有毒，没承想一句而言中，这黄土果然可以变成石头。眼下，这座坚固如咸阳城、雄伟如洛阳城的辉煌城郭，就用它做材料了！"

沉思冥想中的赫连勃勃被这句话惊动，明白过来了以后，他也面露喜色。

至此，将作大匠叱干阿利站在这城址上号令天下："传我号令，整个大河套地面从明年开始，广种酒谷米，连种六年。六年间，这酒谷米不许吃食，不许外卖，皇家要以重金征购！"

城就这样开始筑造了，一天天见高，一天天见大，一天天现出城郭轮廓。

第六十歌
你看这匹可怜的老马

一匹马在草原的深处静静地吃草。柔软的草浪一起一伏。刺棵子摇着铃铛，草原上布满了音乐。云雀一会儿飞上高高的天空，一会儿又敛落下来，回到这刺棵子上面那个用细草和羊绒编织的蛋状的小窝子里。一只鹰，这草原上的王者，驾驭着气流，平展着翅膀，在这片草原上空巡视着，完全是一种君王的感觉。一只乌鸦飞翔得有些累了，它找了个地方暂时歇脚。这地方正是那马背。马摇了摇头，身子筛了一下，见乌鸦没有走的意思，也就懒得再理它，且让它在自己的背上待着吧。

这是王者的坐骑，大夏国国主赫连勃勃的坐骑。自从许多年前那个青色的早晨，四个草原汉子站定四个方位用马鞭子来抽它，终于使这高贵的汗血宝马俯首帖耳，时至今日，它已经为它的主人服务了许多年了。

它已经成了一匹老马，迟钝、缓慢、腰身僵硬、四肢沉重。它已经快要告别奔驰了。它的主人赫连勃勃也当然明白这一点。

赫连勃勃得换一匹马了。他从缴获后秦的那两万匹战马中为自己选了上等的一匹。今天是骑手要向自己的坐骑告别的日子。早晨起来，他为马加了点青稞料，然后牵着它来到红柳河边。

他让马站在水里，然后撩起水来为它洗刷梳理。他拿着一把马刷子，从马耳朵根那个最敏感的地方开始，一路梳理，直梳理到马的尾巴尖上。马舒服地伸着懒腰，不时地长鸣两声。

梳理完毕，他开始为马结辫子。结辫子的事，他已经许多年没有干过了。他记得的最后一次是在固远城中，新婚之夜，他为爱得最深却也伤得最深的鲜卑莫愁结过辫子，他在一夜时间，为鲜卑莫愁结了一百零八根小辫子。

赫连勃勃细心地将这汗血宝马脖子上长长的鬃毛，编织成一个一个的小辫子，让它们自然地垂下来，垂满脖子。脖子上的鬃毛编完了，他又开始编尾巴上的毛。他将这马尾巴编织成一股，像姑娘脑后垂的那个马尾辫一样。

将他的马打扮好了，赫连勃勃踢它一脚，说："我的马，你走吧！草原很大，地平线很远，你可以自由自在地走，哪里天黑哪里歇。走到哪一天累了，就倒下来，安息吧！"

马好像明白了他的话，踽踽地向草原深处走去。

这时候，赫连勃勃在河边倚着一个塄坎，像一个疲惫的骑手那样，像一个刚从田野上归来的农夫那样，两条腿叉开，穿着马靴的双脚脚尖朝天，他睡着了。

天苍苍，野茫茫，风吹草低见牛羊。赫连勃勃的马一直向草原的深处走去，向天与地相接的远方走去，向红日西沉的那个地方走去。

赫连勃勃大约只打了一个盹儿，就被惊醒了。从那筑城的地方传来了人们的惊呼声。

勃勃扭过头去看，原来，那筑好的半截城墙突然一截一截哗啦哗啦地倒塌了。筑城的农夫中有不少人被掩埋在了下面。

将作大匠叱干阿利如丧考妣般地奔跑过来，单膝跪地，叫道："主公呀，不知道什么缘故，这城每筑到一定高度，就开始倒，一截儿一截儿，哗啦哗啦地倒，成片地倒。我该怎么办？"

赫连勃勃站起身，束了束腰带，对叱干阿利说："且让我去看一看。看有什么鬼祟胆敢在此作怪，看有什么鬼祟胆敢与我赫连勃勃为难！"

赫连勃勃随着叱干阿利登上那些残缺的城墙。他走了一圈，站在那里沉思片刻，说道："这座城是一件圣物，它该有些不同寻常之处才对！"

赫连勃勃又说："在我那白日的臆想和夜晚的长梦中，这座匈奴城是一座童话之城、暮光之城、血光之城，所以，除了这些寻常的建筑材料之外，它还缺少最重要的一样东西，那东西就是血！"

说罢，赫连勃勃从他的脖子上取下那只蘸着血的羊拐，凑到眼前细细地看了看，说："就该是这样子的，那上面有血，鲜血淋漓。至于什么血，我不太清楚，但是，应当有血！"

赫连勃勃以手遮额，向他的坐骑走去的那片草场望去。太阳像一只大车轮子，血红血红的，停驻在那远方的地面上。他的汗血宝马，那曾经的风之子，隐现在那草丛之中，一只乌鸦歇落在它的背上，张口向天，呱呱地叫着。

赫连勃勃凝望了很久，沉思了很久，最后好像是下定了决心。只见他突然把手指塞进嘴里，腮帮鼓起，接着，我们听到了一声长长的口哨声。

口哨声过后，刚才的那匹马扬起头来，耳朵风向标似的转了转，然后折身循着口哨声"咻咻"地叫着，从夕阳的那个方向跑向它的主人，跑到统万城的城头上。

赫连勃勃走过去，伸出长臂爱抚地搂住马的长脖子，用自己那长满胡须的脸轻轻蹭着马的脸。

马睁大眼睛看着他。刚才跑得太快了，马还在喘气。

赫连勃勃说："如果要度过一个凄凉寂寞的晚年的话，那么，倒不如没有晚年！对一位英雄来说，是如此；对一位英雄的坐骑来说，亦是如此。我的马儿，我高贵的朋友，你同意我所说的话吗？"

马的眼睛里流出了混浊的老泪。它扬起头来长长地嘶鸣了一声，算是同意赫连勃勃的话。

赫连勃勃长叹了一声，从他的靴子里摸摸索索地掏出一把匕首。匕首顺过来，反握着，高高扬起，然后又用另一只手在马的脖子上摸索，寻找马的主动脉。

只见赫连勃勃挥舞着匕首，一刀刺进去。

赫连勃勃说："你没有晚年，我大约也没有的，我做了那么多的恶事！好吧，让我们都不要晚年！"

马身上的血像喷泉一样直射出来。随着血液奔涌，马慢慢地倒毙了。

赫连勃勃俯身脱下自己脚上的靴子，去收这喷溅的血液。收得一马靴子了，然后端起来，高高扬起，将马血洒在那正在修筑的半截儿城头上。

我们看见，血洒处染红了半边天空，染红了这半截儿城墙。像玫瑰的颜色，像朝霞的颜色。而那城墙奇迹般地变得坚固，一截截成长起来，不再坍塌。

正在这时，有人飞马来报，马蹄声打断了赫连勃勃的思绪。

"禀报大单于，东晋大将刘裕派遣使者来朝，言说后秦皇帝姚兴已死，长安城中空虚，使者要与您商量联合兵发长安，攻打后秦的事！"来人说。

第六十一歌
刘裕伐秦

这个东晋正是三国归晋之后的那个晋。它开始叫西晋，国都在洛阳；后来叫东晋，国都在建康府，即后世的金陵城、南京城。"天下大势，合久必分，分久必合"，这句老话，说的就是三国归晋的故事。

当年，八王之乱导致西晋灭亡，司马家族弃了洛阳城而逃，逃到长江以南，又在建康城建起东晋政权。五胡十六国之乱正是在这西晋灭亡、东晋初立、中央政权羸弱之时开始的。

偏安一隅的东晋王朝几次摇摇欲坠又几次被保全下来，石头城下月如钩。

我们记得最清楚的是那场苻坚与谢安的淝水之战,正是这场"抽刀断水水更流,举杯消愁愁更愁"的战争,让前秦灭亡,让后秦出世,从而为我们书中的许多鲜亮人物的登场,提供了舞台。

我们说话的这一刻,这个可笑的东晋政权已经走到它的末路了。它出现了一位终结者,这个人叫刘裕。刘裕将军功高震主,击败桓玄,剿灭南燕,西攻谯纵,兵收巴蜀。如今,见这后秦姚兴新亡,其子姚泓少不更事,为人懦弱,于是出兵关中,虎视眈眈要灭后秦。

待将后秦灭了以后,刘裕结束了他的东征西讨,将在建康城里代晋称帝,建立起他的南朝政权。刘裕将他的国号称"宋"。

当然,刘裕建立的这个"宋"亦是短命的。它会迅速地为"齐"所取代,而"齐"又会迅速地为"梁"所取代,而这个"梁"又会迅速地为"陈"所取代。

所以,人们把这段时间里先后依次出现的这四个南朝小王朝统称为"宋齐梁陈"。它们正是中国史书上一个历史阶段"东西晋,南北朝"中的"南朝",这样再加上拓跋魏的北朝,再加上我们津津乐道的"五胡十六国",这中国浑沌不清的三百年历史,叙述者就将它交代得清清楚楚,明明白白的了。

居于大河套地区的五胡十六国之一的大夏国国主、一代枭雄赫连勃勃,观天下大势洞若观火,他早就看出东晋已日薄西山,而取而代之的,该是它自己培养出的这个大将刘裕了。所以,他在统万城规划之初,就将那朝着杏花春雨江南的那个城门叫"朝宋",以示对刘裕的友好。如今,在统万城头,见刘裕使者已到,立即大礼相迎,细心款待,然后升帐,商议此事。

勃勃说道:"刘裕伐秦,水陆兼进。水上自黄河溯流而上,至河口,再顺渭河漕运直抵长安城外的水旱码头;陆上则大军急驰函谷关,占潼关城,一路西进。刘裕有经世之略,姚泓岂能自固。长安城这座千古帝王都,早晚得由这刘裕鲸吞入口!"

勃勃又说:"那刘裕是江南客,南蛮子,不服水土,若占了长安,必不会久住,他的心里还想着黄袍加身那件事,还想着建康城那个九五之尊。以大夏国当前的国力,和那刘裕,以兄弟相称,歃血为约似为上策。朕的意思是说应了这刘裕,结成一个同盟,一举灭掉后秦。"

说到这里,勃勃环顾左右,低声说道:"螳螂捕蝉,黄雀在后。待刘裕走了,长安城空虚,朕那时候再发大兵,以虎狼之师,泰山压顶之势攻入,长安城便成朕的囊中之物了！"

众将士听了，击掌称善。

勃勃又说："既然诸位赞成，那么我这就回复刘裕那个使者，就说我们同意结盟。且派太子赫连昌为左军，以薛鲜为先锋，顺秦直道直下，屯兵咸阳城下，只看不战。另派五子赫连定为右军，以薛桓为先锋，取道黄河白马滩，屯兵潼关，扼住要道，也是只看不战。待那刘裕取了长安城以后，我等再做别论。"

众将领听了，诺诺称善。

这赫连勃勃看来貌似粗鲁，实则却是心细如丝。北方苦寒地面往往生出这种人物，敌手与他们打交道时，往往小觑了他们，觉得不过是粗人一个，于是掉以轻心。往往是吃了大亏以后才知道什么叫"狡狯"了，叫"红萝卜调辣子——吃出看不出"了。

赫连勃勃对那刘裕来使好生款待，尽其所有大酒大肉呈上。夜来，北地寒冷，又让人找来龟兹国美女同裘共枕，为其暖脚。说是暖脚，待那脚暖热以后，要干些以外的事，也悉听尊便。来使走时，勃勃又执着来使的手，送出数里之外。告别时，勃勃对来使耳语说道：

"天下英雄，江南首推刘裕将军，河西该看我赫连勃勃。再加上那个雄踞代州、称雄一方的拓跋焘，三分天下，已成鼎立之势。刘裕将军黄袍加身，代晋称帝，那是天经地义的事！使者大人你看，勃勃已经将统万城东门叫'朝宋'门了。今日这盟约一结，勃勃将每日清晨束冠整巾，站在东门朝宋，阴晴不误！"

刘裕使者平日只闻勃勃雄骛，目空天下，今天见他如此谦恭，心中颤颤。加之夜来有美女相陪，如今手中又拎着戈壁草原上的许多珍物，于是一再表示，自己回去以后会多言好事。

第六十二歌
叱干阿利筑城

翌日，勃勃大军应刘裕将军之约，水陆并进，南下长安。赫连昌一支，将从延河的源头芦子关登上子午岭山脊，顺着山顶的秦直道南下。赫连定一支，将顺黄河右岸而下，翻黄龙山经白马滩，目的地是关中平原的咽喉要道潼关。

赫连勃勃骑着马，将这两支队伍一直送到岔路口，谆谆叮咛道："务必派那快马斥候一日三报，我则在这统万城里静候佳音！"

又说："当年曾祖冒顿马鞭挥舞处，只破了个关中西边的萧关，到了淳化、泾阳一带，距那长城还有百里之遥。先祖呼韩邪倒是三次进了长安城门，并曾登台入室，进了汉王室的未央大殿，但是他不是去征伐，而是去和亲。萧条异代不同时，今天要破这长安城的，是我赫连勃勃大单于了！"

说罢，仰天大笑。

笑毕，赫连勃勃手一挥，让两支队伍分道扬镳，自己则骑在马上，手搭凉棚，一直望着不见队伍影子了，才转身回来。

转过身，看见统万城城头上，黑压压地站满了人，嘈杂声四起。有男人的哭号声，有兵丁们的训斥声，还有将作大匠叱干阿利的拖着长腔的号令声。

"叱干阿利这狗日的，又在杀人了。这哪里是用蒸土筑城，分明是用人的尸首在筑城呀！一天杀五六人，这六载筑城下来，得死一万多号人哩！"赫连勃勃笑道。

那笑容，三分是赞赏，三分是无可奈何，三分则是有些忐忑不安。

在那些言之凿凿的正史和乡村学究编撰的野史中，在那些代代相传口口相传的民间传说和放羊汉的凄凉歌谣中，对这座位于北方旷野上的庞然大城的修筑经过，曾赋予了许多令人毛骨悚然的故事。

而对这座大城的督造者、勃勃的宰相兼将作大匠叱干阿利的残暴、凶恶，更有着许多令人瞠目结舌的描写。

据说，在这蒸土筑城中，民夫们每筑成一砖薄厚，就要停下来，让那监工来验。叱干阿利则手执一柄鬼头刀，在旁边站着。监工拿一把锥子，如果能刺进去这新筑的城墙一寸，就说明这城不够坚固，民工们偷懒了，那么旁边的叱干阿利不问青红皂白，挥手一刀立即砍杀这民工于城头。如果这监工刺了半天，锥子没能刺进城墙一寸，说明这监工偷懒，飞过一刀，剁下这可怜的监工的头。

然后这城再继续往下筑。那些尸首不论是监工的，还是民夫的，也没有必要再挖坑填埋了，立即被敷上新的蒸土，然后民工们喊着号子，将尸首夯实，揳入城中。反正这混凝土中有一种原料名叫血，那么无论牛血、马血，还是人血，都是一样的。

史书中说，建造统万城广征夏夷民夫达十万之众。六年筑造下来，待峻工之日，十万之众中十中有一被杀！也就是说有一万人被杀了，尸首则被就近揳入城墙中了。

自从赫连勃勃的那匹汗血宝马第一个被打入城墙以后，陆陆续续地不断有人被打入。六年光阴，两千二百天不到，一万除以两千二百，那筑城中就是见一次日头，这世界上就要少了五个人。因此这统万城是一座白骨堆成的城池，是一座暮光之城，血光之城！

此一刻，赫连勃勃目送他的两个爱子兵分两路进军长安，始觉心安。回转身子，朝建筑中的统万城望去，只见城头上嘈杂声一片。

城要坚固！这是赫连勃勃给叱干阿利下的狠话，至于如何个坚固法，勃勃也有话，叫作"只问结果，不问过程"。那叱干阿利筑城时杀人无数，赫连勃勃何尝不知，只是充耳不闻罢了。这日，恰好又碰见这阿利杀人，勃勃一时有了兴趣，之前他只是闻说而已，这次他决定亲眼去看一看。

城头上，果然是那叱干阿利正在杀人。

他正驱使监工用锥子去刺城墙。今天是谁倒霉，是监工还是工匠？暂时还不知道！

赫连勃勃在远处看着。刚才的嘈杂声突然停息，城墙头上是死一般的静寂，接着，只见叱干阿利挥舞鬼头刀，刀光闪耀处，一刀砍去，"扑"的一声，鲜血四溅，一个人像粮食桩子一样倒下去了。

"嘿嘿，将他打入城墙！"叱干阿利在他的皮裤上把刀抹了一抹，重新佩在身上，然后面不改色地说道。

赫连勃勃看见一具尸体被民夫们抬起来，喊了两声号子，往正在修筑的城墙上一扔，接着，蒸好的糯米土就冒着热气，覆盖上去了。

工地又恢复了正常的建筑秩序。

赫连勃勃没有走近，大人物对那些如草芥如蝼蚁的小人物的命运没有必要去过多地关注，这世界上还有着更重要的事情等着他去做，等着他去想。

他面无表情地背着手，绕城走了一圈，最后回到他的那一顶大帐篷里。"来人哪！"他喊道。

赫连勃勃从帐中搬出一斗黄金，说道："将它赐给忠诚的叱干阿利将军。另外，从龟兹国选两位绝色美女，送进将军帐篷，白日做饭，夜来暖脚！"

{ 第六十三歌
口述文书

　　不说叱干将军筑城的残暴，单说赫连勃勃在统万城中寝食难安，一日三次站在那乔山之巅眺望，专等那长安城的军情汇报。那快马斥候的一日三报，自是不敢怠慢，因此那长安城中的情况，勃勃也是了如指掌。忽然这一日，大好消息来了，赫连昌、赫连定两人同时派人来报，说后秦姚兴的继任者，他的儿子姚泓已经弃城投降。那刘裕大军已进驻长安城了。

　　勃勃听了，告诉斥候说："转告赫连昌、赫连定，既不入城，也不后撤，按兵不动，少安毋躁。目下只做一件事情，就是不断地摇尾巴，向那刘裕示好！"

　　又说："现在刘裕已得了长安。这时候的他该是陷入举棋不定，处于两难之中了，他不知道是该回兵建康好呢，还是一不做二不休，灭了后秦再灭大夏，彻底平定北方好。"

　　"这几日，刘裕使者将到。我想那刘裕该打发人来探我的虚实了！"

　　说罢，勃勃命那新近从后秦逃亡过来的中书侍郎皇甫徽，草拟一份文书，书中尽言兄弟情谊之事，颇多阿谀奉承之词。文书拟好了，勃勃关起门来，谢绝凡人打搅，然后摇头晃脑，死记硬背。勃勃虽一莽夫，不通文墨，那博闻强记却是一流。

　　待将文书背得滚瓜烂熟了，再将它一把火烧掉。恰在这时，听到门外有人禀报，说刘裕将军的使者到了。

　　赫连勃勃笑一笑，一揭门帘，跳门而出，见了使者，上前亲自为使者牵马。牵着马到了帐篷前，又伸手扶着马镫，扶使者下马。那勃勃的仆从早已四肢拄地，露出脊梁为这使者充当下马石。使者见了，也不客气，踩着脊梁，下到地面。

　　赫连勃勃升帐，执着使者的手，让他与自己同坐一榻。

　　坐定，勃勃一边摩挲着使者的手，一边问道："中书侍郎皇甫徽可在？"

　　底下一位大臣慌忙出列，叩首道："臣侍立在侧，静听吩咐。"

勃勃对使者介绍道："此人乃当今才子，后秦旧臣，投靠大夏已经一年有余了！"介绍罢，又问那位大臣道：

"可有笔墨？"

皇甫答道："纵然无笔，纵然无墨，但有我在！"

勃勃见皇甫这样说话，笑了，继而又说道："不过那笔墨还是得要有的，这里，我要修一封书呈刘裕将军。哦，这里要口述于他，皇甫先生，还得劳请你动动笔墨！"

皇甫答道："笔墨在此伺候。"

勃勃见那老先生将笔墨预备停当了，于是清清嗓子，说道："我一个草原客，长期居于北方，论起城头走马，沙场厮杀这些事，倒是还有几分能耐，舞文弄墨之事是一点儿心得都没有的。这几年受汉文化熏陶，稍有了一些长进。今日此时此刻，为兄弟情谊，为永结同好，我就不揣冒昧，鹦鹉学舌上几句，以呈刘将军。文书中不妥之处，还请皇甫先生润色！"

这一番开场白说完，稍作停顿，勃勃示意皇甫："你且录着，我这里说了"，而后，扬声说道：

"天不可有二日，今儿个这个世界正该大宋刘裕将军出头。刘裕将军黄袍加身，代晋称帝，已是势在必行，瓜熟蒂落，水到渠成之事。小弟勃勃一个草原客，草莽之人而已，愿为刘裕将军鞍前马后，据朔方，控河套，安定北方，一解将军枕席之忧。待天下安定，大宋企稳之后，勃勃将放马南山，归老北方，琴书卒岁，如是如是！"

这一番话，说得如出肺腑一般真诚。北方人说话用丹田发声，那虚诞之言说出来也像真的。不似南方人，嘴皮子乱动，舌头顶上打转，那真话说出来也叫人半信不信。

刘裕的使者正是上次来的那个人。初见勃勃容貌魁伟，英武绝人，先生出几分好感，又生出几分畏怯。

如今见这勃勃滔滔如泻，出口成章，句句说的是与刘裕将军的兄弟之情，言语过往，似有似无透出俯首称臣的意思，全无草原王的那份专横跋扈。使者心头不由得一阵喜悦。

使者说："赫连大单于，不瞒你说，我家主公正在灞上，三十万大军举棋不定，不知是在灭了后秦之后再灭大夏呢，还是就此息兵回建康城称帝。

刘将军使我这番前来，正是为探虚实。如今有大单于这一番话，我看我家主公可以班师回朝了！"

使者说完，接过那皇甫先生匆匆写好的文书，墨汁还未干。他拎在手中，在风中晃两下，让它风干，然后轻轻卷了，说道：

"王命在身，不敢多加逗留。容我回到长安城后，据实禀报！"

使者回到长安城，据实报告给刘裕，又极言赫连勃勃的容貌魁伟，英武绝伦。刘裕将军听了，叹息说："天外有天，人上有人，吾不如勃勃呀！"

刘裕一杆长枪打败天下无敌手，能混成今天这么一个气候，也绝非等闲之辈。那赫连勃勃的一番表演，虽然精致至极，他焉能不察觉出几成来。奈何身不由己，建康城那边万事齐备，锣鼓家伙已经开场，单等他回来登坛称帝。

刘裕判断，勃勃三年五载之内，大约不敢有什么越外的动作。三年五载以后的事情，到那时再说吧。

刘裕上马，率领他的三十万大军班师回朝。只留下他的幼子刘义真留守长安。

却说统万城头，乔山之巅，那赫连勃勃骑一匹新换的额上有一道闪电的战马，披一身黑衣静静地立在那里，纹丝不动。远远望去，像一只兀立在狰狞山头上的草原鹰。

这样不吃不睡，一连三日。

三日头上，芦子关方向马蹄嘚嘚，火星四溅，只见一名斥候飞马而来，走到勃勃跟前滚鞍下马，禀报道："赫连大单于，东晋刘裕已率军从潼关过了黄河，回建康城去了！"

赫连勃勃听了，问道："长安城中现在何人把守？"

斥候报道："刘裕留其幼子刘义真把守长安！"

勃勃轻蔑一笑，说道："义真黄口乳儿，哪里经过什么战阵，何足挂齿！后世一位短命才子曾放言说，'望长安于日下，目吴会于云间'，他的这话是给我赫连勃勃说的了！容我振奋精神，先占了这长安城，再谋那东南吴会不迟！"

说罢，回转身来，面对统万城挥动着独耳狼旗号令道："起我百蛮之国三十万大军，我的草原上的三十万兄弟，兵发长安！"

第六十四歌
兵发长安

这大约是大夏立国以来最重要的一次用兵。

整个大河套，内套、外套、前套、后套都因为这场战争而沸腾起来，痉挛起来，三十万由草原上各游牧民族组成的大军，怀着嗜血的渴望，在统万城集结，然后以泰山压顶之势兵发长安城。

草原游牧民族那世世代代对定居文明、农耕文明的占领梦想，现在交给一个人去实现了。这个人叫赫连勃勃，他将要率领他的草原上的兄弟们，去完成一次斯巴达克式的、堂吉诃德式的远征。

首先是大象开路，老虎、狮子分列两旁，其后是骆驼和黄牛组成的方阵，再后面旌旗蔽日，刀戟高举，是赫连勃勃训练有素的精锐大军——他的红马军团、白马军团、黑马军团。

白马军团由一色的白马组成，远远望去，像一团白色的云彩在天边凝聚、翻动，变幻出万千景象。那黑马军团由一色的黑马组成，远看像一疙瘩一疙瘩的乌云拧扭在一起，凶险异常，近看像一列列黑色的会移动的山峰。那红马军团，红似火，赤如血，御风奔驰，漫山遍野而来，像草原上起了一场燎原大火。

在这三支马队的中央，骑在一匹额上有一道闪电的黑马背上的，是大夏王、匈奴大单于赫连勃勃。

赫连勃勃的那一身行头，先前我们曾经见过。现在，这一身行头，就披挂在他的身上。

马的脖子上挂着一颗骷髅头。骷髅头的两只眼睛是用来自西域的宝石"祖母绿"做的。那骷髅头口中两排整齐的糯米牙是用从昆仑山上采下来的和田玉做的。骷髅头塌陷的鼻梁是用黄河象的牙齿做成的。骷髅头的两只耳朵则是用从阿尔泰山上采下来的黄金做成的。

我们知道，这骷髅头曾是南凉王秃发傉檀的头颅，但是现在，经过这一番装饰，它成为了匈奴王赫连勃勃的酒具。路途迢遥，那里面现在装满了河套烧酒。

赫连勃勃手中现在拎着的是一把百炼钢刀。这钢刀的名字我们是知道的，叫"大夏龙雀"。那刀背上铭刻的一段诗文，在这高原炫目的阳光下，熠熠生辉、杀气腾腾。能看出那些字是：

"古之利器，吴楚湛卢；大夏龙雀，名冠神都。可以怀远，可以柔逋；如风靡草，威服九区。"

骑在马上的赫连勃勃，手中挥舞着那独耳狼旗。旗帜在风中猎猎作响。只见他向空中连续三次举起旗帜，大戈壁滩上黑压压的军队应和着他的三次举旗，发出三声惊天动地的呐喊。

而大河套偌大地面上赶来看热闹的人们，则黑压压地在戈壁滩上跪倒。他们高举手臂，向赫连勃勃膜拜顶礼，向这三十万草原子弟兵送去祝福。"呜吼——呜吼——"，人们应和着士兵们的吼声，一波接一波地吼道。

好个赫连勃勃，他这就要出征了。

只见他先端起那骷髅头酒具，扬起脖子，深深地呷了一口酒，喝罢，用袖子抹了一把胡须，又将那大夏龙雀在空中挥了挥，试了一下身手，而后，将独耳狼旗高高举起。

他大叫一声："孩儿们，随我兵发长安！"

士兵们的那些坐骑，早已急不可耐，纷纷用蹄子拼命地砍着脚下的沙土，发出阵阵声响，溅起阵阵火星，令大地震颤。那坐骑的头也拼命地往前勾着，想要奔驰。骑手为了保持队列双脚踩住马镫，身子向后仰着，拼尽全身力气来勒住马。马的嘴被嚼子死死勒住，嘴角勒出了血。

现在，赫连勃勃打马先行。

继而，像洪水决堤一样，整个大河套地区一声呼应，赫连勃勃大军出发了。

赫连大军沿着古老的秦直道，穿越陕甘分水岭子午岭，过保安城，过鄜州城，过坊州城，不一日，山势渐见平缓。人说，到了秦直道的起点，它的最南端淳化城了。

秦直道的南端结束处，有一座秦汉时期的大殿，名曰"甘泉宫"。秦始皇的最后一次出游和鱼鲍充车、秘不发丧回来，都是走的这里。汉武帝勒兵十八万来到阴山脚下，大漠深处，勒马叫道："普天之下，谁敢与我为敌？"

恫吓三声，天下无人敢应，汉武帝遂感到没有对手的悲哀，于是班师回朝，回程走的也是这条道路，并在此甘泉宫歇息。

昭君出塞亦走的是这条道路。那南匈奴王呼韩邪三次来未央宫求亲，终于在马背上驮得宫中美人王昭君，马蹄嘚嘚，胡笳声声，沿着秦直道回到九原郡。

有意思的是，后来昭君的几个女儿曾回到长安城省亲认舅。其时，一代枭雄，三国时的曹操率领文武百官在这甘泉宫以当朝公主礼仪相迎。曹操探询公主们的口气，问她们年事已高了，愿意不愿意回到长安天子身边颐养天年。公主们叹息曰，我等早就习惯了那塞外的朔风怒号，茹毛饮血，不思长安了。加之如今儿孙成群，他们也需要我们的呵护。曹操听了，不由得以袖掩面，落下泪来。

甘泉宫就近处还有一个勾弋夫人墓，那是汉武帝的宠妃勾弋夫人自缢身亡的地方。当年，汉武帝死时想传位给他与勾弋夫人所生的儿子，但又怕他死后勾弋夫人还年轻，当年吕后专权的事情会再次发生。于是乎，问勾弋夫人两件事情，让她取一件。一件是你好好地活着；另一件是你死，让我们的儿子继承皇位。勾弋夫人听了，二话没说走出殿门，在廊中用三尺白绫自缢身亡。

赫连勃勃率领大军在这甘泉宫住下，传那赫连昌、赫连定来见，安排夺取长安城事宜。忙里偷闲，又聊备香表，去凭吊了一回那勾弋夫人墓。而后，他且在这里暂住，待那长安城拿下后，再搬去那里不迟。他要那赫连大军连同先期抵达的赫连昌、赫连定两部合成一军，统一号令，像大水漫滩一样，先占咸阳城，而后将关中平原各郡县一一拿下。

第六十五歌
破长安

关中平原之所以称关中，是因为东西南北四面，各有一座威赫赫的雄关将这块渭河冲积平原围定。

东边的那个关隘叫函谷关。上古时候，有个留着山羊胡子、穿着黑色道袍、倒骑一头青牛、口中念念叨叨的糟老头子从这关隘走过，留下一部口述的名曰《道德经》的书，令这关隘从此天下闻名。

西边的那道关最为有名，杀气腾腾，叫大散关，属于古陈仓地面。终南山高峻，那里正是出口；渭河水汹涌，亦是从那里直下关中平原。这里是历代兵家的用兵之地，各种战事举不胜举，有"铁马秋风大散关"之称。

南边的那个关叫蓝关，而蓝关亦在秦岭的一个垭口上，是通往南方的门户。"云横秦岭家何在，雪拥蓝关马不前"说的就该是它了。有一座山，山顶常年紫岚之气萦绕，山中盛产一种玉叫蓝田玉。蓝关从这山中穿过，所以叫"蓝关"。

北边的那个关，先前我们说过，它就是冒顿大帝的铁骑踏破的那个萧关。它在平凉城境内。当年，冒顿大军踏破萧关，先头部队已瞅见那威赫赫的长安城头了。属下问道：还能不能再往前走，咱们匈奴人的疆界在哪里？冒顿将马鞭往地上一掷，说道："匈奴人的牛羊到哪里吃草，哪里就是匈奴人的疆界！"

这是旧话，不提。

此一刻，赫连勃勃将自己安顿在甘泉宫，指令各路大军从渭北高原各个豁口杀出，冲向四关锁定的关中平原。

大象卷着长鼻子，一路走过，将那些平原上的树木纷纷拱倒。老虎发着吼声，成群结队，一个村庄一个村庄地掠过。骆驼踏着大蹄掌，蹚过一畦一畦的庄稼地。

那白马军团、黑马军团、红马军团跟在这些庞然大物的后面，步步为营，徐徐跟进。士兵骑在马上，或者左劈，或者右砍，或者人侧身在一面，将那马刀倒握，像割庄稼一样飞驰而过，马蹄过处人头纷纷落地。

关中平原上的良善百姓们，平日日出而作，日落而息，安宁日子过惯了，哪见过这样的阵势。开始还远远地站在村口，或者爬上自家的半截短墙瞧这稀罕。后来见赫连大军马快，眼看就到了自家门口，才慌了神，赶快用双手抱住自己的脑袋，回到家中，大门紧闭，从门缝里朝外偷看。有些人家心细，将自家那大姑娘小媳妇的脸上抹上灶灰，藏进院子中间那口窨子里去。

关中地面近百个郡县望风披靡。有的地方抵抗一阵，就大开城门投降了。有的地方连抵抗一阵也免了，干脆偃旗倒戈，献城而降。有的地方郡治县治早已逃逸，仅存一座空城。

赫连大军以正义之师、王者之师自居，号称以顺伐逆。

不久，关中地面尽属勃勃。

刘裕的幼子刘义真被困在长安城这座孤城里。

关中平原经赫连大军这一次洗劫，血流漂杵，那被马刀砍下的人头像西瓜一样撒落一地。最后，眼见得关中平原已经停当了，各路人马遂沿着条条大路小路，会聚到长安城外。

大军在长安城外扎起帐篷。十六座城门被围得水泄不通。赫连勃勃也从淳化甘泉宫赶赴城下，住进扎好的帐篷里，筹划攻城事宜。

勃勃亲率大军几度攻城，奈何长安城是千古帝王之都，城墙坚固，护城河宽阔。勃勃的老虎、大象只能在城外嚎叫，叫声惊天动地，但是，面对这固若金汤的城池，却也无济于事。坚固的城墙也绊住了红马军团、白马军团、黑马军团的马蹄。这些骑兵在旷野上作战，风一样地来去，五步杀一人，最是得心应手。论起攻城掠寨，在那冷兵器的年代，这高耸的宽厚的城墙就是他们的克星。

赫连勃勃攻城半月有余，双方死伤无数。那护城河被尸首填满，长安城依然岿然不动。赫连勃勃见攻城不下，笑道：

"既然如此，那就不攻了。待我将这城围住，围他个一年半载，到时候兵不血刃，不战而自定也！"

说罢，赫连勃勃遣人将通往长安城的所有道路一一封锁。然后又将通往长安城的秦岭七十二峪口的水流全部截流改道。

长安城中的粮食平日全靠关中平原提供，城中存粮并不多，张口要吃食的却忒多。如今粮食断了，刘义真开始惊慌。那城中做饭烧的柴火也是靠南山所采，如今路断了，只好砍些城中的树木，拆些旧椽烂檩勉强将食物煮熟。这些还不算最难，最难的是没有水喝了。原来这长安城建城从周朝的镐京算起，至这时已经逾一千年了，城里的生活脏水不断地渗到地底下去，地下水已变得腥臭难闻，根本不能饮用。如今断了南山的水源，城中百姓只好就地掘井，凑合着用这黑水了。

城墙外面那条护城河，平日也是靠秦岭各峪口来水补给，形成自流水。如今水源断了，那河一日日见干见底，河上面漂着的尸首，更是腥臭难闻。

这样，围城半年之后，城中一百零八坊饿殍塞道，哭声一片，人人惊慌，整个长安城宛如一座死城，不战自乱。

那被勃勃称为"黄口乳儿"的刘裕幼子义真，情急之中遣一个快马斥候，夜间乘人不备杀出城门，星夜兼程前往建康城求援。

长安城距建康城迢迢几千里之遥，中间又有淮河、长江阻隔，一来一去，花费了许多的时间。那斥候到了建康，向刘裕一番哭诉。这个时候的刘裕紧锣密鼓正在筹划登基仪式，哪里顾得了长安城那一摊子烂事。见斥候这样说，先大骂赫连勃勃一通，叫道："我早料到他日后必与我为敌，想不到那张刀疤脸变得这么快，我前脚刚走，他后头就反了，好个枭骜小儿，乱世奸雄！"骂罢，又对斥候说："长安城守不住，那就弃了长安，退守洛阳吧！"

斥候回来复命，不提。

这边赫连勃勃料事如神，知道义真守不住长安，定要东遁，于是网开一面，单留一个名叫"朝阳门"的长安城东门让义真走。勃勃东门上撤了兵，然后站在西城门外阿房宫旧址的土堆上，亮开嗓门向城中喊话：

"义真贤侄，吾与汝父刘裕将军是八拜之交，磕头兄弟。今天义真将军虎落平阳，龙困浅滩，非贤侄无能，此乃时也势也，运也命也。古人说得好，三十六计，走为上计。今天勃勃且看在刘裕将军的份儿上大开东门，放你一条生路。贤侄此时不走，更待何时？"

义真听了，长叹一声，知道自己是该走了。恰在这时，又接到父亲刘裕的口信，于是乎领了亲随开了东门，顺关中道一溜烟地东行而去。

勃勃早派太子赫连昌率兵在潼关等待。见义真来了，只放义真一人逃去，算是给刘裕卖一个人情。义真放走以后，遂将口袋扎紧，将义真的随行一一俘获，押回长安。

这样，长安城为赫连勃勃所得。

赫连勃勃乘胜追击，又出兵潼关，攻取蒲坂、洛阳。大家知道，关中平原这一块叫关中，今天的山西运城、临汾，河南的洛阳、三门峡地面过去叫关东。而如今的甘肃天水、平凉，宁夏的固原过去叫关西，古人说的"关西大汉，击节而起，慷慨悲凉"，说的就是那一带的人用手打着拍子吼叫秦腔的情景。关中、关东、关西，它们原本共属一个大的文化板块。勃勃既占了关东，接着又挥师西进，再占关西。这样下来，长安城才算稳固了。

而后，赫连勃勃在长安城东边的灞河之上，筑土设台，加冕称帝。

第六十六歌
灞上称帝

"灞上"是一个杀气腾腾的地名称谓。灞水从蓝田山中流出，绕过长安城东侧，浩浩荡荡，北入渭河。所谓的渭河漕运，即指船只从黄河入渭河，从渭河入灞河，而后直通那四方城之内。

大约此处地势高些，适宜屯兵，所以历代名将攻陷城池之后，皆屯兵于此，控制长安。昔日西楚霸王项羽在刘邦攻陷咸阳城后，亦是"屯兵灞上"，设鸿门宴欲杀刘邦，从而造就一桩灞上故事。

"长安八景"中有"灞柳风雪"一景，说的正是这灞上。

萧条异代不同时。今天屯兵灞上的是大夏王赫连勃勃。

却说这勃勃不住长安城里，只在灞上选一个高处扎营。所率虎狼之师沿着这灞河两岸扎起行军营帐，黑压压一片。长安城中只留赫连昌守备。

这一日，灞河之上，高台筑起，群臣们争先恐后力劝勃勃称帝。

勃勃假意推辞说：

"朕无拨乱之才，不能弘济兆庶，自枕戈寝甲，十有二年，而四海未同，遗寇尚炽，不知何以谢责当年，垂之来叶！将明扬仄陋，以王位让之，然后归老朔方，琴书卒岁。皇帝封号，岂薄德所膺！"

众百官见勃勃推辞，齐齐跪下，然后公推一位口齿伶俐的大臣站起说话。

那大臣说："我皇祖大禹以至圣之姿，凿龙门而辟伊阙，疏三江而决九河，夷一元之穷灾，拯六合之沉溺。勃勃大单于身为禹祖后裔，正该承继先祖遗志，挽狂澜于既倒，救生民于水火，匡复大夏，以济天下！"

这番话说得恳切。

说这话的人姓韦，名祖恩。这个人是长安城老户，原先是后秦姚兴的京都兆，也就是管理长安城的最高行政长官，后来后秦灭亡，又成了义真的京都兆，如今义真逃遁，他献城而降，转投勃勃，言语过往之中，大有继续做勃勃京都兆的意思。

勃勃见大家力劝，双手抬起，请大家平身，而后大笑一声说道："这个皇帝我肯定是要做的。你们劝我，我做；你们不劝我，我照样要做。不过，我要在登台称帝之前，先杀一个人！"

勃勃说着，将一双豹眼从台下大臣们的脸上一一掠过。众大臣见了，心惊肉跳，虚汗直冒，恨不得找个地缝钻进去，只盼勃勃那眼光早点儿从自己脸上挪开。

勃勃的目光最后落定在韦祖恩脸上。韦祖恩见了，脸色煞白，只听那勃勃用手一指，说道："这个人不是别人，就是你韦祖恩了！"

勃勃说：

"先生伶牙俐齿，何等口才，当年在姚兴面前，后来在义真面前，你大约都是这样说话。如今这胜利者是我，得天下者是我，没有死的人是我，所以你这样阿谀奉承，明天我死了，你这文化人的一张利嘴，一支秃笔，还不知道把我赫连勃勃置于何地呢！"

说完，不等那韦祖恩分辩，高叫一声："来人，将这韦祖恩四肢绑了，投入灞水，给他一个全尸还家吧！"

众大臣面面相觑，心惊肉跳，不敢有半个字的吱声。

赫连勃勃见这场戏已经做足，于是乎身着大龙袍，头戴金冠，在左右的搀扶下，缓步登台，拈香祭祖，僭位称帝。

"尊敬的光荣的至高无上的天赐神授的天之骄子，万王之王，我们的赫连大单于，请登九五之尊，接受八方朝拜，四海荣贺！"

灞水之上，众大臣双膝跪倒，山呼万岁，祝贺勃勃加冕。

这是公元 418 年春 3 月的事。

那东晋刘裕将军称帝却在这两年之后。不知道什么原因，他那边称帝反倒晚了一些。公元 420 年，刘裕在建康城废除了东晋政权，建立宋国，那自司马懿、司马昭、司马炎开始的晋王朝，自此寿终正寝。

勃勃当年初次起事在五原城，建年号"龙升"，后来在统万城又改年号为"凤翔"，此次灞河之上设台称帝，再改年号为"昌武"。

改元之后，大赦天下。

得了长安城以后，上上下下都劝赫连勃勃就此设都，长居长安。勃勃思忖再三，叹息曰：

统万城

"朕知长安累帝旧都，有山河四塞之固！且荆吴僻远，势不能为人之患。但那拓跋魏与我仅一河之隔，数百里之远近。若我定都长安，统万城恐有不守之忧。朕在统万城，彼终不敢渡河。"

勃勃又说："我一个草原客，北方狼族，天生是为草原而生的，那里的风干牛羊肉、奶茶炒米才是我的吃食，那里飘在空中的羊膻味、牛粪味、花香味才叫我呼吸起来周身舒服。长安虽好，不是久恋之家，诸爱卿不用劝了，还是让我跨鞍上马，回统万城去吧！"

说罢，改长安城为小统万城，意思是说，这是大夏国的陪都，又将长安城称为"南京""南台"，将那正在建设中的统万城称为"北京""北台"。随后，留太子赫连昌守城，自己率领红马军团、黑马军团、白马军团，依旧取道秦直道，回统万城去了。

行前，赫连勃勃将长安城中那些房屋上的雕梁画栋，楼阁上的五脊六兽，并未央宫的奇珍异宝，装上牛车尽行掠去。叱干阿利这一次没有前来，他正在那里日夜筑城，统万城快要建成了。这些东西回去后交给叱干阿利，让他照葫芦画瓢，装饰到统万城去，让那城像一座塞外的童话城。

告别长安城已经跨鞍上马行上一程了，勃勃突然想起一件事情，于是拨转马头，带几个亲随，绕个圈子来到终南山下的草堂寺门前。

他想要拜谒一下鸠摩罗什高僧，想请高僧做大夏国的国师。勃勃想，既然高僧曾做过龟兹国的国师，又做过后凉国的国师，还做过后秦国的国师，那么，请他赏脸再做一回大夏国的国师，有何不可呢。大师可以去统万城住，亦可以长居这逍遥园，反正这里如今是大夏的治地了。

顺便他还想告诉大师，当年长安南城墙的城楼上所托那三万名龟兹国百姓的事，勃勃已安置停当，高原上现在有一个小国，叫龟兹国，人们日出而作，日落而息，正繁衍生息。

勃勃来到草堂寺门口，勒住马头，探身询问道："鸠摩罗什大师，记得当年你在长安城城头上留有'放下屠刀，立地成佛'一句偈语，勃勃印象颇深。大师在上，朕且问您，这放下屠刀真的就能立地成佛吗？"

赫连勃勃连问三遍，寺中无人应答。

后来，寺中走出一位方头大耳的僧人，低声说道："施主莫要高声，免得惊扰了那天上高人。施主要见的鸠摩罗什大师，掐指算来，已经去世五年了。

如今，这寺中只供着他的一个舌头。那舌头已化作舍利子，舌吐莲花，夜夜放光！"

赫连勃勃听了，长叹一声，打马离去。

就在赫连拨转马头，就要离去之时，那僧人站在草堂寺门口，一只手倚着门，又说道："施主是谁，老衲已经约摸出几分了。当年鸠摩罗什大师在世时，曾偶然说过，有一位将军，功成名就，马上取得天下以后，当会来这草堂寺会我。他要在我这位故人的眼睛里，来证明他的成功。"

赫连勃勃听了，打了一个冷战，喃喃说道："这老秃驴的眼光，真是犀利。我真的就那么虚荣吗？我来这草堂寺的目的，原来是为这个而来吗？"

那僧人见话已说完，于是用"四大皆空呀，四大皆空"几个字作结，扭转身子，轻轻掩上寺门。

第六十七歌
鸠摩罗什晒经

是的，大师确已圆寂。在赫连勃勃灞上称帝整整五年之前，在"三月三日天气新，长安水边多丽人"的时节，公元 413 年 4 月 13 日，大师卒于草堂大寺。

这一天，天气晴朗，风和日丽，大师早早地醒来，睁开眼睛，吟四句偈语：

> 不生亦不灭，
>
> 不常亦不断。
>
> 不一亦不异，
>
> 不来亦不出。

上面这四句是他翻译出的大乘经典《中论·观因缘品》的开首偈。吟罢，着衣下榻。洗漱完毕，披上姚兴皇帝赠他的金衣袈裟，找一个关中平原上那种麦秸秆做成的蒲团，起身来到院子中，在他的诗中曾多次出现过的那棵孤孤的梧桐树下坐下来。

"徒儿们，今天阳光灿烂，正是佛家所说的那种'清明世界，朗朗乾坤'，今天就不做功课了，大家停下手中所有的事情，只做一件事情！"

听住持鸠摩罗什大师这么一说，草堂寺内外，三千个正在研习梵文的汉族学徒，三千个正在研习汉文的天竺国学徒，一齐停下手中的事情，从大寺、东寺、西寺、后寺中走出，齐聚到这梧桐树下。

大师见众僧都到了，开言说道："掐指算来，我来这长安城草堂寺已经整整一十三载了，从五十八岁到这里主持国立译经场，今日已整整七十岁。那所译经书，我计算了一下，共七十四部，三百八十四卷。今天，劳请各位费力，将那所译的所有经书从藏经楼取出，趁这大好太阳，咱们晒经！"

众人听了，齐声唱"喏"，然后去藏经楼搬书。

那时已经有了纸张，因此，那些译出的经典，大部分是鸠摩罗什一笔一画写在草纸上的。还有一部分经典，是他写在竹简上的。

无论是纸张还是竹简，为了防止虫蛀和霉烂，每年春上，都要把它们从藏经楼上取出，在大太阳底下晒上一回。

这些书原本是装在檀木箱子里，存放在藏经楼上的。僧人们两人一抬，把这些箱子抬到梧桐树下，将书典小心取出，然后一册一册平摊在地面上。一会儿工夫，偌大个草堂寺的地面，全都被这些经书铺满了。

鸠摩罗什在童子的搀扶下，从蒲团上颤巍巍地站起。他让童子燃上一炷香，自己亲自拿着，浏览着并且用那薰香，象征性地把这七十四部三百八十四卷经书齐齐地香薰一遍。

"这部《禅经》三部，是我来长安城以后译出的第一部书，那年我五十九岁。记得在译书的过程中，我一声咳嗽，一颗牙掉了下来。虽然牙齿经常掉，直到后来满口牙齿几乎掉光了。但是，那掉第一颗牙齿的情景记得最真！"

"这部《阿弥陀经》也是那一年译的。我一直在琢磨，不知祷告时那句口头语，叫'阿弥陀佛'好呢，还是叫'善哉善哉'好，前者是音译，后者是意译，前者好像更有内涵意蕴，后者则简洁明了，哪个更好呢，我不知道！"

"这《大品般若经》有整整二十四卷，我是六十岁那年译的，从年初到年末，整整译了一年。记得到了年底的12月15日，二十四卷才出齐。唯恐言不达意，第二年，我又把它校正检括了小半年。"

　　"《十诵律》是我与我高贵的朋友、一代高僧弗若多罗共译的。高僧没有译完就圆寂了，愿他安息。"

　　"哦，这是《百论》，经典中的经典。它与后来译出的《中论》《十二门论》一起，成为天竺国大乘佛教中观派守护门户、安身立派之经典。它由梵文经我之手变成汉文，是我的荣耀！"

　　"这是《佛藏经》，这是《菩萨藏经》，这是《杂譬喻经》。这是《十诫经》的余下部分，多罗圆寂以后，这部经就放下来了，后来西域高僧昙摩流支到长安来草堂寺看我，我请高僧与我共译，才完成全部。"

　　"这就是那个浩大工程《大智度论》一百卷，译讫之后，我曾呈以吾皇姚兴，请他观览，并请南方来的慧远和尚为其作序。"

　　"《维摩诘经》三卷，《法华经》三卷，《华若经》三卷，这是六十三岁那年译的。那一年有两件事值得记忆，年初收了三千多个徒儿跟我研习，年末的时候，我的老师卑摩罗叉从克什米尔高原至长安，我以师礼敬待。"

　　"《自在王菩萨经》，这是六十四岁那年译的。"

　　"《小品般若经》，这是六十五岁那年译的。"

　　"六十五岁那年，我终于下了决心，将大乘佛法经典《十二门论》和《中论》译出，它们连同前面译出的《百论》，是大乘佛法的三部经典。有这三部经典行世，大乘佛法就算在中原地面落地生根了，汉传佛教从此将千载流传。后世如果要分宗分派的话，草堂寺这一派一宗，就以这三宗经典为名谓，叫它'三论宗'，或者以这'三论'的核心主旨'空'为名谓，叫它'空宗'。这草堂大寺就是这一宗派的祖庭。"

　　"《十住经》是六十七岁时译的。这一年，记得狮子国一个婆罗门至长安，我在草堂寺设坛与其大辩，谈大乘与小乘的优劣。那婆罗门辩败，心愧服，顶礼触足，惭愧而去。"

　　"这是《成实论》，用了六十八岁、六十九岁两年时间完成。"

　　"这是今年新译出的《梵冈经·菩萨戒》，墨汁还没有干呢！"

　　一代高僧，汉传佛教的伟大奠基者之一鸠摩罗什，在童子的搀扶下手举高香，从这些他亲手译出的经典面前颤巍巍走过。那情形，就像一个关中农民，秋庄稼收到场里了，他来察看这一年的收成似的。

　　他转了一圈儿，既没有喜悦，也没有痛苦，如此的平静。

在转圈的途中，他对搀扶的童子说，每一卷中的每一页，每一个字，在这阵子都从我脑海中掠过。我记得有几个字要改的，可是现在好像已经来不及改了。

巡视完，他不愿回禅房，又让人搀着坐在那孤桐下的蒲团上。

阳光像蛋黄一样洒下来，照着这些经书，照着鸠摩罗什高僧那饱经沧桑、充满故事的面孔，照着这公元413年4月13日的长安城草堂大寺。

从这一刻起，大师开始在蒲团上微闭双眼打坐。斋饭端来，他摇摇头，表示已经没有必要再浪费五谷了。

第六十八歌
舌吐莲花

这座终南山脚下逍遥园内的草堂寺，其实在鸠摩罗什入住之前，它就存在了。不过它那时候没有冠以"草堂"二字，只称"大寺"，或者称"大石寺"。"草堂寺"系姚兴皇帝为鸠摩罗什所取寺名。

鸠摩罗什到来之前，这寺的住持名曰法显，亦是汉传佛教史上一位鼎鼎有名的人物，前秦苻坚时入住大寺，似乎曾被拜为国师。后秦时代，当鸠摩罗什历经千难万险，终于于公元401年抵达长安城并入住草堂寺时，那法显高僧已于两年前（后秦弘始元年，公元399年）与同学慧嵬、慧景、慧应、道整等西行天竺求法，从而开中土僧侣广游五印的先河。

鸠摩罗什与法显这位高僧失之交臂，实在是一种遗憾。而法显后来回国时，是乘船从海上漂流回来的，上岸后发现是到了青岛。大师后来也就没有再回到北方。

鸠摩罗什同样与另一位高僧，因《西游记》一书而名满天下的唐僧玄奘也失之交臂，唐僧比罗什晚了二百年。

鸠摩罗什东行，唐僧西行。唐僧恰好沿着鸠摩罗什踩出的那条路，一步也不错地一直走到西域，又踏着鸠摩炎的脚印，翻越葱岭，蹚过大河，最后来到鸠摩炎当年出家的天竺国那烂陀寺，在那三棵菩提树下修持六年。

西行归来的唐僧，最初在草堂寺南边山上的翠微寺居住。草堂寺在山脚，翠微寺在山顶，相距三十华里。

那时的草堂寺里边，僧人已经几乎走净，只有一个鸠摩罗什舍利塔立在那里，依稀可见这国立译经场当年的风貌。寺院之所以颓败，是因为后来的战争，还因为寺院里停放着一个皇帝腥臭难闻的尸首。

这个尸首说起来叫人难以置信。他既不是苻坚的，也不是姚兴的；既不是刘裕的，也不是赫连勃勃的。他竟是那个遥远的草原帝国拓跋北魏孝武皇帝的。这个故事，后边再说。

西游归来的唐僧不能在草堂寺安歇，恰好李世民在终南山顶修了一座行宫，叫翠微宫，于是，在那翠微宫的旁边建翠微寺，供唐玄奘译经和修持。

据说，李世民最初曾想让西游归来的玄奘高僧，在草堂寺居住。结果，他领着高僧来到草堂寺，打开寺门时，只见满地萋萋荒草，寺院已破败不堪。李世民信口吟了一句诗，"草堂寺内草青青"，而后将手一指说，不如在那山顶，翠微宫旁边，新起一座寺院。

唐玄奘在这翠微寺译出的第一部经叫《心经》，或者叫《唐玄奘奉诏译般若波罗蜜多心经》。

据说李世民驾崩在翠微宫。其时，病榻前有三个人侍立在侧，他们是太子李治、才人武则天并高僧玄奘。

闲言不叙。

这一日，鸠摩罗什高僧辞世之前，嘱咐寺院内僧人将十三年长安羁居期间所译的全部经书一一抱出铺开，在这春日里晒经。

老天也遂人愿，大太阳从早晨便开始照耀人间。只见太阳一照，满院经书散发出阵阵纸香墨香。草堂寺内那荷花池中荷花粗粗的茎秆儿上硕大的莲叶，繁茂异常，蜻蜓飞来嘤嘤有声。院子中那口井有紫气腾出，扶摇直上，直达天宇。

晒经结束了。

徒儿们开始整理这些经卷，将它按顺序重新拾起、打包、装箱，抬往藏经楼藏好。

鸠摩罗什依然坐在那孤桐树下，看着徒儿们整理经卷。他的眼角有些湿润。他用袖子揩了一把眼角说道：

"这些经书将要离我而去。它们一旦成书便成了有生命的东西了。那么让它们去经历吧，让它们去叩击千家万户的门扉吧，后世也许有人会把它们视为珍宝，置于庙堂之上，顶礼膜拜，一日三香；也许会有人把它们视为异数，搁置在茅厕之中，充当厕纸。所谓敬也，所谓毁也，那是它们自己的事情，与我已经无关了。这些经书，它们有自己的命运。"

经书藏好后，天色向晚，草堂寺的院子里已经有一些寒意了。徒儿们劝鸠摩罗什回禅房休息，大师执意不肯。他刚刚看完了那辉煌的落日景象，脸上还残留着那落日的余晖，现在则转过头要看月亮升起。

月亮，这关中平原上的月亮像一个大圆盘子，从东方地平线上缓缓地升起了，跃两下，跃上天空，刹那间把满世界照得一片光明。

这时候，姚兴皇帝来看望他。鸠摩罗什是后秦国的国师，国师将要圆寂，这样大的事情他一定要来的。

大师对姚兴说：

"我是一个凡夫俗子，一个永远只能匍匐在大地上而不能像鸾鸟那样飞翔的人。我知道我的命运。当年我十二岁的时候，母亲耆婆带着我游历月氏北山，遇到一个罗汉，罗汉摸着我的头说：'倘若三十五岁时还未破戒，当大兴佛法，度无数人，有三百身，成为一尊大佛也。若戒不全，此生充其量只是一法师而已！'所以我仅是一名法师，或者用你们的话说，叫译经家！"

大师又说道："如果不是当年吕光逼我与龟兹王女成婚，玷污了佛门，我定会有三百身的。释迦佛祖高不可攀，他有五百身。他出生了五百次，死亡了五百次，曾经蜕生五百次，受尽人间磨难，才五百道轮回转世，修成正果。我来到这世上时，本该有三百身的，我曾经憧憬过，下一世蜕生为一头牛，关中平原上一头耕地的牛；再一世蜕生为一只为老百姓看家的狗；再一世蜕生为一个女人，前半生为娼后半生从良；再下一世蜕生为一个文人，一张利口骂遍四方；再下一世蜕生为一个乞丐，吃遍四方。但是现在，这一切已经不可能了，我不会再有轮回转世了，我的这一生，仅此一生而已，油枯灯灭，也就结束了！"

鸠摩罗什说到这里，老泪滂沱。

姚兴皇帝也已经老了。他伸出衣袖，为这位西域第一高僧、他的国师揩一把泪。

姚兴问道：

"大师呀，我也已经老了，你能给我的晚年道一句偈吧！"

鸠摩罗什嘴皮动了动，说道：

"花开好，花落亦好！"

姚兴又问："我已厌倦这做皇帝的事儿了，我想让给儿子姚泓来做，这样对吗？"

鸠摩罗什答道："进步高，退步更高！"

最后，后秦姚兴请鸠摩罗什说一说国运如何，连问了几声不见回答，定睛看去，只见鸠摩罗什双目紧闭，三魂六魄已经脱离身体，神游去了。

又过了三炷香的时间，鸠摩罗什高僧圆寂。

圆寂前，他突然又清醒过来，双目炯炯，口齿清晰，朗声说道：

"如果我的译经符合原经旨意的话，火化时舌头不化。非但不化，还会有莲花从口中喷出！"

说完，于孤桐树下，蒲团之上，含笑辞世而去。

后秦姚兴一声恸哭，接着三千个学汉文的天竺国学徒、三千个学梵文的中原弟子均失声大哭，整个草堂寺一片呜咽之声。消息传来，整个长安城为之悲恸，人们纷纷前来吊唁，道场做了七日。

七日之后，鸠摩罗什大师火化，正如他生前所说的那样，火化时舌头不化，且有莲花从口中喷出。佛家"舌吐莲花"一词即由此得来。

消息传到西域，西域三十六国亦大放悲声，人们用上等的和田玉做成一个三丈高的鸠摩罗什舍利塔，分成几截运往长安。

鸠摩罗什的骨灰即在塔底安葬；鸠摩罗什化作舍利子的舌尖供奉在塔中。这塔放在高僧圆寂的那棵树下。

第六十九歌
鲜卑莫喜

高平川，固远城，贺兰山下那个遥远的所在，我们已经疏忽和怠慢它很久了。我们知道那里住着一位美人。那美人在守着她父母的坟茔，坟茔的旁边有一座凉亭。凉亭里美人一袭白衣，日日弹琴而歌。

固远城是横贯欧亚大陆的著名道路——丝绸之路所必经的一个要冲。那要冲车来人来，商贾塞道，已经有许多年了。

过去的年代里，曾经有许多人经过；以后的年代里，还会有许多人经过。但是此刻经过的，却是一个和固远城有着特殊关系的人。这个人的名字说出来恐怕有些人晚上就睡不着觉了。

这个人叫鲜卑莫喜。

正如赫连勃勃当年所判断的那样，固远城被攻破以后，死人堆里逃出个鲜卑莫喜。敌人的敌人就是朋友。这鲜卑莫喜最好的去处，就是先上了固远城背后那座山，顺山脉走到黄河边，而后跨过黄河，穿过大漠，去投那代州的拓跋魏了。

英气勃勃的鲜卑莫喜被北魏拜为先锋大将。在未来的日子里，北魏拓跋焘大帝千里突袭统万城，先锋大将就是这个鲜卑莫喜。但是，在此刻，在这绵绵丝绸之路通往固远城的道路上，行走着的鲜卑莫喜却是一副胡商模样。

留着短须，扎着头巾，穿一双绣花靴子的年轻英武胡商，牵着一匹骆驼，来到了固远城的墓地里。

年轻的胡商将骆驼在一棵歪脖子树上拴了，拍一拍骆驼的头，骆驼四肢一曲，跪下了。这胡商从骆驼背上的褡裢里掏出香火纸表，又拎出一坛酒，来到一座双坟头墓前。这是莫奕于将军与夫人的合葬墓。

年轻的胡商跪下来，将纸表点燃，将香火插上，磕了三个响头。而后拎着这坛酒，一边绕坟墓转圈，一边将坛子举起来倒酒。正转三圈，反转三圈，再正转三圈。九圈大礼行毕，这坛里的酒也就空了。于是这胡商拎起坛子，高高扬起，"砰"的一声，将坛子摔碎在坟头前面的石头献桌上。

这一声"砰"，好像那戏剧中的叫板，几乎在此同时，传来了琴声。琴声来自坟边那所简陋的房子。如泣如诉，如歌如诵。

这样，我们看到了凉亭台阶上那弹琴的女子。那女子面白如雪，面红如酡，正是我们久违了的鲜卑莫愁。

琴声弥漫中，鲜卑莫愁问道：

"这条通衢大道上，驼铃之声不绝于耳，英雄美人列队走过。今天走过固远城的，又是谁呢？来人和这坟墓中的亡人，莫非有什么干系？"

胡商听到这话，站起来凝视片刻，趋前两步，突然叫道："亲爱的姐姐，真的是你吗？姐姐呀，这个一身胡商装束的人正是你亲爱的弟弟，从固远城当年那场大杀戮中九死一生、侥幸逃脱的鲜卑莫喜呀！"

莫愁惊讶道："我听到过许多版本的屠城传说，其中有一个版本就是说你没有死，而是去投了拓跋魏，在那里为将。这是真的吗？"

莫喜答道："这是真的，我确实去了那边，正在拓跋焘帐下做事。亲爱的姐姐，我这次假扮胡商来到这固远城，其实正是为你而来，为复仇而来！"

莫愁问道："话是怎么说？"

莫喜说："姐姐，你是不敢面对，还是一直被蒙在鼓里？当年固远城之所以被攻破，就是赫连勃勃在夜色之中，以姑爷的身份骗开城门，让后秦军蜂拥而入，才导致那一场屠城杀戮的。为他出谋划策、酝酿这一场风暴的正是那个贼人叱干阿利！"

莫愁听了，琴声激越地弹奏了两声。不过，她接下来的话并不像莫喜所期待的那样。莫愁说："在屠城传说的许多版本中，这也是一个版本，而且我一直认为，这是一个最接近真相的版本！"

莫愁又说道：

"但是，赫连勃勃是我的丈夫，是一位草原上的英雄。从我当年在戈壁滩上那条迢遥道路上第一眼看见他起，我就明白我是为他而生的。所以，这么些年来，我宁愿自己像一只鸵鸟一样，充耳塞听，把头埋进沙漠里，也不愿去面对这个真相！"

莫喜听了，顿顿脚，哭道："姐姐，你好糊涂呀！这个赫连勃勃是我们的杀父仇人，不共戴天。鲜卑莫氏一族就剩下你我了，为家族，为父亲母亲，为这三代基业固远城，我俩此生所以还有理由敢继续苟活在这世界上，就是为了有一天要杀掉赫连勃勃为家族复仇！"

莫愁听了，说道："亲爱的弟弟，我的好弟弟，我完全明白你的话，我完全赞同你的话，但是我做不到，我真的做不到！"

莫喜说："你必须做到。此刻，鲜卑莫愁，当着这座家族墓地，当着那九泉之下的父母，你发誓，你要做到！"

莫喜说完，抢前两步，走过去把姐姐从琴边拉开，然后执着姐姐的手来到墓前，两人双双跪下。

那莫愁以手掩面，哭道："我真的做不到。再则，我一个弱女子，手无缚鸡之力，你要我怎么做呢？"

莫喜见说，站起来从骆驼背上的褡裢里取下一个精致的盒子，打开盒子，里面有一枝色彩艳丽斑斓的羽毛。

莫喜说："在草原上有一种鸟，这种鸟叫'鸩鸟'，有着华丽的羽毛。这鸩鸟的羽毛含有剧毒，鸟儿的翅膀从草原上掠过，草儿就枯萎了；从湖面上掠过，鱼儿就死了！"

莫喜把那枝羽毛从盒子中取出，亮到鲜卑莫愁的眼前，继续说："那赫连勃勃夜夜都要喝酒，喝到酩酊大醉了才去入睡。你要回到他身边去，每天晚上为他上酒的时候，将这羽毛在他的酒面上轻拂一下，这样要不了一年半载，我们的敌人赫连勃勃就会神不知鬼不觉地慢性中毒而亡！"

莫愁摇摇头，用手背将那羽毛挡开，说道：

"我不能这样做，我是他的妻子！"

莫喜强硬地说："你必须这样做！来，这是羽毛，你把它接住，然后把它插在你高绾的发髻上，起程去统万城！"

莫愁说："让我想一想，我不能保证会这样做！"

第七十歌
千里寻仇

在长安城草堂寺门口，闻说鸠摩高僧已于五年前去世，赫连勃勃于是嗟叹一回，感慨那人生的无常。感慨毕了，便策转马头，向他的统万城而去。

迢遥的道路上，赫连勃勃骑着他的坐骑，踽踽而行。他的三十万草原兄弟，除一部分留守长安之外，大部分就又像潮水一样重新缩回到大河套地区。现在，重回统万城的他只带了少许的随从。

行走间，先行官折马回来报告："帝辇过处，来往的百姓纷纷回避，但是一辆华丽马车上一位美貌夫人，却非但不回避，反而冲着圣上马头迎面而来。她说她是圣上的一位故人！"

赫连勃勃见说，甚觉蹊跷。他停住马，手搭凉棚向路的前面望去。

前面路上果然有一辆华丽马车，车轮吱呀有声，一匹大肚子五花马拉着车逶迤而来。

赫连勃勃有些恍惚。好像就是在这一段道路上，在这个拐弯处，十一岁的他从代来城逃出的路上，遇到过这辆马车。稍加思忖，他突然明白那迎面过来的是谁了。

"噢，让开道路，请她过来！她是你们的鲜卑莫愁娘娘！"

车轴子唱着吱吱呀呀的歌声迎面过来了。

赫连勃勃双目有些潮湿，血往上涌。

他冲着车上的那个蒙着的布幔说："不要问我是谁，也不要问我的家在哪里，更不要问我到哪里去！好心的姑娘，漂亮的姑娘，我快要渴死了，嗓子里冒烟，请问，你的车上有水吗？"

车上的布幔慢慢揭开了，露出鲜卑莫愁的一张俏脸。

"我有酸奶子，整整一牛皮袋。脸上有三道刻痕的过路客，我给你端去！"

赫连勃勃难得地露出了一丝笑容。他驱马走到马车的跟前，伸出手将鲜卑莫愁扶出了车厢。

莫愁看着他说：

"许多年以前，就在这里，在这条道路上，有一个独行的草原客，他曾经红口白牙答应过我，要为我建一座城。我记住了这话，这些年我一直在等。我想问，草原客答应过我的那座童话城，现在建得怎么样了？"

赫连勃勃说道："美丽的女人，我正想告诉你，那座城已经快要建好了。高大的城墙，雄伟的城楼，夏天住的凉殿，冬日住的温室，还有那一座高可摩天的台子，它们都正在完成。哦，那城是多么的大呀，可以在城头上跑马！"

"你说那城就快要建好了吗？"

"是的，蒸土筑城的部分已经完全好了。现在要给那辉煌楼阁之上装些琉璃瓦，饰些金银器。你看，后边那些车上，正是从长安城采撷来的物什，它们将装饰到我的城上！"

"那么说，我可以去看一看了！"

"美人上马！"

赫连勃勃说罢，将他的左脚从马镫上退出，让鲜卑莫愁的一只脚踏到镫上，然后拽住莫愁的一只胳膊，腰上一使力，那莫愁便像一只鸟儿一样敛落到马背上了。

赫连勃勃骑着马，鲜卑莫愁在后紧紧地搂着他的腰。

"抱紧！我要挖蹦子了！"

说完，赫连勃勃两腿使劲一叩马肚，马头扬起，四蹄一蹬，开始奔驰起来。这真是一匹好马，和当年的那匹马不相上下。当它奔驰的时候，全身伸展，肚皮都快要贴着草皮了。马的头使劲地向前伸着，尾巴飘逸地拖在后边，拖得很远很远。额上那一道白色闪电轰轰隆隆的，在路经的草原上爆响。

"一个人的一生，能这样与自己最亲爱的人儿在马上奔驰，一直到天的尽头，一直到天荒地老，那该多好呀！"

莫愁这样想。

勃勃也这样想。

但是，统万城到了。奔驰的马蹄在乔山之巅停下来，赫连勃勃回首对鲜卑莫愁说：

"瞧，这就是统万城！"

城确实是已经建好了，现在，只是少了些装饰而已。在城中心那个被称做永安台的地方，他们看见有一个人一手挂着刀，另一只手正在指指点点。

莫愁说："这个人好像是叱干阿利？"

勃勃回答："是的。我的宰相、御史大夫、将作大匠叱干阿利！"

莫愁说："听说他杀了不少的人，干了许多的坏事。这个人竟然还敢继续活在人间！"

听了这话，赫连勃勃打了一个冷战。他停顿了一下，说："他是该死了！也许，统万城建成的那一天，就是他的大限！"

第七十一歌
诛杀叱干阿利

统万城历时六载，终于筑成。

这是一座高原上的童话城。宫殿巍峨，城头宽厚，角楼高耸，高台摩天。它仿佛是人们在沙漠行旅中，猛抬头看见的一座海市蜃楼。

城郭面积约十平方公里，城墙厚约十六米，加上向外伸出的"马面"，

如果我们的话，必须符合原经旦有意的话，火化时舌头不化。且有莲花从口中喷出。写鸠摩罗什造型

高建军壬辰岁

统万城

厚度可达三十米。城的东西南北四角，各修一座高大宏伟、气象森森的角楼。城东西南北各设一个门，东门曰"招魏门"，意即招降北魏；西门曰"服凉门"，意即降服五凉诸国；北门曰"平朔门"，意即平定河套以北地区；南门叫"朝宋门"，意即与南朝刘裕结好。

统万城又分东城、西城、外郭城。

外郭城之外，又有赋贡城。

赋贡城之外，又有易马城。

城垣的一切布局，皆按赫连勃勃六年前跑马圈城时所说的那样。一个关于一座城的伟大梦想，叮当六年，千辛万苦，终于变成现实。

筑这座城的第一功臣是叱干阿利。统万城竣工之日，就是他的死期，不过这个人暂时还不知道。

赫连勃勃住在东城，文武百官、宫中杂役等住在西城。那真是一个繁华所在呀，仿佛把半个长安城搬过来了似的。不独长安，仿佛把大河套地面的各个城池，都切下一个角搬来了似的。

"九城贡以金银，八方献其珍宝"，这是史书上的话。九城八方贡献来的金银珍宝，把这个塞外荒凉之地，装点得锦绣繁华，光彩夺目。

据说，城中蜡烛照耀，彻夜通明，故有统万城中"无昼夜之殊"之说。

又据说，那温宫里冬日用木炭取暖，凉殿里夏天贮以冰块降温，故又有统万城中"无阴阳迭更"之说。

六年劳作，征夫十万，耗资不可细算，死亡民夫一成的浩大工程，终于告竣。这是公元 419 年的事。

最后一项工程，就是修筑位于城中心的那个高可摩天、据说站在顶端可以望见长安城的土台——永安台了。

这个用累累白骨堆成的高大物体，只剩下那最后几锹土了。以筑城第一功臣自居的叱干阿利，见自己干了一件这么恢宏的事情，心中不免有些得意。六年的督造，废寝忘食，心智耗干，如今他已经瘦得只剩下一把骨头了。那眼睛红勾勾的，也许是夜间没有睡好，也许是杀人过多的缘故。那一张长马脸苍老、疲惫，皱纹密布，让人怜惜。

他去请赫连勃勃为永安台奠下封顶的最后一锹蒸土。

赫连勃勃欣然答应，他携皇后梁氏、贵妃娘娘鲜卑莫愁并文武百官，来见证这一历史时刻。

永安台顶上,听完了叱干阿利的禀报,勃勃执着叱干阿利瘦骨嶙峋的手说道:

"作为我的舅舅,我的御史大夫、将作大匠、将军是做得尽善尽美了。只是,还有一件事情将军忘了做。朕笨想,你既然负责筑城,就该把这统万城的事情做彻底吧!"

叱干阿利有些不解,他说道:"这统万城的角角落落,我都做得无懈可击了。臣不知道,还有哪一件事情令圣上不够满意?"

赫连勃勃说:"缺少一个庙——城隍庙!"

阿利重复道:"一个庙,一个城隍庙!"

赫连勃勃接着说:"庙里缺一个神——城隍爷!"

阿利重复说:"一个神,一个城隍爷!"

赫连勃勃说:"十万民夫,十成中死了一成,也就是说,有一万冤魂被打入这城墙里边了。我想他们肯定会夜夜阴魂不散,鬼哭狼嚎的。这样,这城的阴气就太重了一点,叫人如何安心居住?所以嘛,朕想,倒不如请将军一不做,二不休,就放下个矜贵身子,做一回这统万城的城隍,如何?朕为你修一座庙,造一个牌位,由你来统领他们,安抚他们!不知将军意下如何?"

叱干阿利是个何等聪明的人,那日,他见鲜卑莫愁来到统万城,来到赫连勃勃身边,就知道自己的处境岌岌可危了。赫连勃勃心黑手毒,难免会杀人灭口,封住这个漏洞,不承想,今日他的担心是真地到来了。

叱干阿利狠狠地剜了赫连勃勃旁边站着的鲜卑莫愁一眼。莫愁泰然自若,脸上没有丝毫表情。

叱干阿利见事到如今,也就扯破了脸面,手指赫连勃勃骂道:"赫连小儿,我有话在先,今天是我先走,明天就是你后走。头顶三尺有神明,我的话一定应验。唉,你是一位伟大人物,而我只是一个宵小之辈,大人物做事,一路上将阻挡他的一切都踩得粉碎,毫不心软。而小人物做事,总是仰人鼻息,委屈自己而迎合别人,这样做的结果,是自己的一篮子家当,说打就打光了!"

叱干阿利还要展开长篇大论,赫连勃勃让人上去,先割掉了叱干阿利的舌头。

赫连勃勃瞥了一眼割掉舌头的叱干阿利,面无表情地说:"将叱干阿利打入永安台，给我的将军一个全尸还家！"

叱干阿利平日积怨甚深，筑城的民工、验收的监工，包括领工的将领，平日里都对他恨之入骨，只是慑于勃勃的淫威，敢怒而不敢言。如今得了勃勃指令，永安台上下，统万城城中一片山呼海啸。

众人将叱干阿利放倒，抬着四肢，喊一声号子，抛起落下，如是者三次，才算解恨，然后迅速地用蒸土将其掩埋。

统万城筑城史中，滥用民力、凶残好杀的这个恶名，就这样永远地被叱干阿利给背上了。

演完永安台顶上的这一幕之后，赫连勃勃回过头来，瞅了鲜卑莫愁一眼。那眼神的意思好像是说：你现在该满意了吧！

鲜卑莫愁仍是面无表情。永安台上的风有些大，她整理了一下自己的衣衫，然后把自己发髻上插着的那根鸩鸟的羽毛，轻轻扶正。

第七十二歌
统万城铭

叱干阿利之死，令这座凶险之城又增加了一个传说。叱干阿利大约做梦也想不到，他自己也成为了自己这件得意作品的一部分，而且是收官之作。也许对于被活埋他并不遗憾，不管怎么说，他已经青史留名，只要人们提到这座城池，只要这座城池还矗立在天地间，人们就不得不提到叱干阿利的名字。

宫殿大成，勃勃于是大赦天下，又改年号为"真兴"。

竣工典礼在统万城的城头上举行。几百杆长杆唢呐，震天吹响；几百面威风大鼓，鼓槌起落。统万城十平方公里的城池，被各族百姓的人头填满。一圈城墙上，三步一面彩旗，五步一条彩带，密密匝匝呼啦啦地飘着。

统万城此一刻成为长城内外一个巨大的商贸交易市场。其中赋贡城属于官方行为，接受四方八域的朝贡；易马城的交易属于民间行为，正所谓"临洮易马，汉中换茶"。

俄罗斯大诗人普希金在他的著名诗句中，曾经对这种游牧与农耕交际地带的贸易大都市，有过精彩的描写。他说：

"印度人把珍珠，欧罗巴人把冒牌的酒带到这里；赌徒带来一把听话的骰子；牧人带来挑剩下的马；地主带来自己成熟的女儿，而女儿，是去年的时式。大集市喧嚣着，每个人都在撒着两个人的谎，到处都是商人的气息！"

竣工典礼的司仪官本该是叱干阿利，奈何叱干阿利现在已经做了城隍爷，虽然那身子骨儿还在这竣工典礼现场，可惜已经被封土封住。

好在大夏国朝内，有许多投降、或者俘获而来的后秦文官武将。前面说到的那个皇甫先生就是后秦的一个降臣。如今，叱干将军既然已经殁了，这司仪官就该是他了。

统万城城头上，皇甫先生扬起脖子，朗声唱道：

"夫庸大德盛者，必建不刊之业；道积庆隆者，必享无穷之祚。我皇诞命世之期，应天纵之运，营起都城，开建京邑。背名山而面洪流，左河津而右重塞。高隅隐日，崇墉际云，石郭天池，周绵千里。其为独守之形，险绝之状，固以远迈于咸阳，超美于周洛。义高灵台，美隆未央。迈轨三五，贻则霸王。永世垂范，亿载弥光。"

皇甫先生所吟唱的叫《统万城铭》，是一位后秦降臣名叫胡义周写的。他当时是大夏国的秘书监。文章写好，又让石匠将铭文刻于碑石，立在统万城的东门。

刻好铭文的碑石用一块红布盖着，单等吉时到了由勃勃来揭开。那情形就像我们今天所看到的竣工仪式一样。皇甫先生朗诵完毕，咽一口唾沫，继续说道：

"清清世界，朗朗乾坤，地远天高，国运久长。此一刻，鼓角齐鸣，礼炮六响，且请大夏国国主，尊敬的光荣的至高无上的天之骄子，万王之王，匈奴大单于赫连勃勃，为《统万城铭》揭牌，并登临永安台祭天！"

勃勃整整衣冠，而后端着步子，迈着罗圈腿，一步三摇，趋上前去。红布揭开，碑石上苍劲有力、笔锋沉郁的魏碑体《统万城铭》显露出来。

赫连勃勃摸着上面的字，仰天长叹曰："此石碑是一个历史拐点，经典时间。千年行国，自此改换门庭，终于变成永久居国了。列祖列宗们有知，当含笑于九泉之下了！"

赫连勃勃的话，情真意切，令在场的所有人为之感动。

这时，司仪官皇甫先生走来，请圣上登台祭天。

赫连勃勃摆摆手，说道：

"祭天这件事情，过于神圣，我得等一个人来。如今，这祭天台既已修好，这个人也该来了。她是先知先觉！竣工典礼这么大的事情，大河套地面嘈杂得像一窝蜂了，无人不知，无人不晓，我想她也该是知道的！"

"你瞧，她来了！"赫连勃勃突然向西北方向一指，说道。

众人随赫连勃勃手指的方向望去。

遥远的西地平线上，响起两声炸雷，刮起一阵龙卷风，接着有雨点子滴滴答答落下。雨点子中还有不少的黄河鲤鱼，跌到地面上时还活蹦乱跳。俄顷，鱼雨停了，从那个方向，有一疙瘩乌黑乌黑的云，贴着地平线缓缓地向统万城移动。

那一团黑疙瘩云走近了。

那是我们的老朋友女萨满。一袭黑衣的女萨满，骑一匹黑马，湍湍而来。

第七十三歌
北匈奴

统万城正中的那个永安台，高约百丈，极高极险。女萨满神色肃穆，正襟危坐，双手高高举过头顶。她的一袭黑衣，那衣裙从高高的台顶上垂下来，像一道黑瀑布一样，直达地面。

台子下面是赫连勃勃和他的文武百官。

他们都跪倒在沙土地上。平日脸上的各种表情，现在只为一种表情所取代，那表情就是虔诚和沉醉。

赫连勃勃仰头对着永安台上正在与天地通灵的女萨满，扬声说道：

"尊敬的女萨满，先知先觉的女萨满，像一个幽灵一样在匈奴草原上游荡的女萨满，大城已就，木已成舟，匈奴民族那世世代代变千年行国为永久居国的梦想，因统万城的筑成而得以实现。亲爱的女萨满呀，借你一张口，让天底下的匈奴人都知道，让这座城的事在匈奴草原上风一样地传扬！"

赫连勃勃停顿了一下，又说道："女萨满，统万城落成之日，朕有许多感慨要发。但是此刻，朕最想问的事情，是那遥远地方的事情。朕想知道，我们的北匈奴兄弟如今迁徙到什么地方去了，他们在做什么？请你用鹰隼一样锐利的眼睛向西方遥望，向草原的另一头遥望，向太阳每天落下去的那个地方遥望吧！"

这句话说完以后，满场长时间地沉默，大家都在等待着女萨满的回答。

这个问题太难了。要知道，女萨满只有一只眼睛，她大约要用自己全身的力量，所有的意志力，才能定睛注视那遥远的西方。

女萨满站起来，双手往下压了压，示意四周需要保持死一般的寂静，千万不能打破她的梦境，稍有嘈杂，她也许就永远回不来了。

"我看见了，我看见了！我看见了我们的北匈奴兄弟唱着草原的古歌，正像一股潮水一样撵着西沉的落日，撵着水草向西行走，我看见他们迁徙时那模糊的背影了！那模糊的背影无限苍凉无限悲壮！"

女萨满神经质地呓语着："我看到呼韩邪大单于的哥哥郅支大单于了。他领着他的残部，在贝加尔湖边攻破了一个粟特人的城池，然后在那里建国。但是，仅仅羁留了几个月之后，汉王朝西域都护府的追兵赶到了那里，攻破了城池，一个叫陈汤的副都尉割下了郅支的人头。这样，北匈奴继续迁徙，撵着那橘红色的大车轮子一样的落日，继续往西走！"

女萨满继续说："他们在离开我的视线许久以后，突然穿越欧亚大平原，从喀尔巴阡山冲下，来到地中海地面。他们已经成为一支拥有三十万军队的庞大队伍了。一个匈奴大单于，被称为上帝之鞭的阿提拉，他正站在多瑙河边，两只眼睛眯成一条线，注视着多瑙河右岸的欧罗巴大陆腹地，随时准备将它鲸吞入腹。"

"我看见他了。他中等身材，粗鲁扁平的头，强壮的身材，稍显内罗圈的短腿，鼻梁骨有点儿塌，眼珠深陷。当他站在地面上时，他是凡人，与我们常人无异，而当他跨上那匹鞍上挂着骷髅头酒具的马，挥舞着独耳狼旗时，他显得高大而令人恐惧！"

女萨满说话的腔调已经明显变弱了，那是气力不足的缘故。但是，她没有停止，继续着她的瞭望和她的叙述。

"他在一个叫布达佩斯的东欧地面建立了匈奴大汉国，然后率领从草原上聚集而来的三十万大军，铁骑所向，将要用马蹄把欧罗巴的每一寸土地重新耕耘一遍。你们看哪，此一刻他们正在强渡多瑙河，这大约是人类迄至那时所经历的最惨烈的一场战争。士兵驱赶着马跳进河里，马向对岸游去。有的士兵骑在马背上，而更多的士兵是拽着马尾巴游过去的。马的尸体和人的尸体将多瑙河填满，鲜血将河水染成了猩红色。"

女萨满继续说着，她的气息更加微弱了。

"阿提拉大帝已经占领了整个欧罗巴大陆，现在，只剩下最后一座城池罗马了，这是罗马帝国的首都。瞧，阿提拉开始攻城了，哦，我的眼前怎么硝烟弥漫，看不见一点儿东西了。哦，我明白了，接下来发生的事情是以后的事情，我不应该再看见它们了，即便我能够看见，能够知道，我也不能再说了！"

永安台顶上，女萨满的话语结束了。

在女萨满那梦魇般的叙述中，一轮橘红色的夕阳，像个大车轮子一样停驻在西地平线上，迟迟不肯降下，整个统万城笼罩在一片虚幻的红光中。后来，随着夕阳落幕，天色暗淡，漠风起了，这座大漠中的孤城突然变得苍凉而模糊。

在暮色中，那条此刻被叫作奢延水、后世被叫作红柳河的河流，弯弯曲曲地自草原深处流来，波光粼粼，忽明忽暗。

第七十四歌
鸩鸟的一根羽毛

统万城的城头上传出鲜卑莫愁的琴声。较之当年在固远城家族墓地的弹奏，如今这琴声已经大变，激烈、哀怨，并且有一丝不易觉察的杀气在里面。

当年的那个"冰美人"，如今风格也已大变。当她半裸着身子半露着奶头从温宫凉殿中走过时，她更像一个荡妇。夜来，她的淫荡的叫床声震耳欲聋，传遍统万城的每一个角落。自进入统万城以后，她一步一步走近赫连勃勃，直到把他攥到手心，从而令那些别的女人们不能靠近。

一个女人，一旦突然之间有了生活目标，她立即会被激发起来，昔日慵懒的状态立即消失了，激情和青春现在又重新回到了她的身上。她容光焕发，面白如雪，面红如酡，尖尖的高鼻子可爱的耸动，朱砂色的嘴唇暧昧的微笑，鸡冠花染红的长指甲在做爱时深深嵌入那为王者的肉里。

她深深走入了那人的内心。

她发觉那为王者的内心是孤独的，也是软弱的。他的那些凶残的举动，那粗鲁而强悍的外表，只是为了掩饰内心深处对这个世界的深深恐惧。

那为王者的内心，大约这世界上还从来没有人走进去过。人们看到的只是强悍、凶恶和伪装出来的粗鲁。现在，这个绝顶聪明、美艳如花的女人，她找到了这个为王者的弱点，她走进去了。

鲜卑莫愁明白，只有用那些最无耻的挑逗，才能激发起这个为王者体内那沉睡的情欲，那被冰冷外壳所包裹的情欲。而在床笫之间，必须强悍地骑在他的身上，把那根羚羊般的小腿当成鞭子，一鞭一鞭地抽他，才能让他彻底兴奋起来，让他身上那沉睡的灵魂痉挛起来，让他那移作暴力之用的每一个细胞亢奋起来。

做爱中，她有时会短暂地忘记自己那个可怕的目的，而像一个真心的女人去爱自己所爱的男人那样去爱。直到她的目光不经意地看到搁在一侧的那根艳丽的鸩鸟羽毛，她的心才会回到她的目的上。

每天夜里那震耳欲聋的叫床声不再响时，统万城的人们，知道他们的王与鲜卑娘娘这一晚的功课，算结束了。

但是，对于鲜卑莫愁来说，这个晚上真正的功课，现在才刚刚开始。

"王，你真能干，你的每一块肌肉仿佛都藏着雷霆万钧。现在，让我为你斟一碗酒去。喝了酒，你就睡吧，明天晚上，咱们再大战！乖！"

鲜卑莫愁说着，拍拍为王者的腮帮，从他的身上下来。

那为王者孩子般地"嗯"了一声，表示同意鲜卑莫愁的话。

鲜卑莫愁溜下床，随手披了一件低胸的衣服，用手将领口提住，半个奶头裸露在外边，当然，临离开时，她没有忘记那件最重要的东西——那根艳丽的鸩鸟羽毛。

酒柜里有许多美酒，为王者最喜欢喝的是那暴烈的"河套王"酒。

鲜卑莫愁打开了酒坛的盖儿，将酒斟满。然后把酒坛重新放好。有一滴酒沾在坛子的口儿上了，她伸出舌头，将它舔干。

一碗酒斟满了，鲜卑莫愁叹息了一声，从头顶那高绾的云鬟中，取下那根鸩鸟羽毛。然后，将那羽毛从酒面上轻轻地拂过。

做这些的时候，鲜卑莫愁哼着一首古歌，这是鲜卑莫愁孩提时代从妈妈的嘴里听来的。

> 我的地方哪，
> 小小的地方，

而后，她将羽毛重新插到云鬓上，端起那碗酒，走向赫连勃勃。

"喝吧，我的英雄，我的鸟儿，男人的事业在马背上，在酒杯里，在女人的床榻前！"

鲜卑莫愁用一种梦游般的声音，这样说。

赫连勃勃用一只胳膊支撑着欠起身子，端起那碗酒，一饮而尽。

"睡吧！乖，晚上做个好梦！"鲜卑莫愁这样说着，悄没声息地，猫一样地退出去了。

在她身后，赫连勃勃已经传出了鼾声。

一年之后，那毒性大约已经进入赫连勃勃的体内很深了。他的容貌大变：脸色变得乌青，嘴唇变得乌青，昔日那坚硬的串脸胡须如今亦变得柔软、发黄、稀落，他的头发已经掉了一大半，露出了前面的秃顶。

而他的性格则变得暴烈异常，且又疑心重重。他开始无缘无故地杀人，动辄抽出刀来，杀完人后，又懊悔不已。

宫中的人都把这当作他们的王纵欲过度的表现。大家以异样的眼光看着这个妖孽鲜卑莫愁，认为这缘由在她。鲜卑莫愁则高傲地仰起脖子，她明白，只要她把赫连勃勃攥在手心，别的人纵然对她咬牙切齿，也奈何不得。

这一日，又是日上三竿大夏王赫连勃勃方才起身。朝中的事情草草地说了几句，感到有些头晕眼花，四肢无力，便又回到寝宫睡了。

下午，感到精神好了一点儿，于是起身，这时听到鲜卑莫愁正在宫殿的廊亭中抚琴而歌。那首草原上的古歌，赫连勃勃孩提时代也常常听到。不知道是哪个匆匆而过的草原民族在迁徙的途中把这歌丢在路上的。

> 我的地方哪，
> 小小的地方，

并不是我自己要来，
也不是鸟儿载着我来，
是那可诅咒的命运，
它把我带来！
……

赫连勃勃披上衣服，来到廊亭上。只见鲜卑莫愁抱着琴，正在吟唱。较之当年不同的是，她的旁边多了几个乐人为她的吟唱伴奏。

赫连勃勃招了一下手，宫人赶快把一把虎皮面的背椅放在他屁股底下。赫连勃勃坐定以后，又招了一下手。宫人们知道，他又要喝酒了，于是两个宫女抬出一坛子酒来，跪着为他捧上。

在美人的吟唱中，我们看到黄河像一条弯曲的巨蟒，在这块偌大的被称为"鄂尔多斯台地"的地面，画了一个"几"字形的弯子，形成著名的大河套地区。此一刻，这大河套地区叫匈奴草原。那苍茫无垠的大草原，天苍苍，野茫茫，风吹草低见牛羊。

匈奴人的十万顶牙帐像白莲花一般开满了黄河两岸，辽阔的五彩草原上，一群群马匹在奔驰，一群群牛羊在吃草，骆驼卧在地上反刍，尖尖犄角的黄牛拉着大轱辘车正缓缓地从道路上碾过。

而在这座童话般的统万城里，华林灵沼，崇台密室，通房连阁，驰道苑囿，俨然一座大漠中的海市蜃楼。

最热闹的地方要数那易马城了。城中错落有致地盖了许多房子挖了许多窑洞，还有些帐篷，它们组成了一条条不规则的街道。街道两侧，有着许多的小吃，商贩们在叫卖着，长呼短唤。那易马城的东北角上，是一个牲口交易市场，牙子①们头戴瓜皮帽，袖着手，在牲口群中穿梭，眼珠子骨碌骨碌地四处乱轮。

廊亭上的赫连勃勃这时候好像疼痛病发作一样，精神烦躁起来，无法控制住自己。他坐在那里，又招了一下手。这一次，宫人们没有领会他的意思。

"弓箭，我的弓箭，大夏王的弓箭！"赫连勃勃头也没有抬，手继续张着。

---

① 牙子，也叫牙人、牙行，就是古代各行商业中的中间经纪人。

宫人们赶快去他的寝宫，拿出一张弓和一壶箭。

赫连勃勃把弓拎起，把箭搭上，拉个满弓，望着楼角下面的永安台方向，瞄了瞄，又瞄了瞄。

凉亭上的人，在他瞄准的那一刻，都屏住了呼吸，不知道这一箭射出去以后，谁会倒霉。

但是他又将弓箭放下了，坐到椅子上。"你自弹琴，莫管朕事！"赫连勃勃这么嘟囔了一句。

痛苦在折磨着他，大约是那毒性发作了，他需要宣泄。

刚坐下不久的赫连勃勃又霍地站起来，一个虎跳扑到凉亭的栏杆上，指着城下说道："那个大臣是谁？他正在偷眼看我。来人哪，传我令去，剜去他的双眼！"

兵丁们奔下楼，去剜那倒霉大臣的双眼去了。楼阁下面一片嘈杂之声。赫连勃勃则重新回到座位上，喘着气，他的手又张开了。这次是要酒了，于是宫女又为他将酒捧上。

勃勃接过酒来，一饮而尽。他喘着气向城下注视着，说道：

"城下又有一位大臣露出了牙齿，那分明是在笑我。来人哪，传我令去，拔掉他的牙齿！"

说着又张开手要了一杯酒，一饮而尽后，心里还是憋得难受，勃勃那红勾勾的眼睛继续往城下瞅着，很快地，他又发现了一个目标。

赫连勃勃用手再向城下一指，说道："永安台底下那两个人正在交头接耳，他们分明是在嘲笑我，诽谤我，来人哪，传我令去，割掉这两个人的舌头！"

连做了三宗恶事，赫连勃勃现在是心里平静了。又喝了两碗酒以后，他头一歪，流出了涎水，然后，在那把虎皮座椅上传出了鼾声。

"给你们的王，拿一个毯子盖上吧，城头上的风大！"

正在抚琴的鲜卑莫愁，在弹琴的间隙，扭过头来这样说。

赫连勃勃在酣睡，鲜卑莫愁依旧在弹琴。鲜卑女弹奏的，依旧是那首草原古歌。不过，她给那代代相传的古歌后面，又续了一段：

我的地方哪，
小小的地方，

211

并不是我自己要来，
也不是马儿载着我来，
是那可诅咒的命运，
它把我带来！

在那草原的尽头，
在一个叫红碱淖尔的地方，
有一只白天鹅在歌唱。
它的歌声多么忧伤，
白天鹅一生只歌唱一次，
那是在它行将辞世的时候！

第七十五歌
北魏袭城

赫连勃勃那乖张、暴烈、凶残的行为举止，令统万城上上下下为之目瞪口呆。他的恶行迅速地传遍了整个匈奴草原。好事不出门，恶事传千里。统万城所发生的事情，没有多久，就传到了北魏拓跋焘大帝的耳中。

全世界的人都不明白这到底是怎么回事，都以为赫连勃勃这是疯了，只有黄河对岸的拓跋焘知道其中的缘故，他明白赫连勃勃已经百毒攻心，毒性正在他的体内发作。

那个时期北魏正处于最强盛的时代。拓跋焘大帝野心勃勃，他要在有生之年完成对统万城的占领，完成对业已纳入大夏国版图的长安城、洛阳城的占领。最后，再一举完成对南朝宋国都城建康城的占领。

这一年的冬天，拓跋焘从营中挑选了两千名控弦之士、精悍骑兵，而后，拜鲜卑莫喜为先锋大将，来完成对大夏国国都统万城的一次突袭。

那目的地统万城的外边有个易马城，四面八方的牧人们常常把马赶到那里来交易。因此，这两千匹马分成几拨来赶，并不引人注目。士兵们则是换

212

上便服背着褡裢徒步，三五成群，最后在易马城中集结。

这一切，赫连勃勃茫然不知，统万城朝野浑然不觉。

这夜,酩酊大醉的赫连勃勃蒙头大睡，鼾声如雷。他的睡相很难看，嘴咧着，牙龇着，涎水顺着下巴流出来，一个八尺三寸的身子仰面朝天，四肢伸展。

恍惚中，他听到门外有厮杀声，看见一位拓跋北魏的将军骑一匹悍马，领着一支如狼似虎的骑兵，正在冲破他的城池。不知道这是梦还是现实。他努力使自己清醒过来，但挣扎了几次，都没有做到。

后来，他挣扎着大叫了一声，终于醒了。

赫连勃勃披着睡袍，推开房门，站在凉亭的栏杆边向城下瞭望。这一望不要紧，他吓了一身冷汗，酒也醒了一大半。

一位拓跋北魏将军领着人马，穿越易马城、赋贡城，眼下，已经打破外郭城，就要冲入内城里了。

他的两位忠实的将军，薛鲜和薛桓正在奋力抵抗着。他们一边使着刀，尽力把刺到眼前的戈矛隔开，一边扭头喊道：“主公，主公赶快醒来！”

赫连勃勃大怒，将手向城下一指，骂道：“闯入我这统万城龙潭虎穴的是什么人？胆敢来踏我的城池。来将何人，报上你的名讳，我的大夏龙雀虽然刀利，但是刀下不杀那无名之人！”

城下的将军，仰天大笑道：“勃勃小儿，都死到临头了，你还不知道我是谁！代州拓跋魏如今当家理事的是魏成祖拓跋焘大帝。你面前站着的这位，就是当今盖世英雄拓跋焘了！”

赫连勃勃说道：“原来你就是我的敌人、大夏国的敌人、匈奴人的敌人拓跋焘！当年你的爷爷毁了我代来城，杀了我的父亲刘卫辰，杀了我一家三百口，国仇家仇，我钢牙咬碎日日不忘。我正要秣马厉兵找你寻仇，想不到你今天自己送上门来了！”

城下的拓跋焘听了，并不示弱，长矛往天上一举，说道：

“勃勃小儿，闲话少说。我道这统万城是生铁铸就钢水浇成，想不到却是豆腐渣一块，如今这易马城、赋贡城、外郭城，朕都已经踏破了。铁骑所向，正要踏破内城。勃勃小儿，你若识相，赶快下城投降，免你一死！”

勃勃见说，大怒道：“拓跋小儿，你且等着，大夏王赫连勃勃来了！”

勃勃说完，纵身一个虎跳，从城上跳到地面，然后高叫道：“马来！马来！"一个属下赶快牵来他的坐骑。勃勃跨上马，又叫道："刀来！刀来！"
四名属下抬着那口名为"大夏龙雀"的百炼钢刀，递到勃勃手中。

勃勃骑了马，两腿一叩马肚，挥舞着"大夏龙雀"，舍了众人径直去取
拓跋焘的人头。

拓跋焘贵为人主，鞍前马后自然有不少护卫。勃勃近他不得，恼了，仗
着醉意，挥舞大夏龙雀，冲入敌阵，不分青红皂白见人就杀，见头就砍。

大夏龙雀向前一挥，前面出现了一条街道，向后一挥，后面出现了一条
胡同。那拓跋焘的护卫们，纷纷倒在刀下。

好个赫连勃勃，一边挥刀，一边口中念念有词，念着那大夏龙雀上的铭文。

"古之利器，吴楚湛卢；大夏龙雀，名冠神都。可以怀远，可以柔通；
如风靡草，威服九区。"

说话间，赫连勃勃已快马到了拓跋焘跟前。拓跋焘是有些大意了，两千
轻骑，御驾亲征，而今又轻车简从，孤军深入内城，此一刻，见赫连勃勃大
夏龙雀挥来，慌忙举枪抵挡。

想不到那大夏龙雀如此锋利，拓跋焘手中的钢枪刚将大刀隔开，勃勃的
钢刀顺势反手一削，就把拓跋焘钢枪前面的矛头削去了。

拓跋焘见了，拨马回身便走。

赫连勃勃哪容他脱身，拍马上前，一刀背把拓跋焘打翻于马下，复又一刀，
要取拓跋焘性命。

眼见得那口百炼钢刀就要削下拓跋焘的人头了，这时，斜刺里杀出一位
青年将军，高叫一声："莫要伤了我家主公，鲜卑莫喜来了！"

这位青年将军正是鲜卑莫愁的弟弟，当年从固远城得以逃脱，东渡黄河
投了代州北魏，前一阵子，又乔装胡商重返固远城，一为祭祖，二为策反姐姐。
如今这次拓跋西征，他被拜为先锋大将。

鲜卑莫喜手挥两把铜锤，只听"呛啷"一声，把赫连勃勃手中的钢刀挡
了过去。莫喜说道：

"勃勃小儿，我叫莫喜，双姓鲜卑，当年固远城那一场屠城故事，你还
记得吗？"

赫连勃勃听了，心中一惊。

莫喜是为主效力，不惧生死，挥舞两个铜锤，专打赫连勃勃的马头。勃

勃见了，只好舍了那已经倒地的拓跋焘，前来迎战鲜卑莫喜。

鲜卑莫喜哪是勃勃的对手，勃勃无心杀他，先让了他三个回合，奈何这莫喜不知好歹，只顾挥动两个铜锤，趋上前来索命。

勃勃见了，只好说道："罢罢罢，我已让过你三个回合了，人情还了，现在，不好意思，我要送你走了，好兄弟，你去吧！"

说罢，大夏龙雀一挥，年轻的鲜卑莫喜已是身首两段。

勃勃再去追拓跋焘，追了有十里远，只见烟尘扬处，拓跋焘率着他的两千轻骑已经跑得无影无踪了。

野外的凉风一吹，赫连勃勃的酒意涌上头来。他呕吐了两口，佝偻着腰，抱住马脖子。马载着他，昏昏沉沉地回到统万城。

夜来，鲜卑莫愁轻轻抱住弟弟的头，将脸颊贴在弟弟的脸上，她说："亲爱的弟弟，可怜的弟弟，你托付给我的那件事情，我一直在做着！"

夜晚，温宫凉殿里，烛影憧憧处，鲜卑莫愁从酒坛里倒出一碗酒，然后从高缩的发髻上取下那根鸩鸟的羽毛。她将那羽毛重重地在酒面上拂过，然后端给卧榻上的赫连勃勃。

"主公，醒醒，借酒压惊！"鲜卑莫愁说。

第七十六歌
冬宰场的最后一只羔羊

赫连勃勃是在那一年的春天死去的，那是羊产春羔的季节。赫连勃勃的死和拓跋踏城的时间相隔不久，一个是在冬天，一个是在来年春天，中间隔了一个年节。

大限到来的那天，赫连勃勃屏退左右，只让鲜卑莫愁搀着他出了统万城，一步一挨，向草原深处走去。那匹额上有一道闪电的骏马随后跟来。勃勃摆摆手，让它回去。勃勃说："谢谢你曾经的服务。你回去吧，我已经不再需要你了！"

勃勃说："我要死了，我自己能感觉到。莫愁娘娘，你见过猫是怎样死去的吗？告诉你吧，世界上谁也没见过猫死。猫知道自己要死了，它就悄悄离开家，离开人群，独自跑到森林或者旷野，或者不管在什么地方找一个角落，在那里用爪子刨一个坑，然后悄悄地不惊不扰地死去！"

"我现在就有这种感觉。远离尘世，去寻这样一个猫的角落。"赫连勃勃继续说。

早春的草原上，羊群像大水漫滩一样，缓缓流过。春放一条鞭，夏放满天星，羊群嘴贴着地，争先恐后地往前撵着，去啃那刚刚发起的嫩草芽。经过了北魏拓跋的那一次踏城之后，草原已经有些零落了。它要恢复还得些年，也许，它再也恢复不过来了。

他们来到了一个羊圈里。羊圈的栅栏用草原上一种叫作沙柳的灌木编织，他们分开羊圈的木栅栏门，来到羊群的中间，然后找到一个死角躺下。

赫连勃勃对莫愁说："这个羊圈，这拥拥挤挤的一群羊，让我想起自己当年逃亡时的一件事。"

赫连勃勃说："当年我从代来城逃脱时才十一岁，跳进黄河拽着马的尾巴得以上岸。上岸后就躲在一个羊圈里，羊拥挤着我，我反穿皮袄，把自己扮做一只羊，混在羊群里边，躲起来。

"那是初冬时节，一年一度的冬宰期。羊吃了一秋天带草籽的草，肥了，壮了，牧人们趁羊正肥，要把它们宰了，储备起来准备越冬。那待宰的羊，被从羊群中挑了出来，塞进一个圈里，而我恰好就茫然不知地进了这个圈。

"高大威猛的牧人们，踢踏着大皮靴，莽莽撞撞地打开了栅栏门，走进圈里，两手一伸，抓住一只羊脊背上的毛，往肩膀上一扛，走出圈门。而后，将那肩上的羊往地上一摔，趁羊倒着的时候，一个膝盖顶上去，然后全身压上去。羊就不能动了。牧人这时候用一只手在羊的脖子上摸索，那是在寻找下刀的部位，另一只手，则去靴子里寻刀。部位摸准了，刀也抽出来了，于是一刀扎进去。刀穿过厚厚的皮毛扎进脖子，扎断血管，血喷涌而出。这时候刀并不离开羊脖子，而是反握着刀，左边旋三下，右边旋三下，羊脖子这就断了，'扑扑'地有带血的泡沫喷出来。牧人这时候拔出刀，将刀噙在口中，然后一只手掰住羊嘴，另一只手卡住羊脖子，一用劲，只听'咔叭'一声响，羊的颈椎骨就断了，刚才还硬挺着的羊头，现在耷拉了下来。宰羊的工作到这时还没有完，牧人现在要进行的是重要的一项工作。只见牧人从嘴里取下刀，

統萬城

我又殺一個
英雄;
我結束了一個
時代。
為鮮卑築松造壁

昌運月筆
壬辰年

然后用另一只手在羊脖子那血肉模糊处摸索，他是在寻找颈椎被折断后夹在里面的那根神经。

"颈椎中的那根神经终于找到了。他的手一动那神经，羊的全身一哆嗦。这大约是羊只最敏感最疼痛的地方了。牧人用刀将那神经割断，羊就不再哆嗦了，羊终于得以解脱了。牧人最后做的工作，是将脖子后面连接的那一点儿皮肉割断，这样羊的头和身子就彻底分家了。"

赫连勃勃喘着气，喋喋不休地说："牧人们闯进圈里，抓起一只，杀掉，然后再来找下一只。羊圈里剩下的羊挤在一个角落，缩成一团。大家都在等待着那必然的命运，谁先被杀，谁后被杀，那完全要看牧人的双手所向。他是喜欢把好宰的羊留在最后呢，还是喜欢把不好宰的留在最后？不知道。

"牛被宰杀的时候，会热泪滚滚，豌豆大的泪珠子从大眼睛中夺眶而出；马被宰杀的时候，会愤怒地叫，对宰杀它的人满怀敌意。但是，羊很奇怪，被宰杀的时候它不叫，牙关咬紧，默默地承受，好像是说：我是个乖孩子，我要做到最好！在临终了的时候，我也要做到自我道德完善！

"在我的感觉中，最不幸的不是那些先被杀死的羊，而是那些最后被杀死的羊。每一次，当牧人的大皮靴嗵嗵地踏过来时，每只羊会想：终于轮到我了，终于要死了，终于得到解脱了。但是，牧人的双手却伸向了另一只羊。"

赫连勃勃叹息说："栅栏里的羊终于被杀完了，角落里的最后一个，那哆哆嗦嗦缩成一团的，从翻穿的羊皮袄中露出两只惊恐大眼睛的，是一个十一岁的小孩——那是我！牧人们发现这是一个反穿皮袄的人，吓了一跳，而我趁他们惊愕之间，冲出羊圈，跳上一匹马，跑了！"

说话中间，赫连勃勃的喘气声越来越急促。

他伸出手，好像要在空中抓住什么似的，结果他的手抓住了鲜卑莫愁的手。他的手在继续寻找，莫愁明白了，将他的手揞在自己的乳头上，那身体中最柔软的部位。

这时，赫连勃勃开始吐血。他吐出的是黑血。他就这样大口地吐了三口，然后一口气没有上来，就死在鲜卑莫愁的怀中了。

死去的他的那只手，还紧紧地攥住鲜卑莫愁的乳头。大约是因为这个缘故，他的脸上没有痛苦。

他死了，确确实实是死了。

鲜卑莫愁费了很大的劲儿，才掰开抓住她乳头的那只手。一群羊围上来，惊恐地"咩咩"叫着，她挥手将它们赶开。

她让死者平躺下来，整理了一下他的衣冠，然后伸出手为他把眼睛合上。

"我杀死了一位英雄，我结束了一个时代！"

鲜卑莫愁说道。说完，她从高绾的发髻上取下那支鹓鸟的羽毛，像扔掉一件不祥之物似的，将那羽毛扔掉，又辟邪似的朝那扔去的地方吐上两口唾沫。

而后，她走出羊圈，整了整衣衫，对着统万城喊道："准备后事吧，你们的主公死了！"

第七十七歌
美人归去

赫连勃勃死于公元 425 年，享年四十五岁。这个在匈奴人迁徙的高车上出生、在草原上一个普通的羊圈里悄然死去的人物，就这样走完了他的不平常的一生。

他的远祖是冒顿，曾祖是呼韩邪，他是匈奴人的末代大单于。他还建立了一个国家，这个国家叫大夏国，是五胡十六国之一。他还建立了一座都城，这座都城叫统万城，是匈奴这个居无定所、逐水草而居的游牧民族所建立的唯一一座都城。凭借它，我们才能有充分的理由相信，那些史书上的零星记录，那些散布于民间的口口相传，是真实的，确实有过那些乘马走来的英雄美人，确实有过那些不朽传奇和歌谣故事。

赫连勃勃是这个伟大游牧民族行将退出历史进程前，发出的最后一声绝唱。

他的脸上有三道刀痕，第一道代表勇敢，第二道代表美仪，第三道代表凶恶。这三道刀痕概括了赫连勃勃的一生。

然而，这三道刀痕还有另外一种解释，即一道代表一坛浓烈的酒，一道代表一匹尊贵的马，一道代表一个风情万种的女人。这三者是成就一位草原英雄的三剂猛药。

　　他的乖张和凶残曾震惊整个匈奴草原，被称为草原上的恶之华。而那纸页泛黄的史书，也屡屡将他作为暴君的一个范例。

　　但是，史书是可信的吗？传说是可信的吗？那史书也许是他的敌人写成的，而那口口相传的传说也许只是以讹传讹。站在长城线内，去看长城线外，只见脸上刻有三道刀痕的一个人骑着马向你走来，你也许无法看清他，你的远距离的猜测充其量只能是猜测。

　　就在赫连勃勃死去的那一刻，一只鹰，这草原上唯我独尊的君王，它正平展着翅膀，驾驭着气流，在这一片草原上空翱翔着。翅膀不摇不动，姿态高贵而骄傲。

　　噢嗬——
　　那苍鹰又在天边遨游，
　　它莫非生在战乱的时候？
　　那片片的流云在疾走，
　　它莫非在呼唤已去风暴的怒吼！

　　赫连勃勃去世之后，鲜卑莫愁回到了统万城，她几乎没有做什么停留，就骑着她的小牝马，弹着琴离开了统万城。

　　没有人敢阻拦她。也没有人劝说她留下。

　　她骑着马向固远城那个方向走去。

　　在漫漫的路途上，陪伴她的是一本叫《阿弥陀经》的经卷，译者叫鸠摩罗什。这是鲜卑莫愁在统万城时，从易马城一个和尚的手中得到的。

　　鲜卑莫愁骑在马上，看着经卷，不知道走了多久。她松开缰绳让马信步走着。那马认得去固远城的路，而鲜卑莫愁自己，反倒未必能记准。

　　突然，马不走了。鲜卑莫愁的眼睛还盯在经卷上，她用双腿叩了叩马肚，马依然不走。于是她抬起头来，她发觉她走到了那个山坳的转弯处，她第一次与赫连勃勃相遇的地方。

　　"我的马车上有酸奶子，满满的一大皮囊，行路客，你多么的忧郁呀，好像全世界的苦难此刻都装在你一个人身上似的！哦，你等着，我这就为你打去！"

鲜卑莫愁泪流满面，喃喃地说着过去说过的这话。

她一连说了三遍，但是没有人应声。山路上空荡荡的，世界好像退去了，只留下这空荡荡的道路，和道路上的一人一骑。

鲜卑莫愁大哭起来。

哭声中，从那路旁的山坳处传来了叮叮咚咚凿石头的声音。鲜卑莫愁向那里走去。

在子午岭那高高的山脊一侧，秦直道旁边，有一座石窟，官方的名字叫石泓寺，当地老百姓则叫它石碴河千佛洞。

专家们说了，敦煌莫高窟向大同石窟、龙门石窟过渡时，中间有近五千华里的路程，这样遥远的距离，它的中间该有一些小型的石窟作为跳板才对。

于是，他们沿着秦直道两旁，拨开密林草丛，在这绵长的道路两旁寻找，结果，专家们果然在那应该有的地方找到了应该有的石窟。

而这石泓寺，或者说石碴河千佛洞，就是莫高窟通往云岗石窟的诸多跳板中重要一个。

专家们拨开崖壁上的藤蔓，洞口露了出来。洞窟里面凿成的房间的三面墙壁上，从地面到屋顶，一层一层，共凿了一千个小佛。小佛们神情各异，栩栩如生。房间的正中间则留下一方石头，那上面供着三个泥塑。

上面说的这些，和中国地面所有的石窟没有什么两样，这石泓寺唯一不同的，或者说那让专家们惊诧不已的，是在从洞口到房间的过道上，那一面石崖上的石头凿成一个方框，而那方框里面端立着一个泥塑的女菩萨。

这女菩萨面白如雪，面红如酡，黑炭般眉毛，风情大眼，小巧的高挺的鼻梁，朱砂色的嘴唇，仿佛活人一般。

关于这个泥菩萨，当地还流传着这样的一个故事。

传说，石窟工程开凿已经有二百年了，还迟迟不能竣工，石匠们一是嫌劳作艰苦，二是思乡心切，于是纷纷逃亡。这时候，来了一位女施主——一位漂亮的女施主——一位美若仙人的女施主。她跳下马来，加入到这修筑石窟的队伍之中。

没有人知道她的名字，没有人知道她来自何方。

白天，女施主为石匠们做饭、缝补洗衣；夜来，她看了工程的进度后，选择那天出活最多的一位石匠为他暖脚，以示褒奖。

工地上于是有了欢笑声，工程的进度明显地加快了。工匠们为了得到她的缠绵一夜，争先恐后地努力劳作着。

那凿出的碎石扔到川道里堆成了山，这个石窟也就有了名字，叫石碥河千佛洞。

一些年以后，工程终于竣工了。

那石碥河千佛洞竣工之日，也就是这个女施主气绝之时。

收拾好家伙，准备回家的工匠们又拖延了三日，他们在石佛洞的过道上凿出一个位置，把这业已香消玉殒的女施主端立起来，放在那位置上，用木楔固定，身上加一把谷草，再在这谷草外面糊上泥巴，而后用油彩涂抹一遍。

于是，这个肉身女菩萨就端立在那石泓寺的过道上了。石匠们认为这位女菩萨是专门来帮助、激励他们修筑这石窟的。

头脑光光的专家们对着这美艳照人的肉身女菩萨端详了很久，然后轻轻地用小刀将那泥巴剔开一条小缝，凑到跟前去看，其结果令他们惊骇。专家看到了里面白生生的骨骼，从而证明这个传说也许有几分真实，那泥巴下面确实是有肉身的。

第七十八歌
拓跋屠城以及后赫连时代

如今，在统万城的西北方向，那个横亘的乔山之巅，有十三座拥拥挤挤、一字儿排开的沙丘。千百年了，流沙滚滚，遮天蔽日，就连那统万城的白色废墟，也多一半为这流沙所掩埋，独这十三个彼此相连的沙丘，不摇不动，一直矗立在那天宇之间。

当地人叫那地方曰"十三敖包"，说那里正是赫连勃勃以及他的儿子、皇后和娘娘们的葬身之处。

作为佐证，在这十三敖包的中间位置，并排立着三座白色的房子。那些房子是亮眼的粉白颜色，站在统万城城头上瞭望它们，相距约二十华里，如在眼前。

那白色建筑物是穹庐式的屋顶，圆状的墙壁，人们说那是享堂。

那十三敖包真的是赫连勃勃的葬身之处吗？史书上没有记载，后世也没有做过勘测，我们也不敢胡说。

不过野史言之凿凿地说到了这里，并且连同这里一共提到过三处。除了这一处以外，那另外两处，一处在黄河岸边，奢延水流入黄河的地方有个白浮屠寺，人们说赫连墓在那里，那里居住的赫姓人家正是统万城被破后，避祸于这浮屠寺的。一处是在黄土高原的腹心地带，芦子关的下游，那里有一个牡丹川，民间又传说赫连勃勃葬身于此。

赫连勃勃死后的第二年春天，统万城为北魏拓跋焘所破。城中当时有十万人口，城破以后，十停中有三停为拓跋焘所杀。三停则流落民间，那流落民间的，有的姓了"赫"，有的姓了"郝"，有的姓了"连"，有的则又恢复了那个"刘"姓。而那剩下的三停，被拓跋焘所俘获，押往雁北地面的代州城。

拓跋焘同时俘获的还有赫连勃勃在城中的妃嫔、王子以及他的三个妖冶无比的女儿。

传说拓跋焘屠城七日，鲜血染红了奢延水，那白色的城垣曾一度成为猩红色的，后来经过雨水的冲刷，岁月的漂洗，才逐渐又恢复它本来的颜色。拓跋焘还将那些辉煌楼阁中的各种装饰、崇台密室里的各种珠宝装载上车运往代州城。

那是草原上几百里长的一支队伍，牛车、马车、驴车，叮叮当当地响，驮牛、驮马、骆驼的背上堆积如山。还有掠夺来的三十万只牲畜，由拓跋的士兵驱赶着。当这样一支前不见头、后不见尾的队伍从草原上蹚着满地黄尘滚滚而过时，会是一番多么壮观的情景。

不过对于拓跋焘来说，他的最大的战利品是赫连勃勃的三个女儿。

赫连勃勃在世的时候，曾经有一个愿望，就是要把她们三个培养成三个女萨满，然后让她们乘着小牝马，在匈奴草原上游荡，呼风唤雨，兴风做浪。现在，这个愿望是无法实现了。

拓跋焘对这从统万城掳来的三个小美人钟爱有加，回到代州城以后，就立即把这三个小妖精一股脑儿娶为自己的妻子。那一年拓跋焘二十六岁。后来，当拓跋焘荡平长安城，荡平洛阳城，并从刘裕的儿子刘义隆手里夺取宋国的都城金陵城（刘裕称帝后，将建康城改名为金陵城），称帝加冕时，封赫连勃勃的大女儿为皇后，另外两个为贵人。这是公元 433 年的事。

这个皇后，就是北魏皇家史上的赫连皇后。这个赫连皇后，正是那大夏王赫连勃勃的大女儿，史书所载，言之凿凿，叙述者在这里不敢胡说。

那拓跋焘大帝亦是在四十五岁头上死的。死于金陵，很奇怪，他亦是死于宴席上的毒酒。

他是如何死的？谁毒死了他？因什么理由毒死了他？不得而知。那个时代，空气中真是充满了砒霜味儿。

赫连勃勃的三儿子，大夏国的太子，赫连勃勃之后的大夏国王赫连昌，亦是在被俘后押往代来城，又押往金陵城，然后在妹妹做皇后的前夕，为拓跋焘所杀。

为了保卫统万城，保卫大夏国，这个赫连昌曾做了殊死的抵抗。

赫连勃勃死后，驻守长安城的太子赫连昌得到消息，不啻是五雷轰顶，他星夜乘一匹快马，回统万城前来奔丧。

国中不可一日无主。葬埋了赫连勃勃，赫连昌就在永安台上祭天称帝。祭天仪式结束后，即联系四邻，重整朝纲，厉兵秣马，开始布防。

勃勃已死，赫连昌新立，拓跋焘哪里把他放在眼里，于是兵分三路：一路绕道九原郡，从那里南渡黄河；一路绕道山西，从蒲坂地面的风陵渡渡河；自己则亲率大军就近从代州城附近的津子渡西渡黄河。三路虎狼之师檄文告知天下，直扑统万城。

拓跋焘还是小觑了这统万城的坚固城防。围城三月，死伤无数，旷野上的统万城岿然不动。倒是那四面城墙外的只只马面时有奇兵杀出，令北魏军队惊恐不安。

后来拓跋焘见攻城无望，便引兵佯作败退。赫连昌果然年轻，少不更事，以为魏兵真的退了，于是倾巢而出，弃城追赶。刚刚追赶到半途，就听到身后嘈杂声一片，扭头看时，城中浓烟滚滚，火光冲天，城头上已是北魏旗帜了。

赫连昌回马去救，哪里能近得了城边。只见城中乱箭射下，那北魏拓跋焘大帝站在城头上，正朝赫连昌微笑。

赫连昌自忖败局已定，于是收拾残部去守长安城。他明白拓跋焘绝不会善罢甘休，破了统万城之后，下一步该是那小统万城——长安城了。

长安城后来也被北魏拓跋攻破，赫连昌于是退守平凉。在陇东高原上又与北魏周旋一番以后，赫连昌在平凉城被擒。

赫连勃勃的第五子赫连定镇守凉州城。统万城被围时，他赶忙救城，途中闻说统万城已破，赫连定登上一座叫苟蓝山的高山上大哭道："先帝以朕承大业者，岂有今日乎！"又环顾左右说，"使天假朕年，当与诸卿建王季之业！"

赫连昌被俘后，赫连定继承帝业。他在凉州城立国，后来溃败时，西渡黄河，坐在羊皮筏子上，被岸边赶来的吐谷浑人所杀。吐谷浑人提着赫连定的人头，到代州城去邀功领赏。

灰飞烟灭，白茫茫大地真干净。

这个雄踞一时的北方草原大国就此结束。这个在人类历史舞台上留下深刻厚重一笔的马背上的民族，像洪水退潮一样，且行且退，退出了历史的进程，退出了人们的视野。

中国历史上纷乱杂陈的五胡十六国时代，行到这一程，也就快接近尾声了。

那里面还有着许多的故事，我们这里只提一件。

灭掉统万城大夏国的北魏并没有能延挨多长时间。它后来分裂成东魏和西魏。北魏自己培养出来的两员大将高欢和宇文泰令北魏寿终正寝，两员大将从而建起了他们自己的短命国家。

渤海王高欢像所有的篡位者那样，将北魏的最后一个皇帝魏孝武帝在自己手中攥了三年，后来攥得有些厌了，想要药死他。魏孝武帝见大事不好，亡命西逃长安，投奔他的另一位将军河西王、关西大都督宇文泰。史书上说，是年十二月，宇文泰鸩杀孝武帝于逍遥园他所设的宴会上。武帝死后，殡于草堂寺十余年，后来迁葬于云陵。

于是，北魏灭亡，西魏、东魏建立。

这样，这部描写末代匈奴王赫连勃勃的书，描写汉传佛教的伟大奠基者之一鸠摩罗什的书，它同时成为了一部五胡十六国演义，它将魏晋南北朝、五胡十六国这一段历史，各个国家之间的前后承继、渊源替代，清清楚楚地写出，置于读者眼前。

第七十九歌
阿提拉

卡尔·马克思说过一句睿智的话：民族融合有时候是历史前行的一种动力。

我是一个世界主义者，我相信我的血管里澎湃着许多民族的血液。当我热泪涟涟地在中亚细亚大地上像风一样地行走时，我脱帽以礼，向每一座路经的坟墓致敬。

它们消失了。古阿尔泰语系游牧民族，古雅利安游牧民族，古欧罗巴游牧民族，它们消失在这块坦荡的苍凉的一望无垠的欧亚大平原上了，只留下那模糊的背影，那口口相传代代相传的传说，一任后之来者作无凭的猜测。

是的，我在中亚细亚高原上行走，我向每一个路经的坟墓致敬。我把它们都当作自己的光荣的祖先，而我，则是它们打发到二十一世纪阳光下的一个代表。

我脱帽以礼，向每一个路经的玛尼堆致敬，向每一个路经的玛扎致敬，向每一个路经的敖包致敬，向每一个路经的拱北致敬！

匈奴这个最不可思议的古老游牧民族，在东方大陆，在黄河之滨，在大河套地区，由一个叫赫连勃勃的末代匈奴王建造了一座海市蜃楼般的孤城之后，突然消失。赫连勃勃和他的大夏国，完成了这个民族在世界东方大陆上的最后一声绝唱，而后便徐缓地谢幕，退出了历史的舞台。

历史是如此惊人地相似，相似得叫人不寒而栗。就在匈奴人在东方大陆上消失的同时，在欧亚大平原的另一翼，迁徙到欧罗巴大陆的匈奴人阿提拉大帝和他的匈奴大汗国，也在完成一个华丽转身后，同一刻，倏忽间退出了历史舞台。

这里，且让我们借助女萨满那熠熠有光的独眼，越过辽阔的欧亚大平原，向世界的另一头瞭望吧！

阿提拉的铁蹄在把欧罗巴的土地几乎耕耘过一遍后，他站在战马上，挥舞着独耳狼旗，喝着骷髅头酒具里的酒，搭眼望去，发现整个欧罗巴大陆上，只有一座城市还在阻挡他的马蹄。

这座城市就是世界的西方首都罗马城，是罗马帝国的首都罗马城，是基督教红衣大主教居住的罗马城。

阿提拉将独耳狼旗一指，他的那三十万草原兄弟，裹胁着欧亚大平原上几乎所有游牧民族所组成的这股洪流，在一个早晨，把个罗马城铁桶一般围住，然后开始攻打。

围城半年，罗马城就要攻破了，罗马帝国将要灭亡了，西方基督教世界将要毁于一旦了。罗马皇帝眼看城池势将不保，化装成平民混出城逃逸。

罗马城的事务现在由红衣大主教圣·来奥主持。

圣·来奥大主教做媒，将皇帝的妹妹敬诺利亚公主许配给了阿提拉，将罗马帝国每一年的赋税拿出一半朝贡给了阿提拉。

于是，阿提拉终止了攻城，他在与圣·来奥大主教签订了城下之盟之后，马屁股上驮着敬诺利亚公主，重新回到了东欧草原，回到了布达佩斯。

在史籍和传说中，敬诺利亚一直是一个模糊不清的白色影子。据说她在十六岁的时候，就与一名年轻近卫军军官私通，后来私奔，被罗马帝国认为是一种耻辱，把她关到了君士坦丁堡的监狱里去（可能是软禁）。监狱里的敬诺利亚不断地给阿提拉写信，表达她的爱慕，称他是当时的第一英雄。又据说，阿提拉攻打罗马城，甚至也是敬诺利亚公主的教唆，她要这个男人向罗马帝国显示一下力量。

上面说的这些都是史籍上的，美国好莱坞一部大片叫作《上帝之鞭》，一部描写阿提拉大帝的电影，也对此作了同样的叙述。

我们看到，撤离罗马城的阿提拉，这个从中亚细亚高原过来的牧羊人，他的马屁股上驮着一位金发碧眼的罗马公主。

我们还看到，成为新嫁娘的敬诺利亚公主，她那高绾的发髻上，插着一根鹮鸟的羽毛。这羽毛我们似曾相识，这羽毛在此刻又一次出现，不能不令我们惊骇不已。

在布达佩斯匈奴大汗国的国都里，婚后第二年，正值盛年的匈奴末代大单于阿提拉死亡。据说，每天晚上，敬诺利亚公主都要用尖底高脚杯捧一杯酒给他。饮了这杯酒，酩酊之中，阿提拉便浑然睡去。

那东方的鲜卑莫愁曾经使用过的一招，在西方由敬诺利亚公主同样实施了。斟满酒后，她优雅地伸出戴着长手套的白色手臂，亮起五指，从高绾的发髻上拔出那根羽毛，从酒面上一掠而过。

阿提拉大帝在一杯又一杯的饮酒中，慢性中毒死亡。

重复也是一种美。于是那东方的故事又在西方重演了一回。

阿提拉死了。敬诺利亚公主将他拥入怀中，叹息说："我杀死了一位英雄，我结束了一个时代！"说完，她伸出手，将阿提拉的眼皮合上。

这样的话，我们似曾听过；这样的落幕，我们也似曾见过。

敬诺利亚公主在离开阿提拉时，已经怀有身孕。她没有回罗马城，而是去了君士坦丁堡。行前，她以轻蔑的口吻给她的哥哥瓦棱伦帝写了封便信，告诉他阿提拉已死，世界又恢复到它原来的秩序中了，他又可以高枕无忧地继续做皇帝了。

敬诺利亚回到君士坦丁堡后，生下一个儿子，名叫恺撒，后来成为皇帝。东西罗马帝国的历史上，曾经有过三个恺撒大帝，阿提拉与敬诺利亚所生的儿子，则是其中的一个。

"恺撒"在拉丁语中是不正常出生的婴儿的意思。恺撒出生的时候，不是像正常情况那样头先出来，而是脚先出来，这叫"立生"，或叫"逆生"。恺撒出世时，脚先出来，红红的脚丫上，右脚的小拇趾甲盖是浑圆的一块。

史书告诉我们，在阿提拉死后，他的匈奴大汗国立即土崩瓦解，他的三十万乌合之众亦立即分崩离析，而他的几十个儿子也被翻过身来的罗马帝国四处追打，一一杀死。

他的最小的儿子叫腾吉齐克。

腾吉齐克是最后被杀死的。他的人头被悬挂在君士坦丁堡大马戏场的入口处。

在参加完君士坦丁堡大马戏场的狂欢以后，高贵的游客们会在退场途中，在腾吉齐克那日见风干的头颅前停驻片刻。他们会指着那头颅说："这是一个从亚细亚高原过来的野蛮人。他的父亲叫阿提拉，他的曾祖叫郅支，他的远祖叫冒顿。他们的故事将成为欧罗巴人世世代代的谈资和笑料！"

那个曾经深深地动摇了东方农耕文明根基和西方基督教文明根基、差点儿重新改写历史的匈奴人，那个在人类历史进程中曾经闪现过自己骁勇身姿，并且第一个跃上马背的草原民族，就这样慢慢地退出了我们的视野。

赫连勃勃死于公元 425 年，死于统万城，死时四十五岁。阿提拉死于公元 453 年，死于布达佩斯，死时的年龄大约也是四十五岁。匈奴人没有文字，所以阿提拉死时的年龄，我们只能推测。

第八十歌
白城子凭吊

这是二十一世纪的某一天。这是在东欧平原上匈牙利的匈族人居住区某一个地方。

长期以来，他们认为自己是亚洲高原过来的牧羊人，是伟大的阿提拉所建立的国家。匈牙利民族诗人裴多菲，在他的民族史诗中，这样吟唱道：

> 我的光荣的祖先啊，
> 你们如何在那遥远的年代，
> 从东方，从黑海和里海，迁徙到水草丰美的多瑙河畔，
> 建立起我们的公国。

裴多菲所吟唱的，是人们长久以来的说法，是官方解释。但是上世纪末，一些匈牙利年轻学者对这个说法提出了质疑，他们说早在匈奴人到达多瑙河畔之前，这里已经有一个小公国存在，那是玛扎尔人建立的。

匈牙利官方采纳了这一说法，他们将解释修正了一下，这样来说："匈牙利境内的大部分居民是匈族人，而匈族人的祖先当是来自亚洲高原的牧羊人。"

其实，玛扎尔人也是从亚洲高原过来的牧羊人，它们当是古突厥人的一支。记得，我们在这个有些冗长的故事的开始，已经为你提到玛扎尔人了。

还是回到我们的故事中吧！

就在我们说话的这个时间，一个一身时尚打扮的旅行者正从一片东欧草原穿过。她戴着一个红色的宽边太阳镜，穿着碎花布夹克衫、白色旅游鞋。

我们认出了她，她的出现让人有些惊讶。

她就是那个女萨满，那个在赫连勃勃出世时站在迁徙的路边高声祈祷的人，那个站在代来城的废墟上告诉赫连勃勃这个世界上有一种"丛林法则"的人，那个后来在统万城永安台的台顶一袭黑衣、举目望天、与上苍通灵的人。我们这个故事将要拍成电影，电影中的女萨满一角，最好由斯琴高娃来扮演。

草原的路旁，一群匈族的孩子在玩一个掷羊拐的游戏。女萨满的眼睛亮了，她盯住了其中的一个羊拐。这只羊拐曾经挂在赫连勃勃的脖子上，不过它上面那个由鲜卑莫愁的发丝编织成的挂链已经消失了。现在的它只是一个光秃秃的羊拐。

女萨满停住脚步，说道："我用我手中的面包换你手中的羊拐，好吗？"

孩子瞪着眼白过多的眼睛，狐疑地看了她一眼，然后将面包拿去，将羊拐放入女萨满展开的手中。

飞机在天空轰鸣着，乘客中有一个人正是我们的女萨满。女萨满张开手，我们看见了她手中的那只羊拐。

终于回到统万城了。如今这里不叫统万城，而叫红墩界镇××村，或者按民间的说法，叫"白城子"。当年海市蜃楼般的辉煌都城，逾一千六百年的岁月侵蚀以后，洗尽铅华，已成苍茫的白色废墟，那白色废墟斑驳，苍老，无限凄凉。城的下半部分，为鄂尔多斯高原滚滚而来的黄沙所充填，那条自草原而来的弯曲河道，也只剩下细细一股水，在那深深的河床中流着。

女萨满站在西北角楼的顶端，向这片废墟望去，橘红色的夕阳，像一个大车轮子，停驻在那乔山之巅十三敖包的顶上。天空中密密麻麻的黑乌鸦，像云彩一样在城头上翻飞，发出聒噪之声。飞累了，便歇息在蒸土所筑的土基上。那土基上有着马蜂窝一样的巢穴，这巢穴也许当年是架那些宫殿椽头的。椽已经没有了，腐朽了，现在只剩一个一个的窟窿。

在统万城的废墟上，在永安台前，在一棵胡杨树下，一个头上扣着白羊肚子手巾的陕北老农，正就着那白色的台阶，在磨手中的镰刀。那人的背影酷似我们的主人公赫连勃勃。

女萨满走上前去，说道："你好，我认出了你！你是王！难道，你也会像现代人一样玩'穿越'吗？"

老农抬起头来，回答说："你认错人了，远方而来的旅行者。我谁也不是，我只是我——这周围村子里的一个农夫。"

女萨满将羊拐展开:"那么,这个物什,你认识它吗?"

那农夫的眼睛里闪了一下火花,但立即又熄灭了:"对不起,我不认识它!那不是我的东西!前面有个旅游点,那里有许多摆小摊的人。小摊上,有很多这种东西。"

说完,那个陕北农民装束的人,拎起镰刀,背起一捆山一样高一样沉重的庄稼走了,消失在苍茫中。

女萨满喃喃地说:"唉,幸亏有这么一座城,一座匈奴城,一座童话城,一件标志性建筑。有此为证,它确凿地告诉我们,那个第一个跃上马背的民族,那些轰轰烈烈的故事,那列队走过的英雄美人,他们都确实存在过——真的存在过!"

说罢,女萨满一扬手,将那羊拐扔到了统万城的废墟中去。

而就在此刻,一辆高车,这青海的高车,昌耀的高车,正从北斗星宫之侧悄然轧过,从岁月间摇撼着远去。当那高车路经统万城这一段行程时,我们听见,从那高车上飘飘忽忽地传来流行歌曲的声音——

　　　　把酒高歌的男儿是北方的狼族。
　　　　人说北方的狼族,
　　　　会在寒风起站在城门外,
　　　　穿着腐锈的铁衣。

我们的故事到这里就结束了。

活着多么好呀!无论是对于城来说,还是对于人类来说,都如是。那死亡固然是壮美的,壮美得令人着迷,令人震颤,令人心驰神往,但是,活下去吧,人们。活下去吧,城。即便是庸常地活着,也似乎更好一些。

{尾歌
天似穹庐 地如衾枕

在这如歌的行板中，歌者赞叹天似穹庐，歌者感恩地如衾枕，歌者走入了那一千六百年前的历史空间，歌者以全新的视角诠释了各类奇异人物，歌者完成了一次有些过于漫长的穿越。

哦，从此岸到彼岸，从彼岸到此岸，从这岸到那岸，从那岸到这岸，为了完成它，歌者用了"八十支歌"的长度来吟诵。歌者的声音，因为这有些过于冗长的吟唱，都已经有些嘶哑了。

历史有着许多的不解之谜，许多的永恒之谜。我们的赫连勃勃，大约就是这谜中之一，而我们的鸠摩罗什，是另一个谜中之一。

同样的，统万城的修筑是一个大谜，匈奴民族在行将灭亡前的那天鹅一唱是一个大谜。宗教的创世纪亦是一个大谜。

赫连勃勃凄楚地微笑着，穿着腐锈了的铁衣，站在那已经废弃了的城池的门口，拍打着门环。歌者试图走近他，试图把这个草原英雄还原出他的真实，试图近距离地一睹他骑一匹黑马鼓行燕赵纵横秦陇时的风姿。

那么，歌者做到了吗？也许并没有。因为歌者更多地屈从于那些史籍和传说，而那些史籍与传说，从它产生的那个年代起，就已经有了许多的对当事人的偏见在内。

我们记起在本书中，赫连勃勃在攻破长安、灞上称帝时，诛杀那一位京兆尹时的情景。他说，历史是胜利者书写的历史，哦，文化人，你们的那一张利嘴，以后又会怎么说我呢？！

他是一位英雄，是以骑一匹黑马、面色忧郁的愁容骑士形象出现在历史进程中的一个人物。他建造了一座匈奴民族的辉煌都城，他完成了天鹅的最后一声绝唱。他是历史的一个大谜。

——当历史尘埃用了一千六百年的漫长时间，完成它的沉淀以后，当那人和那城的轮廓渐渐清晰起来以后，我们可不可以用上面的话，这样说他？

统万城

站在统万城这个视角上，这个基点上，我们向那被老百姓称为"边墙"，被头脑光光的史学家们称为"长城"的地方，向它的内侧的广大农耕文明地区和外侧的广大游牧文明地区遥望时，我们会发现这样一个历史真相——

我们会发现，史学家们所津津乐道地为我们提供的二十四史正史观点，在这里轰然倒塌。

从这个角度看，一部中华民族的历史，是以一种另外的形态存在着的。这另外的形态就是：每当那以农耕文明为主体的中华文明，走到十字路口，停滞不前，难以为继时，马蹄踏踏，胡笳声声，游牧民族的马蹄便会越过长城线呼啸而来，从而给这停滞的中华文明以动力和生机，以新的胡羯之血。

很好，几千年来，中华民族就是这样走过来的。也许，这就是当世界上那些另外的文明古国，都已经泯灭于历史路途上的时候，这个东方文明古国，东方古老种族，却一直屹立不倒，依旧郁郁葱葱，生机盎然的全部奥秘所在。

历史在前行着，河流冲击着堤岸，发出巨大的声响。那河流是有河床的，它纵然千回百转，却总是循着河床左右激荡；而那历史则是有框位的，历史那命定的行程，一直走在它自己的框位上。

唉，这是一个沉重的话题。还是把这个沉重的话题，留给那些头脑光光的历史学家、人类学家去说吧，我只是一个歌者，只是为了剧情的需要、演出的需要，走到一个陌生的领域去插嘴，去嚼舌而已。我感到自己有点儿像那贪吃的马儿一样，吃草的嘴巴已经有些越界了。

同样的，那宗教创世纪之谜，那身披一件黄金袈裟一路东行的高僧鸠摩罗什之谜，在经过这一千六百年的尘埃之后，我们细想这其间端里，大约也只能用这是东方民族的命数，是事出偶然却又行之必然来解释。

佛教传入中国，改变了中国，深入地融入了中国人的每一个毛孔，渗入了大地的每一个毛孔。一位西方学者曾仰望着鸠摩罗什说：鸠摩罗什是东方文明的底盘。

是的，这是命运，是命数，是世界对这个东方古族的偏爱。

多么好呀，世界，它是如此的泽被和福荫着东方这一片天空和这一片大地，它是多么地慷慨呀！

天如穹庐呀，地如衾枕！

在结束这一次穿越之后，在走出迷宫之后，在魂灵不再附体之后，且让我们重新踏到这坚实的大地上回到现在时，回到卑微的我们自己本身。

那座逾一千六百周年岁月风尘的草堂寺，它如今还在，只是那墙壁上和供奉的佛像身上，涂了太多的油彩。哦，且让我们像一个普通的香客一样走近它，仰视它，为它燃上三炷高香。并且在征得住持同意的情况下，将堂口的那面响彻四方的大钟，轻轻叩响。

而那处于北方旷野上的辉煌都城统万城，它也依旧在那里闪闪烁烁。红柳河在它的这一侧依旧淙淙流淌，十三座敖包在它的另一侧依旧高高矗立。铅华洗尽，包装褪去，现在，只那白色蒸土的残骸裸露在这旷野上。夕阳凄凉地照耀着它，那鹰隼还在天空翱翔，时而像挂在空中一样，纹丝不动；时而又平展双翅巡游，仿佛还在为这片旷野、这座城市值更。

也让我们走近它，以一种旅行者的身份、旅行者的心态走近它。而在走近它的同时，顺便从路旁采来一束随便什么花儿。我们来到城下，为城献上。

2011.4.21—2012.4.21

西安—榆林—靖边—统万城—西安

2012.8.12中午第四稿改定

穿行在历史与现实之间

韩霁虹

　　对于匈奴这个业已泯灭在历史进程中的游牧民族，我们所能知道的，仍然略嫌太少。由于匈奴人没有文字，所以，就世界范围内而言，今人对这个曾在历史进程中闪现过骁勇身姿、震动过东方和西方大陆的游牧民族的了解，基本上只能从字缝里抠字，从话题中找话，在各个国家各个民族的史籍里去寻找那些涉猎部分。

　　就我们所知道的史料而言，匈奴民族的历史上，曾经出现过这么几个标志性人物。

　　一个是被称为"天之骄子"的冒顿大帝。他统一了匈奴部落，打败了当时北方草原上的所有对手。他将大月氏王的头颅割下来，做了他挂在马头上的骷髅头酒具。他将东胡人赶到大兴安岭一带。东胡人分别逃到两个山头上。一个山头叫乌桓山，一个山头叫鲜卑山。这就是后世的两个游牧民族乌桓和鲜卑的由来。他还将刚刚取得霸业的汉高祖刘邦围在今天大同的白登山，将刘邦的数万军队吃掉。刘邦带着几千名残余，躲在白登山的山顶上，后来采用谋士陈平的计策，贿赂了冒顿的夫人，才被让出一条路，和着夜色狼狈逃脱。

　　一个是从汉未央宫中娶得后宫美人王昭君的南匈奴王呼韩邪。马蹄嘚嘚胡笳声声中，昭君出塞。昭君沿着一条被称为"秦直道"的古代高速公路，从淳化县的甘泉宫上路，穿越子午岭山脊，乘坐船只渡过黄河，来到当时的五原郡（元朔二年前叫九原郡），如今的包头市，嫁与南匈奴王。呼韩邪死后，昭君再嫁呼韩邪二夫人所生的大儿子，这个王死后，王昭君再嫁二夫人所生的二儿子。昭君三嫁，成就历史上"胡汉和亲"的一段佳话。而南匈奴也就此成为大汉王朝的附属国。

另一个是呼韩邪的哥哥，北匈奴王郅支。郅支被大汉军队一路驱赶，一直被赶到如今的贝加尔湖畔。在那里，逃逸的粟特人建立了一个粟特国，郅支攻下粟特国，在那里安家。半年以后，尾随而来的大汉王朝西域都护府副都尉陈汤，率领一支轻骑，夜色中攻破城池，北匈奴王郅支被杀。这支北匈奴于是继续向黑海、里海，以至向东欧平原，向地中海迁徙。

还有一个标志性人物，他的名字叫阿提拉，欧洲人称他"世界的伟大征服者"，称他为"上帝之鞭"。阿提拉大帝当是郅支的直系后裔，北匈奴人的末代王。他在今天匈牙利的布达佩斯建立了匈奴大汉国，并开始了对欧罗巴大地的鲸吞。他死于公元453年。

另一个标志性人物，就是这本书的主人公，建立五胡十六国之一大夏国、建立一座辉煌的匈奴都城统万城的匈奴末代王赫连勃勃了。

本书的一条主线，就是描写赫连勃勃和他的统万城故事；本书的一条副线，则是描写鸠摩罗什自西域来到东土，汉传佛教得以逐渐确立的故事。

这是中华文明发展史上两个重要的节点和拐点。匈奴民族的退出历史舞台和汉传佛教的创世纪，都是可资记忆的伟大事件，都对这个东方文明板块的发展和延续，起到了重要的影响。

《金枝》的作者、英国著名人类学家詹姆斯·乔治·弗雷泽说，以现代人的思维模式来推测那些遥远年代的故事，也许距离真实很近，也许是谬之万里。

他说得很对。但是，别无良法。现在，且让我们一起穿行在1600年的时光里，看高建群如何透过那层层时间的黑幔，凭借这些有限的资料，去推测、去假想，像女萨满一样口中念念有词，在魔法中让历史复活，让带着凄楚微笑的赫连勃勃和披着一身佛光、怅然一声长叹的鸠摩罗什复活，用他们那褪色的嘴唇，给读者一个微笑，给世界一句问候。

一 赫连勃勃与统万城

秦末汉初，强大的匈奴部落联盟曾经雄踞蒙古草原以及中亚细亚广袤的戈壁大漠，他们强悍的骑兵经常南下侵扰，给中央政权以重大的威胁。

到了东汉初年，匈奴分裂为南北两部。朝廷趁机扶植南匈奴，共同对付北匈奴。战败的北匈奴一路向西迁移，从而引发了当时亚欧大陆上长达几个世纪的游牧民族迁徙浪潮。

在北匈奴西迁的同时，南匈奴被中原王朝接纳为正式的臣民，许多人开始进入长城以内定居。匈奴铁弗部就是十六国北朝时期南匈奴的一个分支。在公元391年的一次战争中，铁弗匈奴在与北魏的战争中遭到惨败，许多人被杀。年仅10岁的刘勃勃侥幸逃脱。在好友叱干阿利的帮助下，刘勃勃投奔前秦将领莫弈于帐下，并娶莫弈于之女为妻。不久之后，前秦政权瓦解，刘勃勃又随莫弈于一起归降代之而起的后秦皇帝姚兴。

公元407年，姚兴派遣使者与北魏讲和，这一举动令与北魏有杀父之仇的刘勃勃极为不满。26岁的他开始谋划脱离后秦，重建铁弗部自己的势力。而令所有人意想不到的是，他的第一个袭击目标竟然是自己的岳父——后秦大将莫弈于。同年5月，刘勃勃集结3万兵马，伪装成田猎的样子，在今天宁夏的固原一带，对莫弈于发动突然袭击。莫弈于战败被杀，其部众全被刘勃勃吞并。

是年6月，刘勃勃宣称自己是大禹的后裔，建国号"大夏"，建年号"龙升"，自称大夏天王、大单于，并仿照汉制设立朝廷、百官，正式脱离后秦独立。称王以后，刘勃勃对于自己原来的刘姓并不满意。当初，南匈奴的单于曾娶汉朝公主为妻，许多贵族被汉朝皇帝赐姓为刘，刘卫辰就是这些匈奴贵族的后代。刘勃勃认为这个姓氏是来自于女方的，大大不妥，也彰显不出他将要成就大业的独特身份。于是，他改姓赫连氏，取"帝王系天为子，其徽赫与天连也"之意。

从此，一个匈奴铁弗部统治下的新兴王国——大夏国正式登上了历史舞台。

愤怒的秦王姚兴此时将赫连勃勃视为不可饶恕的叛臣贼子，欲除之而后快，屡次亲率大军前来讨伐。而赫连勃勃亦想伺机进攻后秦，从而夺取更多的财富和领地。因此，大夏国从建立之日起，与后秦之间一直刀兵不断。面对实力远较自己强大的后秦，赫连勃勃放弃了正面对抗，而采用避实就虚、依靠骑兵快速突袭敌方薄弱环节的游击战。到了公元413年，大夏的控制区已从今鄂尔多斯地区向南推移到今陕西黄陵一线，夺走了本属于后秦的大片领土。大夏国从此开始进入它军事上的全盛时期。

随着控制区域的扩大、财富的增多以及军队数量的增大，赫连勃勃不再满足于先前单纯的游牧生活和游击作战方式，开始策划修筑一座宏伟坚固的都城，作为大夏国进一步发展的可靠根据地。经过认真挑选，他看中了当时位于朔方水北、黑水之南的一处位置，决定在这里兴建都城。

　　所选地址是在奢延水和黑水之间。奢延水就是今天无定河上游的红柳河，黑水则是无定河北岸的支流淖泥河。这个地方的环境得到了赫连勃勃的高度赞扬，他这么描述："美哉斯阜，临广泽而带清流。吾行地多矣，自马岭以北、大河以南，未有若斯之壮丽矣。"史书记载，这里"背名山而面洪流，左河津而右重塞"，居高临下，地势险要，易守难攻，周围又有广阔的牧场，是兵家必争之地。

　　公元413年，赫连勃勃下令改元"凤翔"，正式开始修筑新都。他任命自己最信任的手下叱干阿利为将作大匠，全权负责筑城事宜。"将作大匠"一职，就是皇家总工程师。叱干阿利聪明工巧，精通建筑技术，对工程质量要求极为严格，但他对筑城的劳工却也十分苛酷残暴。史书记载："阿利性巧而残忍，蒸土筑城，锥入一寸，即杀作者而并筑之。"

　　叱干阿利设计的夏国都城，城墙极为高大坚固。据现代考古发掘测量得出，其城基厚达25米，墙体亦高达20多米。坚硬的墙体上还密布几十个向外突出墙体的高台，也就是史书中记载的所谓"马面"。这些马面主要的作用就是在守城时形成密集的交叉火力，能够有效地杀伤攻城的敌人。此外，一些马面的内部还建设有大型仓库，可以用来储存粮食和守城器具。在四个城角，都建有30多米高的角楼，守军可以居高临下射击站在云梯上攻城的敌人。此外，赫连勃勃还命人在城墙以内修筑宏大的官殿，并配置许多豪华的装饰物。

　　由于工程浩大，大夏国为修筑这座都城所征用的劳工总数达到10万以上，历时6年之久方才完工。赫连勃勃对叱干阿利监造的都城非常满意，他说："朕方统一天下，君临万邦，宜名新城曰统万。"至此，北方的重镇统万城竣工。赫连勃勃曾命汉族大臣胡义周撰写《统万城铭》，垂数千言，辞藻华美，将竣工不久的统万城壮丽辉煌之景展露无遗。透过《统万城铭》气势磅礴的文字，我们仿佛仍然可以看到大夏的开国之君赫连勃勃站在城头向远处眺望，与手下众多的谋臣武将共同策划宏图大业的情景。

　　赫连勃勃按照夏国与主要敌国的相对位置，分别命名东南西北四个城门为"招魏门""朝宋门""服凉门""平朔门"。

使用三合土夯筑的统万城，无比坚固坚硬，甚至可以用来磨刀。经历了 1600 年的风雨侵蚀，至今仍保存着挺拔雄峻的历史风貌。在技术条件落后的古代，使用如此大量的三合土来筑城，可以想象当年的施工景象是何等的浩大。在统万城内，还保存有一些高大的夯土台基，专家分析，它们很可能是祖庙和明堂等祭祀设施的遗迹。

2012 年 4 月，考古人员在统万城周边曾进行了一处墓葬的常规挖掘。当考古人员进入墓室之后，映入眼帘的是一幅色彩鲜艳、异常精美的壁画。壁画中出现的太阳和月亮，以及玉兔与三足神鸟，恰好印证了中国古代关于日、月的神话故事。壁画的右下方有一名疑似墓主人的男子，端坐在靠椅之上，面色安详，五位身穿袈裟的僧人站立一旁，还有一位来自西域的粟特人也出现在了壁画中。据考古人员推测，这座古墓应为北魏晚期的墓葬，在统万城所在的毛乌素沙漠边缘地带，考古人员从未发现如此精美的墓室壁画。这意味着在北魏晚期或较早的大夏国时期，统万城是北方各民族融合、交汇的中心地区，佛教也早已在这里盛行。

赫连勃勃虽然生性嗜杀残暴，但却不是一个糊涂的君主。史书中对于他的评价，众说纷纭。有说他"性辩慧，美风仪"，有说他"奉上慢，御众残，贪暴无亲，轻为去就"。"轻为去就"这点是最要命的了，他投奔谁、背叛谁，翻脸就像翻书一样，非常靠不住。还有人说他是纵横草原的战神，有人称他是大漠游击战的鼻祖，多少都有点儿道理。他自幼生在草原、长在草原，世居中国北方农牧交错带，特别擅长从草原到内地的机动作战。按说他那四万铁骑，在当时北方战争舞台上不算什么，但是他知道如何捕捉战机，如何发挥他仅有的机动作战效能。为了与后秦、北魏等强敌抗衡，除了采用灵活的作战方针，他还非常留意收揽人才。负责建造统万城的叱干阿利，是赫连勃勃的好友和救命恩人。此人不但具有杰出的建筑才能，作战也十分勇猛，是难得的将才。为了报恩，同时也为了笼络，赫连勃勃登基伊始就封叱干阿利为大夫，对叱干阿利的家人也多有封赏。对于敌国前来投奔的人才，赫连勃勃也注意招降和重用。赫连勃勃对王买德非常赏识，二人常彻夜密谋军国大计。对于归降的汉族文人，赫连勃勃也不吝惜给予适当的位置。撰写《统万城铭》的胡义周，曾在姚兴手下担任过"黄门侍郎"，相当于皇帝的秘书。胡义周归降夏国以后，赫连勃勃任命他做"秘书监"的职务，这一职务则相当于今天的国家图书馆馆长。

就在赫连夏日益强盛的同时，后秦所面临的内外形势却日益恶化。公元414年，姚兴病重，诸子之间为争夺储位爆发激烈冲突。虽然姚兴的继承人姚泓勉强平息了内乱，但后秦的实力从此被严重削弱。此时，南方的东晋又对后秦发动了猛烈攻势。赫连勃勃趁机攻占秦的上邽、雍城等多座城池。

公元417年9月，东晋大将王镇恶攻克长安，后秦灭亡。晋军主帅刘裕在长安只暂住很短时间，便返回东晋首都建康（今江苏省南京市）争权夺位去了。赫连勃勃觉得时机成熟，便要趁机进攻关中。

赫连勃勃采纳了王买德的谋划，公元418年，大举进攻关中。此时留守长安的东晋将领发生内讧，勃勃趁机顺利击败晋军，攻占长安。公元418年11月，赫连勃勃筑坛于霸上，祭告天地，正式称帝。在赫连勃勃看来，千年帝都长安并非久居之地，而他苦心经营的统万城才是夏国最为坚固的堡垒和大本营。然而，历史似乎和赫连勃勃开了一个玩笑，他并没能享受这座宏伟的新都很长时间，也再没有机会逐鹿中原。

赫连勃勃的几个儿子继承了他的残暴，却没有继承他的智谋。唯一稍有智谋的小儿子赫连定没有得到重用，而他亲自选定的接班人赫连璝，是一个才能不足、野心有余的庸人。也许是由于太子叛变、诸子骨肉相残的沉重打击，赫连勃勃从此一病不起。公元425年，赫连勃勃病死于统万城，终年45岁。统万城屹立依然，一代枭雄却如流星般陨落，再也不能一统天下、君临万邦了。

此后，三子赫连昌继位为夏王。公元426年10月，北魏太武帝拓跋焘亲率数万大军渡过黄河，大举进攻夏国。拓跋焘虽然年仅19岁，却用兵如神，又有智多星崔浩出谋划策。面对这样强劲的对手，才能平庸的赫连昌一下子显得相形见绌。公元427年2月，赫连昌派遣赫连定率2万军队南下，企图夺回长安。临行之前，赫连定一再告诫哥哥要固守城池，等自己率军回援。然而，赫连定刚一出发，赫连昌便将忠告忘得一干二净，轻率地出城与魏军决战。夏军没有了坚固工事作为依靠，无法抵挡人多势众的北魏铁骑。

统万城失守之后，赫连昌、赫连定兄弟失去了经营多年的大本营，夏国境内亦已无险可守。公元432年，北魏彻底击败夏军余部，并杀死赫连定。至此，曾经雄踞塞上、强盛一时的大夏国宣告灭亡。

公元 487 年，北魏改统万城为夏州，从此之后直至北宋初，统万城都以夏州城之名继续傲立不倒。自北魏改统万城为夏州城至西夏灭亡的七百余年间，夏州城因其险峻、坚固、地理位置重要，一直扮演着边防重镇的角色。到了元末明初，明太祖朱元璋出兵北伐，消灭元朝，并将蒙古势力驱赶到漠北地区。明宪宗成化七年，也就是公元 1471 年，明朝在陕北地区大修边墙，统万城的故址就此被隔绝在了长城之外。统万城及夏州城的名字，从此在史书中消失了。

虽然繁华而充满野心的帝王梦早已破灭，虽然人类的雄心和欲望曾经创造出一个又一个的辉煌，却始终没有敌过或短或长的时光，不一定是英雄末路时才会有悲凉，而是繁华梦落时，你依然不知道自己原来应该身在何方。

选一个有月的夜晚，走进城池，那是旧时月，却也是今时光，已然听不到马蹄的清脆，人声的喧嚣，这座空城能讲述的恐怕更多的是帝王梦以及梦的破灭，而当你尝试着去抚摸城廓的每一片土石，每一处裂纹，当你在如此精美的壁画前伫足凝望，你突然明白，一种文明得以薪火相传的原因，它是如此的柔软，细腻，深藏，所有的动物带一份天真的憨态，身处的家园日月同辉却相映和谐，而心灵，有一派佛的安详。

（注：本段文字摘录整理自央视纪录片制作中心正在后期制作的纪录片《统万城》解说词。解说词撰写者为陕西师范大学《中国历史地理论丛》期刊主编侯甬坚教授及他指导的李冀博士生、张宇帆硕士生。）

二 鸠摩罗什与草堂寺

龟兹，古丝绸之路北道上的一个交通要道，它曾是西域三十六国中最早接受汉文化的国家，也是当时西域政治、经济、文化中心，鸠摩罗什就出生在这里。鸠摩罗什的父亲鸠摩炎来自印度，他放弃了世袭国相，来到龟兹修行、研学。鸠摩炎的人品和才华深深吸引了龟兹国王的妹妹耆婆。相传她身上有红痣，这是生贵子的特征。耆婆此时已双十年华，虽有各国显贵竞相提亲，但她都不肯答应，但见到鸠摩炎十分倾心，决意嫁他。婚后两人生一美貌聪慧的男子，取名鸠摩罗什。

鸠摩罗什天生聪慧，尤其在佛学方面更显出了超人的论辩与理解能力，让龟兹国及印度僧侣惊叹不已。他7岁出家，9岁随母一同外出游学，20岁被龟兹国王敬为国师。龟兹国原本崇尚小乘教法，鸠摩罗什广开大乘法筵，奠定了大乘佛教在龟兹国的地位，同时也使鸠摩罗什成为当时最负盛名的一代高僧。

　　前秦永兴元年（公元357年），符坚继帝位。建元十三年（公元377年），太史向符坚上奏称：在外国边野，出现一颗明亮的星，当有大德智人入辅中国。这位大德智人即是鸠摩罗什。几年后，符坚遣兵征西域，派大将吕光领兵7万从长安出发，西征龟兹，请鸠摩罗什到长安。可就在吕光带鸠摩罗什行至凉州（今甘肃武威）之时，符坚被姚苌所害，吕光便在凉州称王，史称后凉。而鸠摩罗什也被迫在武威一待就是16年。正是这16年，使得鸠摩罗什有了了解研究汉文化的机会，也使他对汉文化有了很深的造诣，这为他到长安译经、讲学打下了坚实的文化基础。

　　公元407年，后秦皇帝姚兴派兵灭掉后凉。在历经了两晋南北朝的动乱、被迫滞留甘肃武威长达16年之后，鸠摩罗什被后秦皇帝姚兴迎入长安住在了逍遥园中，并以国师之礼待之。为了方便鸠摩罗什讲授佛法、翻译佛经，姚兴在园内设寺，以草苫覆顶，草堂寺由此得名。

　　鸠摩罗什在草堂寺讲法，姚兴曾带领沙门寺慧恭、僧迁、宝度等高僧500余人聆听。在这位帝王的推动下，鸠摩罗什更是吸引了当时全国各地的高僧云集于草堂寺，儒道志士也纷纷与佛结缘，汉传佛教从此兴盛，草堂寺也成为佛教传入中国后第一个国立译经场，它的建立开辟了中国佛经翻译史上的新纪元。自此，鸠摩罗什与草堂寺结下了不解之缘，铸就了一段传颂千载的佳话。

　　最早翻译过来传到中国的佛经并不十分准确。那时的译者，既不是印度人，也不是中国人，而是丝绸之路上中介地区的大月氏人、安息人、康居人和于阗人。他们对汉语和梵语都是一知半解，所译佛经的质量也就可想而知了。在姚兴和弟子们的大力支持与帮助下，鸠摩罗什重新翻译了众多经书。鸠摩罗什对佛经采取意译的方式，又加上自己的感悟和独到见解，这样翻译过来的佛经与梵本基本一致，并且更易于中国人理解和接受。通过他的翻译，中国的佛教达到了与世界佛教对等交流的水平并对世界佛教和文化产生了重要影响。

　　据记载，鸠摩罗什在草堂寺内与弟子翻译的经典计94部凡420卷，被誉为中国佛教史上四大译师之一。鸠摩罗什译经不辍，经他翻译而留下的佛学经典一直流行于世，福泽后人。他翻译的《金刚般若经》《妙法莲花经》等经典在中外盛行已 1600 余年，无以替代。唐初高僧吉藏以鸠摩罗什译出的《中论》《百论》《十二门论》三部论典为依据，创立了三论宗，尊鸠摩罗什为始祖，草堂寺遂成为三论宗的开山祖庭。

公元 413 年，鸠摩罗什在草堂寺圆寂。相传鸠摩罗什圆寂之前发出誓言："今于众前，发诚实誓：若所传无谬者，当使焚身之后，舌不焦烂。"姚兴在草堂寺为他举行了毗荼仪式，以火焚尸，薪灭形碎，唯舌不尽。这也正应验了他的誓愿。他圆寂后，弟子们收其舍利，建造舍利塔以纪念之。鸠摩罗什塔是用砖青、玉白、墨黑、淡红、浅蓝、赫紫、乳黄等各色大理石雕刻镶砌而成，高 2.46 米，分 8 面 12 层，因而又称"八宝石塔"。塔上都是屋脊形的盖和圆珠顶，盖下有阴刻的佛像，中间为八棱形龛，塔底是须弥山座。这座鸠摩罗什舍利塔历经一千五六百年的风雨，至今仍基本完好。塔前有古柏两株，小井一眼，人称"二柏一眼井"，为此寺景点之一。塔后有茂盛修竹一片，竹林中有烟雾井一口，每逢秋冬之晨，井内雾气上升缭绕，直向帝都长安飘去，著名的长安八景之一"草堂烟雾"即由此得名。

鸠摩罗什圆寂后，草堂寺历经朝代更迭，风云变幻。唐初，草堂寺荒芜。天宝初年，飞锡法师住寺弘扬净土。唐宪宗元和年间，圭峰密宗禅师主持草堂寺，大振宗风，中兴草堂。唐末毁寺。宋乾德四年改名为清凉建福院。金明昌四年辩正大师封增修讲所，梁栋宏丽，楹檐宽敞，复称草堂寺。元代，皇太子五年内曾四度下旨对寺进行大规模修葺，逍遥园、草堂寺之名并用。清雍正十二年，罗什门人僧肇被封为"大智圆正圣僧"，草堂寺易名圣恩寺，然民间仍然以"草堂"为寺名。此后，草堂寺又经多次修葺，成为西安地区留存至今最古老的名刹之一。

《甘亭十二景》诗刻中的《草堂烟雨》诗云："烟雨空蒙障草堂，昆卢古刹现毫光。一乘慧业超千界，万斛明珠照十方。炉篆氤浮岚雾合，林岩香散野风凉。回廊细读圭峰纪，遥忆当年翰墨场。"斯人已去，但草堂寺中屹立了千年的鸠摩罗什舍利塔依然坚守着鸠摩罗什传承佛教的执著精神。草堂寺中那些鸠摩罗什曾经抚摸过的花草，轮回了百世，带着他至圣至善的精神，仍然无我无他地开放，隔了千年望去，仍然脉脉动人。

三 高建群与《统万城》

2008年2月1日，一个独特的新闻发布仪式在户县草堂寺举行。

在户县县委、县政府、县文物局、县宗教局、县文联等部门领导及众多僧人的掌声中，草堂寺方丈释谛性正式向高建群颁发聘书，邀请他创作大型传记小说《鸠摩罗什》。"云远山高古道长，沙漠驼铃震四方。晶莹最是天山月，为汝遍照菩提光。"当释谛性以手加额，在和田玉砌成的鸠摩罗什舍利塔前朗声说出这四句偈语为高建群祈福那一刻，高建群在一种眩晕和辉煌的感觉中看到鸠摩罗什从遥远的历史深处走来，一身光洁，炯炯双目注视着他，对他微笑着说：我等待了很久，才等到一个能够懂我写我的人。亲爱的可怜的人，努力完成这次苦行吧，你将因我而不朽！

那一天，距离鸠摩罗什去世的公元413年近1600年。穿越1600年的时空，被尊为"三藏法师"的历史著名高僧和写出《最后一个匈奴》《大平原》的当代优秀作家于当年的译经道场草堂寺中相视一笑。那一天，阳光温和，高建群的脸上和鸠摩罗什一样布满智者的佛性光辉。那一天，是高建群的54岁生日。

2008年春夏之交，高建群赴甘肃、新疆等地进行实地采访体验，探访鸠摩罗什曾经停留过的地方，收集关于鸠摩罗什的民间传说及大量的佛教史料。至2009年底，《鸠摩罗什》完成了第一卷《菩提树》，并且发表在当年第五期的《江南》上。他计划写七卷，分别叫《菩提树》《黄金狮子宝座》《白马敦煌》《凉州词》《长安月》《草堂寺》《淤泥莲花》。

在《鸠摩罗什》写作中，我曾和高建群讨论过施蛰存的《鸠摩罗什》。施蛰存是我国现代文学史上新感觉派的主要代表人物之一，他深受西方20世纪心理分析学说的影响，被称为"心理分析圣手"。他的短篇小说《鸠摩罗什》通过鸠摩罗什从俗与修行的矛盾探讨人性的本我与自我，在当时的社会背景下是一种思想解放的表现。但鸠摩罗什被大话成了一个完全偏离历史的贪图享乐、装模作样的虚伪形象，这是高建群完全不能接受的。高建群开始思考以现有的资料写下去是否能让这样一个佛教巨人走出圣殿，以通俗化、平民化的形象进入读者视野，同时又保持他一身的智慧、光洁与传奇。

创作歇息期间，在陕西省拟将统万城申报为世界文化遗产的大背景下，有人邀请高建群创作关于统万城的影视剧本，他想都没想就答应了。在两次赴统万城采风后，他几乎一蹴而就，写下了以赫连勃勃故事为主题的电影剧本《最后的匈奴王》。

2010年10月，时任陕西省委常委、省委宣传部部长的胡悦到榆林调研时去了统万城。胡部长被大漠深处气势壮观的古城遗址所震撼，回西安见到高建群就说，陕北有那么重要的一个世界性遗址，可惜好多人不知道。榆林要抓文化产业工程，第一选择就是统万城遗址恢复和申遗工作。老高，我给你个任务，你写部统万城的小说吧。

想到《鸠摩罗什》创作遇到的瓶颈和已经完稿的电影剧本《最后的匈奴王》，高建群灵光一闪，何不把两段在时间轨道上有交叉的人物故事融在一起写一部长篇小说呢？就这样，历史上著名的匈奴末代大单于赫连勃勃和西域第一高僧鸠摩罗什不期间相遇在这部被高建群称作封笔之作的《统万城》里了。

《统万城》电影及小说的创作得到了当时主管旅游的景俊海副省长的大力支持。他听了高建群的汇报后说，写一部大作拍一部大电影，将统万城打造成旅游热点和旅游目的地，同时促使统万城申遗成功。老城不动，可在老城边建一座新城做影视基地，中间用一条林荫大道连接，游客参观完老城可到新城去住。这更促使高建群排除干扰，静心进行《统万城》的创作。

在有故事的基础上，长篇小说创作的基本要素是语言和结构。语言的体温只有附着在结构的骨架上才能创造出有灵魂的饱满的生命。一个大恶之人，一个大智之人，两个传奇人物如何在一部作品里并行交叉，对于已经形成自己个性化诗性语言风格的高建群来说，更多考验的是结构能力。期间，我请高建群看了吉勒莫·阿里加的电影《燃烧的平原》。这位墨西哥的天才编剧高手，在给导演亚里桑德罗·冈萨雷斯·伊纳里多编剧了著名的"命运三部曲"《爱情是狗娘》《21克》《通天塔》后，自编自导了这部充满智慧和戏剧冲突的电影。《燃烧的平原》把时间剪碎混杂进故事里多线叙事，在两条完全独立的时间线上通过纵横交错的情节展现了五位主角不同的生活遭遇。多线叙事是把双刃剑，做得好环环相扣，情感递增，但对受众的要求甚高。他们不仅要花费心力将纷繁复杂的人物和剧情理清，还必须与创作者的智慧并驾齐驱，这不是一般人能欣赏得了的。欣慰的是，高建群运用了精巧的解构叙事，双线并进，错落的情节穿插，不落俗套又保持了故事原本纯朴天然的美，这使《统万城》成为华丽深刻的艺术品而非刻意炫耀技巧的工艺品。

在《统万城》里，写作者高建群和女萨满一样，既是故事情节的参与者，也是旁白和预言者。他用《荷马史诗》般的语言缓慢地吟诵着赫连勃勃和鸠摩罗什的故事，让他们在各自的空间轨道上演绎着自己传奇的一生，时而平行时而交叉，最后，当我们可以跟随赫连勃勃看到匈奴这个曾深刻地动摇了东方农耕文明根基和西方基督教文明根基、差点儿改写世界进程的古老游牧民族如何退出人类历史舞台，当我们随着鸠摩罗什看到佛教进入中国、汉传佛教得以确立的历史，当赫连勃勃安顿了追随鸠摩罗什来到长安城的三万龟兹国百姓，当陕北的歌舞含有龟兹人带来的西域艺术风，当在统万城里看到龟兹国的胡杨树，两个看似无关的人被冥冥之中的时代命运所牵连，奔赴了同一个时间、同一个主题：魏晋南北朝民族大融合的历史。

作为《统万城》的编辑和第一读者，第一遍看稿我是在大声朗读中完成的，因为小说诗一样唯美的语言柔软而又充满张力。整个作品气息贯通流畅，叙事恢宏霸气，结构曲径通幽。这是高建群近60年的人生感悟、艺术修炼以及历史文化积累在文学上的完美融合，激情爆发；是高建群以自己独有的东方美学和东方智慧书写人类的大苦难、大文化，向世界诠释属于中国本土的文学经典。著名评论家李星看了《统万城》的书稿后说，上天生下高建群这个作家，就是为了让他写作《统万城》的。这可能是高建群最好的作品，它将成就高建群的文学高峰。我同意李老师的话。这是一部从内容到形式都可与世界文学对话的史诗般的作品。应该说，读者给予怎样的期待都不算过分。

如果说《最后一个匈奴》写的是曾留下匈奴足迹的陕北地域世纪史，那么《统万城》写的就是匈奴民族的最后一段历史。自称为"长安匈奴"的高建群说，曾经影响过世界历史的匈奴民族已经消失，但这个伟大的游牧民族建造了一座城，影响了农耕文明，从这个基础上讲，匈奴民族值得记忆，赫连勃勃就是英雄。赫连勃勃与被欧洲人恐惧地称作"上帝之鞭"的同时代北匈奴人阿提拉大帝一样，在历史上被称为残暴之君。但在高建群笔下，一代枭雄赫连勃勃不光生性狡猾、凶狠、自大、野蛮，同时亦志向远大、坚韧不拔，向往汉民族文明，这个高明的军事家把运动战和游击战的优势发挥到了极致，他是匈奴历史上的悲情民族英雄。从小生活在陕北，新疆当了五年骑兵，高建群骨子里多少流淌着游牧民族的血液，他不仅熟悉统万城的故事，更对游牧民族血液里的东西洞若观火。"可怜无定河边骨，犹是春闺梦里人。"他以宽容悲悯之心来看待匈奴民族为自己的生存而进行的斗争。赫连勃勃们不光要生存，更要活出人的高贵和尊严。统万城就是这种民族生存精神和强烈的生命意识的体现，是匈奴这个中国历史上最大的北方游牧民族留在中国大地上的最后一声绝唱、最后一抹身影。曾经影响过世界历史的匈奴民族已经消失，但那座被岁月风蚀的城堡依然在茫茫大漠深处见证着草原文化与中原文化的交融、渗透、汇聚，诉说着匈奴民族悲壮的史诗……这样高远深邃的意向，怎不让高建群在《统万城》里一唱三叹呢？

高建群爱说一句话：和有智慧的人在一起，连我自己都变得聪明起来了。是的，和高建群相识交往多年，亦师亦友，他也改变我很多。当我看到他用一口地道的关中方言神采飞扬地讲述《百年孤独》《复活》里的生动细节，当他把普希金的《致大海》在不同场合朗诵了几百遍依然充满激情，当他在新疆哈巴河白桦林的帐篷里为朴树的《白桦林》泪流满面，当他笑眯眯慢悠悠地说"佛是开悟的众生，众生是没有开悟的佛"时，除了感动，我毫不怀疑这个看似朴拙的男人他是为艺术而生的。他洒脱而又温情，赤诚憨厚里透着无尽的智慧，散发着佛的慈悲光芒。这个平日沉默寡言、低调平和的谦谦君子说到自己作品时会散发出舍我其谁的张扬气场，我常常奇怪于这种矛盾在他身上的和谐相容。很多时候，他站在更高的境界里，他是大智若愚的最好诠释。

"一切有为法，如梦幻泡影，如露亦如电，应作如是观。"这是鸠摩罗什翻译的《金刚经》里最广为人知的四句偈语。生命是由无数个生灭的片断组成的，历史亦然。高建群让鸠摩罗什从《统万城》里走出，传递一种慈悲的温暖，距离佛近，距离人更近。在这个冬日的傍晚，办公室窗外红尘万丈，时光如水。从书稿中抬起头，墙上高建群画的鸠摩罗什静静地坐在"大自觉，大自由，大自在"几个字旁，一点儿也不咄咄逼人，一点儿也不高高在上，但用绝对的安静安详震慑了我的心魄。清风流转，天地如此宽阔温暖，原来流年里的浮生，亦可如此让人心神澄清，出离世情。

这是鸠摩罗什的，是高建群的，也是我们所有人的，大自觉，大自由，大自在。

2012 年 12 月 1 日